D1112778

TWELVE
FRENCH POETS

TWELVE
FRENCH POETS
1820 – 1900

*An Anthology of 19th Century
French Poetry*

WITH AN INTRODUCTION
AND NOTES BY

DOUGLAS PARMÉE, M.A.

*Fellow of Queens' College, Cambridge and Lecturer
in French in the University of Cambridge*

LONGMANS, GREEN AND CO.
LONDON · NEW YORK · TORONTO

LONGMANS, GREEN AND CO LTD
6 & 7 CLIFFORD STREET, LONDON W1

THIBAULT HOUSE, THIBAULT SQUARE, CAPE TOWN
605-611 LONSDALE STREET, MELBOURNE C1
443 LOCKHART ROAD, HONG KONG
ACCRA, AUCKLAND, IBADAN
KINGSTON (JAMAICA), KUALA LUMPUR
LAHORE, NAIROBI, SALISBURY.(RHODESIA)

LONGMANS, GREEN AND CO INC
119 WEST 40TH STREET, NEW YORK 18

LONGMANS, GREEN AND CO
20 CRANFIELD ROAD, TORONTO 16

ORIENT LONGMANS PRIVATE LTD
CALCUTTA, BOMBAY, MADRAS
DELHI, HYDERABAD, DACCA

First Published 1957
Second impression 1959
Third impression 1959

Printed in Great Britain by
The Camelot Press Ltd., London and Southampton

FOREWORD

THIS anthology gives a selection from the works of twelve French poets of the nineteenth century and it is hoped that this wide range will make the work suitable for the upper forms of schools and for university students as well as for the general reader. The younger pupil will find poetry accessible to someone with even an imperfect knowledge of French; the more advanced pupil and student will find, particularly among the later poets, work often neglected in anthologies; and all, including the general reader, may find interest in the annotation and interpretation of this, often difficult, later poetry, as well as in a reconsideration of earlier poets. In this connection, it cannot be too strongly emphasised that the three parts of this anthology, the introduction, the texts and the notes, form a whole; the generalities of the introduction are of use only when read in conjunction with the texts and the notes. Where these notes are mainly factual, it is hoped that they will be helpful to many, even if unnecessary to others; where they are more interpretative, they will, even if approved by many, still fulfil an important critical function if they provoke those who disagree to formulate their disagreement.

While it has not been possible to find room for prose-poetry, the attempt has been made to reprint what is representative and excellent of each poet. Each is represented by a good number of poems, for it seemed to the anthologist better to give a good selection from acknowledged masters than two or three poems from each of a larger number of poets, many of whom would be of questionable value. However, for comparative purposes and literary-historical reasons (e.g. Hugo's *Réponse à un acte d'accusation*), some less good poetry has deliberately been included also; there is no better way of appreciating the good than by reading it side by side with the less good. Similarly, the policy of including some longer poems, complete, in order to avoid mutilation or alteration of their original structure, has entailed the inclusion of weaker together with better passages. Such weaker passages can be of great interest in throwing light on the particular genius of a poet (e.g. Vigny and Hugo).

Finally, in pursuance of the general purpose of this book, which is to focus attention on the text itself, biographical detail has been kept to a minimum, although salient facts and details relevant to the understanding of the poems have been included; and standard biographies are listed in select bibliographies.

I wish to express my thanks to all who have contributed to the production of this anthology and especially to Mr. T. S. Wyatt of Sidney Sussex College; to the authors of works mentioned in the various bibliographies, in varying degrees; to Mrs. E. A. Holmes for permission to make use of her Cambridge Ph.D. thesis on '*The Poetic Development of Jules Laforgue*'; to the printers; and to the University of Cambridge and to my own College for leave of absence, which greatly helped my work on this book.

DOUGLAS PARMÉE.

QUEENS' COLLEGE, CAMBRIDGE,
January 1957.

CONTENTS

CONTENTS

PAUL VERLAINE—*cont.*

JULES LAFORGUE

ARTHUR RIMBAUD

INTRODUCTION

IT is not now difficult to understand the acclaim which in 1820 greeted the *Méditations Poétiques* of ALPHONSE DE LAMARTINE (1790-1869), for they met a demand for lyrical poetry that had been created by a long period of emotional and intellectual ferment. Jean-Jacques Rousseau (1712-1778) had long since expressed, in ecstatic terms, his delight in communing with nature and had passionately urged the primacy of feeling over reason both in love of God and love between the sexes. Madame de Staël (1766-1817) had opened the eyes of her contemporaries to the sometimes rugged, simple yet passionate and vigorous appeal of German and other foreign literatures. François-René de Chateaubriand (1768-1848) had revealed to the readers of *Atala* (1801) the exotic grandeur of North American landscape and in *Le Génie du Christianisme* (1802) had urged writers to seek inspiration in the untapped resources of France's medieval Christian past, while his sombre, passionate and unhappy hero *René* (1805) had stirred many imaginations to believe themselves also suffering from a similar *ennui*. Macpherson's adaptation, first published in 1760, of poems of the legendary Scottish bard Ossian (poems much admired by Napoleon) had accustomed readers to find beauty in gloomy forests, misty crags and grandiose heroes. The French Revolution and the ensuing Napoleonic régime had shattered much of the elegant, rationalising and frivolous aristocratic *salon* life of the *ancien régime*; and, as Musset recounts in his *Confession d'un Enfant du Siècle* (1836), after the fall of Napoleon the excitement of such stirring times was replaced by nostalgic yearning for past glories and dissatisfaction with the inglorious present. The returning *émigrés* had also had the opportunity of knowing foreign literature.

All these influences had produced a mood which received little satisfaction from the verse of the period, passionless, conventionally phrased, often didactic, of narrow range, in which nature was merely a convenient excuse for moralising and which, even in its rare fervid moments, remained colourless and abstract, with stock epithets, continual mythological allusions and well-worn tricks of inversion, apostrophe and periphrase. Indeed, Lamartine himself was, in general, no bold innovator stylistically, and he had a predilection for the *style noble*. Fortunately, such a style was suited to the general expression of lofty sentiments which comprises much of his poetry and a poet who, as Lamartine himself claimed, is writing about the soul can use a generalised vocabulary and an elevated style; and also, even if Lamartine's figures of speech tend to be banal, his best poetry achieves its effect by direct and simple statement. Nor must we exaggerate his vagueness: the salient points of his landscapes are plain and his detail in his late poem, *La Vigne et la Maison*, is amazingly concrete. In a word, stylistically he meets the requirements of his time: too great an originality of vocabulary, too picturesque or homely a language, would have shocked, and the readers of his *Méditations* found enough that was familiar to enable them to assimilate what was new.

And what was new? First, Lamartine was a poet and not a versifier—that is to say that, at his best, he achieves a fusion of form and content which gives the immediate feeling that what he has to say could be expressed adequately in no other way, that it depends for its effect as much on the rhythm and music of his verse as on any logical meaning that might be discovered by analysis. Lamartine, indeed, was and remains the writer of some of the most musical and easy-flowing poetry in the French language. He is also essentially an inspirational poet, not a careful craftsman. He himself admitted that, while talent is acquired by work and will-power, he had never worked and was unable to correct; and added that whenever he had tried to rewrite his verses he had only made them worse. This rather complacent statement, smacking a little of the *grand seigneur* anxious to preserve his amateur status, must not be taken completely at its face value, for certain manuscripts of Lamartine's poems show that, though some rhymes and lines come to him spontaneously, others required time and trouble to discover. He had often to fill the gaps in his inspiration by craftsmanship. None the less, much of his verse did come to him effortlessly, which may account for its often inferior quality, particularly in later life and notably in his attempts at epic poetry, *Jocelyn* and *La Chute d'un Ange*, where weak and facile rhyming, monotonous rhythms, diffuseness, padding and prosiness are frequent.

A second factor in Lamartine's appeal was that, although he was well read both in poetry and prose, in the popular authors such as Rousseau and Chateaubriand as well as in English literature, he also had idiosyncrasies which gave a personal note to his own poetry. These included a liking for the Book of Job and for the platonic, spiritual yet impassioned love-poetry of Petrarch, which greatly coloured the poetry which he wrote about Mme Charles. This last name brings us to the third and perhaps most important reason for the immediate and permanent appeal of his poetry: his burning intention, not to write poetry on appropriate or traditional themes (although many were traditional), but to communicate an important personal experience in all its power and expressed in its complete context.

It is true that such poetry is bound, by its very nature,

to be pitched in a tone of continual pathos, and that sentimental and religious idealism if expressed with exaggerated
emphasis can displease and, in the long run, cloy. If it
cloys, then one must clearly read less of it and only the
best. If it displeases, then it may be that Lamartine is not
the poet for you; if a judgment on a poet is to be valuable,
the judge must be in general sympathy with the themes of the
poet; the lover of purely descriptive poetry will hardly
give a just appreciation of Mallarmé and a disillusioned
man of the world can easily sneer at the excessiveness of
Lamartine's emotionalism. Many critics, indeed, accuse
not only Lamartine but Hugo and other poets of the period
of rhetorical insincerity. Rhetoric, it is true, is often present, but we must not forget that it is generally more
acceptable to a Frenchman than an Englishman. As for
insincerity, we must not lose sight of the fact that all art
is, by definition, a distortion of reality, and that if the
poet can create the illusion of sincere conviction in his
writings, he has fulfilled his function as an artist. In any
case, we all say and believe things that we should later
disown; and few people are continually able to practise
what they preach. In spite of his failings as a man, Lamartine frequently and undoubtedly does achieve the illusion
of sincerity and is, indeed, probably sincere, particularly in
his love-poems about Mme Charles, in his communings
with nature and, finally, in a third main theme of his
best poetry, the recollection of his childhood, his family
upbringing and the countryside of his homeland: and such
themes are of general human appeal to us as well as to his
contemporaries.

In his revealing *Journal d'un Poète*, an invaluable record
of his views on life and art, ALFRED DE VIGNY (1797-1863)
divides his life into three parts: his education under the
First Empire, his *vie militaire et poétique* up to 1830 and his

vie philosophique from 1830. During this last period, his poetry turned more and more to social, political and moral themes, paralleling the evolution during the same period of his senior, Lamartine, although Vigny's preoccupations expressed themselves more plainly in poetical and Lamartine's in political activity. Hugo also became in the 'thirties and 'forties increasingly socially and politically minded; but Vigny lacked Hugo's expansive and specific sympathy for the under-privileged. All but two of Vigny's poems here reprinted are from the period of his *vie philosophique*.

We must be careful, however, when dealing with Vigny's philosophical poems to remember that we are dealing with a poet and not a philosopher and that it is his personal reactions to ideas rather than his ideas in themselves that must interest us. It is a betrayal of any poet to deduce abstract ideas from his poetry, for with a good poet, meaning and expression form an indissoluble whole, which means that great poetry can never be completely analysed; its effect is a total and ultimately mysterious one. Indeed, were this not so, a poet might as well express himself in prose and if we sometimes find, in considering the work of any poet, that his meaning can be adequately conveyed by means of a prose commentary, then the poet is not fulfilling his function and is merely versifying abstract ideas, writing according to his head rather than with head and heart combined. A poet must *feel* and not only *think* his ideas if he is to produce the fusion of sense and sensibility which is the essence of poetry.

Unfortunately, in spite of his being a severe critic of his own productions, Vigny's verse is very uneven, and passages where the head seems to prevail are not uncommon (e.g. in ll. 64-133 of *La Maison du Berger*). One reason for this may be that Vigny lacked facility in writing verse; but such an explanation makes it more difficult to see why some of his poetry comes to be so outstandingly good. A more likely explanation may be that Vigny often strove to be too philosophical and, instead of contenting himself with expressing his often unreasoning beliefs and convictions, he tried to reason and argue, to be didactic. Sometimes, indeed, we have the impression that, almost against his own feelings, Vigny is trying to convince himself as well as us of the truth of what he is saying. This supposition is strengthened when we find that there are certain ideas (e.g. confidence in the progress of the human mind or the eventual triumph of mind over matter, as in parts of *La Bouteille à la Mer*) that Vigny seems unable to express except in stilted and pompous verse; and we suspect that he was here expressing an official, public philosophy, a pious hope which was far from being his own intimate conviction. The poetry in which he is attempting to come to terms with himself, with women or with nature have quite a different tone.

The result is that generalisations about Vigny's ideas are not only worthless but impossible. The value of his poetry lies in the complexity of his personality, the variations in his attitudes and moods, his very inconsistency. His hatred and distrust of women (of which so much is made in manuals of French literature) are matched by love and trust; his imprecations against nature's indifference are balanced by a deep feeling for natural beauty; and his puritanical reserve and stoicism, undoubted as they are, gain their full significance only in relation to his equally undoubted experience and enjoyment of this world's pleasures. In a word, the pessimism traditionally ascribed to Vigny must be contrasted with his optimism based on far surer grounds than a belief in progress and which consists ultimately in an acceptance of life on this planet with all its joys and sorrows, successes and disappointments.

Striking qualities of VICTOR HUGO (1802-1885) are his

versatility and energy: in the field of drama, of the novel and of poetry he wrote numerous and often lengthy works of importance not only to the history of literature, but for their intrinsic merit. In the field of poetry itself, his genius moves widely in tone and theme. Lyrical, satirical, epic in turn, his poems range from the simplest little song through the personal lyric and political satire to the broadest dramatic and epic treatment of social, historical and religious themes. In all these subjects he both led and represented his age: that is to say, he was both an individual and a man of his time; and, indeed, of all time. Hugo was a man of general human interests who wished to record his reactions to such normal experiences as love (including paternal love—a great originality among French poets, of whom it has been said that from their works one might imagine them all to have been bachelors), distress at the death of a loved child, religious feeling, a love of nature in all its moods, charming or grandiose (a love not unmixed with fear and even terror at nature's immensity and inscrutability), an interest in the great names of history and legend, a sort of mystical experience of infinity, a pondering on the immense question of the creation, development and future of the universe. It is difficult to imagine anyone unable to respond to some of Hugo's multifarious reactions to the world.

His technical achievement is immense and the claims are solidly based which he makes so vigorously in the *Réponse à un acte d'accusation*, even if sometimes expressed in rather tiresomely bombastic and even arrogant terms; Hugo was rarely humble and often self-righteous. His mastery of prosody and versification is unparalleled: the diversity of his metre, his sense of varying rhythm and accent, his stanza-forms as well as his immense vocabulary provided him with an instrument able to express all the facets of his tumultuous, imaginative and yet strangely

simple and even child-like personality. Above all, he had
the ability to *see*; his imagination was not only lively but
vivid, dynamic and organised, and in his later poetry he
appears at times in the role of seer and visionary; in fact,
his imagination had something of that co-ordinatory, creative power which we shall find Baudelaire requiring of
a poet. Without his technical achievement, the whole of
nineteenth-century French poetry after him would have
been different and less rich.

The poetry of ALFRED DE MUSSET (1810-1857) is that
of a young man; his best poetry was written before he was
thirty, and though he died aged only forty-seven, he had,
poetically, died years before. The result is a poetry of
enthusiasm; he is rarely half-hearted; when he is angry,
he is furious, when pleased, joyful, and when he is unhappy, he is thoroughly dejected. We know all this because Musset is the most personal, the most expansive of
poets, and in his poetry his subject is always, directly,
himself, and he is quite frank about it. To an even greater
degree than Lamartine, he is an inspirational poet, with
the dangerous facility which this entails and which can
lead to banal effusiveness as easily as to graceful effort-
lessness. But Musset redeems himself by the analytical
nature of his poetry and by the duality of nature which
he reveals; he is by no means a straightforward character.
In his *Dédicace* to *La Coupe et les Lèvres*, he pokes fun at many
of the tenets of the romantic circle of Victor Hugo; yet it
would be difficult to imagine a more romantic love than
his tempestuous friendship with George Sand. He was, in
fact, an independent, a free thinker in more ways than
one. It is not for nothing that as a young man he was called
Mademoiselle Byron: he was, like his hero, a rake but a
rake who was in search of passion and an admirer of
innocence. Unlike Hugo and Vigny, he was a gay dog, a

young man about town: witty, mocking, elegant, pleasure-loving, *insouciant*; more interested in eating and drinking than in the future of the human race, and preferring the sight of a pretty face or ankle on a fashionable *boulevard* to a grandiose sunset seen, *à la Hugo*, from the top of Notre-Dame. When, however, he fell in love and his love failed him, the essential duality of his nature shows itself.

It is significant that the *Nuits* which sprang from this heartbreaking experience are in dialogue form. In *La Nuit de Mai*, the dialogue is between the poet and his Muse—the disconsolate, weak-willed, lazy poet to whom his Muse —that is to say, that part of Musset that is struggling to give fresh purpose to his life—brings encouragement in suggesting that the way to overcome his despair is not only by turning his suffering into a great poem but by turning to other subjects. In the *Nuit d'Août*, by a curious and typical reversion, we see the young poet recovering from his love and anxious to turn back to a more carefree vein of poetry while his Muse plays the part of the remorseful conscience and reminds him of his earlier suffering and heart-break. It is only in the last of the *Nuits*, *La Nuit d'Octobre*, that the poet and his Muse finally come to terms: the poet, by a full account of the treachery of his mistress, finally accepts the necessity of suffering and, after a great outburst of hate, restrained at last by his Muse who has, in this *Nuit*, a placating and reassuring rôle, turns resolutely to new loves.

At the time of writing the last *Nuit*, Musset was twenty-seven years old and, in spite of his resolve at the end of *La Nuit d'Octobre*, he was never again able to achieve the controlled emotion of that period. His later work is generally flat, and only occasionally does he find the artless simplicity and directness which rank him amongst the most graceful of the poets of his generation. Only in his plays, where he was able to express in separate characters his fundamental contradictions, did he again achieve the expression of the conflict of cynic and idealist, the song of innocence and experience which is his fundamental theme.

Few poets have achieved fame with such a small *opus* as GÉRARD DE NERVAL (1808-1855), for it rests on a dozen sonnets, each of them, it is true, fraught with meaning and emotion enough to have provided Hugo with a dozen epics. It is this density, achieved by continual personal allusion and suggestion, which constitutes Nerval's uniqueness as well as his difficulty. Nerval himself described his sonnets as a sort of supernatural *rêverie*, adding, somewhat mischievously, that they were hardly more obscure than certain German metaphysicians, and also warning that they would lose much of their charm by being explained, even assuming it were possible. They are the work of a man in whom dream and fancy have spilt over into life, and his memories of his hallucinations have at times a greater reality than the external world itself. Every event or aspect of things which impinged on Nerval was interpreted by him in accordance with the needs of his obsessions. These obsessions revolved round the two main poles of love and religion, which were, in turn, intertwined in his mind. In love, he was haunted all his life by the image of an ideal woman, who should be both wife and mother to him and whom he had once glimpsed in his youth and pursued for the rest of his life in a series of supposed reincarnations. He dreamed also of an ideal religion which should combine those qualities of all the religions of Europe and Asia Minor—Egyptian, ancient Greek, Hebraic, Islamic, Christian—which best represented his own mystical and spiritualistic beliefs. Above all, he wished for a religion offering redemption through an intercessor and an immortality in which he would at last be reunited with his loves; sometimes, indeed, he seems to think that his loves themselves could act as his intercessors.

He was greatly influenced by the bizarre side of German literature: grisly, supernatural ballads, tales of marvels and magic and, above all, the problematic, tormented and titanic figures of Faust and the Devil in Goethe's play (of which Nerval made a translation highly praised by Goethe himself). Nerval was widely read in esoteric doctrine, books of theosophy and the occult arts, illuminism, mesmerism, the works of religious mystics and sectarians of all sorts. When he made his journey to the East, one of his main concerns was the study of the religious beliefs and rites of all the races and tribes with which he came into contact, always trying to find resemblances and affinities: pagan Greek survivals in Islamic ritual, Egyptian polytheistic memories in modern Christianity.

A mind of such peculiar cast and temper could hardly write anything that was not striking; and his *Chimères* resemble no other sort of poetry of the time, although *symboliste* poetry offers some of their characteristics. In restless phrases, he moves from the past to the present, from personal memories to anxious hopes, from vision to real incident, exclamation to statement, unanswered question to objurgation; and yet this apparently incoherent and even irrational surge is framed in the strictness of the sonnet form and the alexandrine, and an analysis of its sounds and rhythms reveals, whether as conscious or unconscious artistry, a subtlety of stress, of internal alliteration and, above all, of assonance which gives a varied and always appropriate line. It is perhaps in this harmonious resolution of opposites, the confusion of emotion set off by the strictness of the form, that lies much of the irresistible spell of Nerval's art, and we recall that this poet, several times interned as insane, was at the same time the author of humorous, charming stories of travel and love in pellucid and graceful prose.

In the Preface to his first volume of poetry, published in 1832, THÉOPHILE GAUTIER (1811-1872) states his indifference to all politics and revolutions. His concern is for leisurely living and the poetry which leisure will permit him to write. It is a poetry which will be resolutely asocial and non-utilitarian. *Cela sert à être beau—N'est-ce pas assez? comme les fleurs, comme les parfums, comme les oiseaux, comme tout ce que l'homme n'a pu détourner et dépraver à son usage;* and he adds: *En général, dès qu'une chose devient utile, elle cesse d'être belle. . . . L'art, c'est la liberté, le luxe, l'efflorescence, c'est l'épanouissement de l'âme dans l'oisiveté.* Poetry for Gautier is primarily concerned with the external appearances of things. It is significant that he had first wished to be a painter, and he continued to be greatly interested in painting throughout his life, writing a great deal of art criticism. Yet even for Gautier, art has one usefulness, which he himself admits: *l'art est ce qui console le mieux de vivre,* it provides the necessary stylisation and transposition of natural functioning, of biological urge which, in itself, is ugly. As he said in the preface to his novel *Mademoiselle de Maupin,* which, published in 1834, was a manifesto for the movement of art for art's sake: *tout ce qui est utile est laid, car c'est l'expression de quelque besoin et ceux de l'homme sont ignobles et dégoûtants comme sa pauvre et infirme nature.* It is, in fact, a complete rejection of the humanitarianism of such poets as Lamartine, Hugo and, to a lesser extent, of Vigny; he reaches a position of moral, social and political indifference.

At the same time, Gautier's poetry does not entirely lack human feeling and, in particular, it does not lack a very common human feeling: a fear of death. From an early age Gautier was haunted by the idea of dying, and if art for him was a consolation for the ugliness of life, it had also a second and even more important use as a consolation for having to die. In a world in which everything is impermanent, the poet, by rearranging reality into art, can create something that will have more permanent value. Such an artistic transposition is considered in detail in the notes to Gautier's poems, particularly those on *Lacenaire* (p. 308). Art can thus provide the poet with a solace for his mortality while he is alive and the hope of immortality in death.

Gautier's early formulation of this doctrine was much affected by his experience of the 1830 Revolution in France and the confusion, bloodshed and ultimate failure of the 1848 Revolution completed his disillusionment. It was then that he turned to the production of his *Emaux et Camées*, perhaps his greatest and certainly his best-known work.

Emaux et Camées contained only eighteen poems when first published in 1852, but was later enlarged until it contained forty-seven in its definitive version in 1873. Practically all of these poems are in octosyllabic four-line stanzas, rhyming *abab*, and as it was a novelty to write a complete collection of poems in this form, it is interesting to discover why Gautier chose it. *Ce titre*, wrote Gautier in his preface, *exprime le dessein de traiter sous forme restreinte, de petits sujets, tantôt sur plaque d'or ou de cuivre avec les vives couleurs de l'émail, tantôt avec la roue du graveur de pierres fines, sur l'agate, la cornaline ou l'onyx. Chaque pièce devait être . . . quelque chose qui rappelât ces empreintes des médailles antiques qu'on voit chez les peintres et les sculpteurs. Mais l'auteur ne s'interdisait nullement de découper un pur profil moderne. . . . L'alexandrin était trop vaste pour ses modestes ambitions et l'auteur n'employa que le vers de huit pieds qu'il refondit et cisela avec tout le soin dont il était capable. Cette forme . . . renouvelée par les soins du rythme, la richesse de la rime et la précision que peut obtenir tout ouvrier patient, terminant à loisir une petite chose, fut accueillie assez favorablement.*

It is a non-utilitarian and non-didactic art, the more trivial the better since the artistry required to turn a trivial subject into a work of beauty is all the greater and the careful choice of detail all the more important, since the value of the poem lies in its treatment of a subject, not in the subject itself. It is also an art that, by its nature, tends to exclude emotion. Such emotion is not always in fact excluded, but its expression is as discreet or generalised as possible: anything like the passionately personal lyricism of a Musset is anathema; just as Gautier is far removed from the rhetoric and verbosity of Hugo. The object is the creation of a certain type of beauty, which consists, in general terms, of a transposition of nature by the use of certain processes, notably those of compression and precision. It is a beauty of succinctness and accurate selection of significant concrete detail. Extreme care is shown in varying the rhythm and making sure of an adequate rhyme; for if too rich a rhyme would create, in such a short metre, a forced or even comic effect, a weak or insufficient rhyme could easily lead to shapelessness. The result is an art which is rather bloodless; but it has an attraction for those for whom formal perfection and plastic content are more important than richness or breadth of emotion or of temperament; nor does it lack originality, charm and consistency.

It should be added that Baudelaire was going to show that art for art's sake was a sterile principle; and it is worth pointing out that its amoral and objective pretensions are not valid, for the very rejection of morality is, in itself, a moral judgment; also, however objective the treatment of a theme, the very choice of one subject to the exclusion of others is bound to throw light on the poet's own personal likes and dislikes. Even in the treatment, the personality of the poet is bound to show itself by omission or emphasis. This becomes very plain with the next poet.

Until the 1848 Revolution, the poetic activity of CHARLES LECONTE DE LISLE (1818-1894) was closely allied to his interest in politics. A convinced republican and humanitarian, he was greatly influenced by the work of Charles Fourier, who had dreamed of a complete social reorganisation based on the liberty of the instincts. This utopian idealist believed that by free association into groups (called *phalanstères*), in which everyone would be allowed to devote himself to the activity which was in the greatest conformity with his tastes and instincts, the evils of modern society resulting from the restriction of men's passions would vanish and a happy, harmonious society would arise of perfect moral and social balance. Leconte de Lisle, greatly impressed by this doctrine and, on the other hand, much interested in the renascence of Greek studies at the time, saw in ancient Greece a prefiguration of this naïve ideal. The *Vénus de Milo* gives an excellent idea of his love for an idealised Greece which was always to haunt his imagination as the perfect society; a love which involved the rejection of Christianity in which, for him, this harmony of instinct and reason was broken. The belief which finally satisfied his religious temper was his own conception of Buddhism.

The 1848 Revolution, which flattered Leconte de Lisle's hopes of a social revolution only to deceive them, turned him away from politics, although, unlike Gautier, he did not adopt a complete doctrine of art for art's sake. In his preface to his first collected verse, *Poèmes Antiques*, published in 1852, he states the beliefs to which, with certain changes of emphasis, he remained faithful all his life: rejecting both excessively personal lyricism, which he considers a profanation of the nobility of poetry, and any

attempt to link poetry directly with politics, modern indus-
trialism or with the mediocrity of modern times, he realises
that poetry can no longer play, in a materialistic and
unheroic age, the part it played in ancient Greece, where
poetry and science were one. Poetry can, however, strive
to become again more scientific and philosophical: it can
go back to the *"sources éternellement pures"*, and, by the study
of past civilisations, recover its past dignity; the poet will
become once more what he was in happier days, the
educator of mankind. It is true that this may seem to
make poetry useful to society; but as Leconte de Lisle's
bitterness and intransigence increased with age, he makes
it clear (notably in the *Avant-Propos* to critical articles
on contemporary poets published in 1864) that there can
be no question of this utility being direct. *Le monde du
Beau, unique domaine de l'Art, est en soi un infini sans contact
possible avec toute autre conception. Le Beau n'est pas le serviteur
du Vrai, car il contient la Vérité;* and later: *il n'existe d'enseigne-
ment efficace que dans l'art qui n'a d'autre but que lui-même.* He
realises this severe conception of beauty will isolate the
poet, but (like Vigny and Baudelaire) he accepts this
isolation and indeed makes a virtue of it: *l'Art . . . est un
luxe intellectuel accessible à de très rares esprits.* His attitude to
poetry is aristocratic and exclusive.

In the *Poèmes Antiques*, apart from poems concerned with
Greek antiquity, there were several connected with Hindu
religion and civilisation and one or two folklore poems.
He was always attracted to the study of religions, not only
for their own intrinsic values but as being the representative essence of any civilisation. From 1852, faithful to his
intention of reuniting science (by which Leconte de Lisle
means chiefly historical research) and poetry, he devotes
a large proportion of his poetry to historical, legendary,
religious and mythological subjects from all sources: ancient
Egyptian, Biblical, Arabic, Scandinavian, Finnish, Celtic,

mediaeval European, Le Cid legends from Spain, even extending his range to include Polynesian and Red Indian subjects. His object was, as he stated, by careful study of the latest knowledge of historians, philologists and travellers, to make himself *une sorte de contemporain de chaque époque*, to endeavour to know each period and subject so well that he will be able to write, objectively, from really intimate knowledge.

In contrast to the Vigny of such poems as *Samson*, or Hugo in his *Légende des Siecles*, who use history or legend largely as an interesting frame for the exposition of modern ideas, passions and hopes, Leconte de Lisle insists that the poet *se transporte tout entier à l'époque choisie et y revive exclusivement*. In actual fact, despite his careful documentation, Leconte de Lisle was not a scholar but a poet, and both in his choice and his treatment of themes he reveals certain purposes and prejudices. In the first place, his desire to study primitive societies and epics was largely inspired by the hope of finding there, as in Greek myth and legend, if not the complete harmony of Greek civilisation, at least the vigour, energy and passionate spontaneity which modern times so lacked. From this spring Leconte de Lisle's attraction towards Greek polytheism with its worship of gods as forces of nature and his blind refusal to see in Christianity anything more than the enemy of healthy natural instincts. It is this same admiration for the beauty of physical vigour and brutal directness that makes him such an excellent poet of wild animals. He sympathised with his ferocious, superbly muscled jaguar; there was many a contemporary whom he would have liked to get his claws into.

There is a second factor which diminishes his claim to be merely the objective reteller of old tales; this is the artistic factor. Leconte de Lisle seeks in his poetry to adapt his treatment to the modern reader, brought up to love the picturesque. His versions of these old tales are often, in spite of the poet's admiration for the simple and primitive, more sophisticated than the original; on the other hand, this rearrangement, by a choice of the significant, often plastic, detail, did give a vividness and a substance sometimes lacking in the more loosely woven original. Far less imaginative than his fellow epic-writer, Hugo, and far less exuberant in his vocabulary or original in his imagery, he is also less long-winded (although often long-winded enough). In the same way, although he lacked the variety of metre, rhythm and verse-form of Hugo, whom he greatly admired, he achieves, by the solidity of his alexandrine and careful rhyme, a monumental effect that greatly impressed his contemporaries and did not exclude at times a certain melodiousness in his gentler and more tender moments. But even when tender, he was discreet and he despised the sentimental outpourings of Musset as much as he condemned his weak rhyming, his padding and his careless, facile flow of language.

It is this intransigence on formal questions, as well as his forceful character which make Leconte de Lisle the typical figure and, indeed, the head of those poets who have been grouped as Parnassians. They take their name from the title of a collection of their poetry which, published in 1866 as *Le Parnasse contemporain*, achieved such success that another collection (delayed by the Franco-Prussian War) appeared in 1871, while a final collection was published in 1876. When one considers that in the first *Parnasse contemporain* there were nearly forty collaborators (as varied as Leconte de Lisle and Baudelaire or Mallarmé and Verlaine) and that in the second volume there are nearly sixty poets represented, then it will be realised that any generalisation as to what constitutes a Parnassian is difficult. The word impassibility has been used to characterise this school: yet no one could be less impassive than Baudelaire, and even Leconte de Lisle is not continuously impassive; nor are all the poets free of moral and didactic intentions, although there is a general tendency to consider art as superior to life, just as there is a general trend to avoid personal lyricism and excessive sentimentality. Ultimately, one is forced to admit that the real connecting link between the Parnassians is the formal one: whatever the Parnassian is saying is to be expressed with the strictest care for versification; particularly to ensure that the rhyme is adequate. Apart from this, there is perhaps only one very general principle to which most Parnassians would have subscribed, namely that a poem must be coherent and logical in idea and structure. It was this requirement that was to be the chief target of the *décadents* and *symbolistes*, many of whom were also concerned to reintroduce a more lyrical note into poetry.

It is CHARLES BAUDELAIRE (1821-1867) who, while summing up much of romanticism as well as being partly Parnassian, points the way to the future. *Dans ce livre atroce,* he wrote of *Les Fleurs du Mal, j'ai mis toute ma pensée, tout mon cœur, toute ma religion (travestie), toute ma haine.* It is in both senses of the word a book of passion, a book full of ardour and of suffering. For Baudelaire, passionate feeling was one of the essential parts of art, and in one of his critical articles (he was as stimulating a critic as he was poet) he wrote of '*la puérile utopie de l'école de l'art pour l'art en excluant la morale et souvent même la passion, était nécessairement stérile.*' Passion is, however, only one pole of poetic creation; the other is will-power at the service of intelligence to produce the careful craftsmanship which is the result of hard work. He tells us explicitly that *l'inspiration est décidément la sœur du travail journalier*, and facile sentimentalising or lyrical gush is as much anathema to him as to other contributors to the *Parnasse contemporain*.

Les Fleurs du Mal is thus, in part, the poetic biography of

Baudelaire, and the first poem, *Préface au lecteur*, makes it plain that the theme is to be treated in the most solemn and serious fashion. It is salvation or damnation that is at stake; and what is more, Baudelaire takes pains to warn us that we are all in the same boat. However hypocritical we may be, however superior we may think ourselves, we are all sinful and all mortal; and if many of us are more sinful in thought than deed, it is only because we are too timorous, too lazy or too bored to put our innate nastiness into practice. Baudelaire joins with certain Christians in considering man as essentially wicked. The supreme evil, according to Baudelaire, is *ennui*; not boredom in the ordinary sense of the word, but a pathological state of mind which at times seems almost to take the form of physical disease: a state of inertia since all action seems unsatisfactory and indeed, harmful, a sort of introspective *rêverie* in which everything and everybody, particularly oneself, seems hateful, a condition of mind and body which results from the firm belief that evil is inherent in existence or, expressed in Christian terms, that Satan is the Prince of the World. It is this *ennui* that Baudelaire seeks to combat in *Les Fleurs du Mal*, and in successive sections of his book he considers in turn various possible remedies: the consolations offered by the perception and creation of beauty (particularly in painting and poetry, but also in music and sculpture), by love of women, both physical and platonic (all these come under the general heading in the *Fleurs du Mal* of *Spleen et Idéal*, for which terms see the notes to *Bénédiction*, p. 316); by the distraction to be found in the spectacle of Paris life (*Tableaux Parisiens*); by intoxication from wine or tobacco (*le Vin*); by the oblivion to be sought in vice (the subsection of *Les Fleurs du Mal* which is also entitled *Fleurs du Mal*); by the attempt to deny the inexorability of damnation in a movement of blasphemy and revolt against God who allows evil to prevail (*Révolte*);

and finally, since all these attempts prove illusory, the poet, in his supreme anguish of physical and mental suffering, comes in the section entitled *La Mort*, almost to long for death, which may reveal something new to alleviate his *ennui*, although there is a strong suggestion, indeed a terrible fear, that the next world, assuming that it exists, will be no less tedious than this one.

While passion and will-power are the poles of Baudelaire's work, this *résumé* of the general themes of *Les Fleurs du Mal* reveals a third characteristic: his great imaginative power. We are not surprised to find him referring to the imagination as *la reine des facultés*; but just as he gives new meaning to the word *ennui*, so imagination takes on for him a particular significance, different from the mere ability to represent things in the mind or to be sensitive to the outside world. Although it includes these qualities, imagination is primarily a co-ordinating power; and to understand what it co-ordinates, we must consider Baudelaire's conception of life in relation to his aesthetic principles.

Baudelaire is convinced that the essence of reality is not material but spiritual. It is through a feeling for the beautiful that man becomes aware of this spiritual essence, this soul existing in everything: *C'est cet admirable . . . instinct du beau qui nous fait considérer la terre. . . . comme une correspondance du ciel.* Externals have, in fact, in themselves no sort of interest. It is as a reflection or as a deformation of spirit that they are important; external nature is merely a dictionary, the words of which must be selected and arranged to produce beauty and significance. This is the task of the imagination, which must seize the reality both represented and masked by externals, which must perceive, not philosophically by reason or deduction, but intuitively, *les rapports intimes et secrets des choses, les correspondances et les analogies*. This insistence on intuition makes Baudelaire attach great importance to childhood and childhood

B

memories, for it is the age of immediacy and vividness of sensation and emotion. He once wrote that genius was the ability to recover childhood at will. The poet becomes, for Baudelaire, the alchemist who turns mud into gold. The purpose of this process is purely the creation of beauty; there must be no didacticism, no preaching. Baudelaire is, however, convinced that the product of such an effort will, by its very nature, be moral though not moralising; its moral value is implicit, not explicit.

In the same way, Baudelaire's ideal of beauty is not one of regularity, harmony and polish. *L'irrégularité, c'est-à-dire l'inattendu, la surprise . . . sont une partie essentielle et caractéristique de la beauté;* or: *J'ai trouvé la définition du Beau,* he wrote; *de mon Beau: c'est quelque chose d'ardent et de triste, quelque chose d'un peu vague. . . . Le mystère, le regret sont aussi des caractères du Beau.* The beautiful includes the full expression of individual temperament, and the means of expression will often be allusive and suggestive rather than narrative or descriptive. Baudelaire joins the American poet, E. A. Poe (as on many other points), in condemning narration as being unpoetic and insufficiently charged with intensity. This does not mean abandonment to personal caprice. A work to be beautiful must always contain an invariable, timeless element; and this explains why his poetry, with all its unexpectedness and originality of imagery and surprising associations of words, is written with careful observance of French prosody, which for him corresponded to certain fundamental and permanent needs of mankind. But beauty also contains a relative modern element, which may be represented by a particular period, a particular fashion, a particular moral attitude, a particular passion. A poet must be of his times, he must react to the contemporary scene, he must (unless he is going to produce colourless, passionless *pastiches*) be modern in his sensibility.

Baudelaire's originality does not end with his ideas of what constitutes the beautiful, for perhaps even more original was his development of his conception of the relationships, the *correspondances* between all things. As all externals, he thought, were expressions of the spiritual essence of the universe, they must also be related to each other; and so the senses of sight, touch, smell, taste and hearing, through which we perceive the external world, are not only complementary to each other but, in a mysterious fashion, interchangeable. It is the idea which he states vividly in his sonnet *Correspondances*:

> *Comme de longs echos qui de loin se confondent*
> *Dans une ténébreuse et profonde unité*
> *Vaste comme la nuit et comme la clarté,*
> *Les parfums, les couleurs et les sons se répondent.*
>
> *Il est des parfums frais comme des chairs d'enfants,*
> *Doux comme les hautbois, verts comme les prairies . . .*

Baudelaire's conception of the interrelation of the senses which has received the name of synaesthesia (see also the notes to *Correspondances*, p. 317) leads to a great extension of the bounds of metaphor and simile which was to have a decisive effect on the next generation of poets, as was his highly conscious craftsmanship relying not only on a careful search for the appropriate rhythm (he writes of rhythm as *l'instrument le plus utile dans un but de beauté*) but also on particular attention to the use of subtle repetitions and relations of sounds (alliteration and assonance), words and phrases. The poem *Harmonie du Soir* is a typical example of this endeavour to produce an evocative musical effect which, through the sounds and rhythms of words arranged in prosodic form, would awaken varied and subtle emotional responses and reverberations.

Of the greatest importance for the whole future of French

poetry in the later nineteenth century was the considerable and personal use that Baudelaire made of symbols. The symbol, as employed in his and other French poetry of the second half of the nineteenth century, may be considered as a contrast to allegory, which is also used considerably by Baudelaire. Allegory is the personification of an abstraction, of an idea, that is of something which can be reduced to reason, whereas a symbol represents feelings or sensations that cannot be logically defined, that are by their very nature mysterious. Indeed, it is not always clear that there is a second term of the comparison at all; in some poems (e.g. the first eight lines of *Toute l'âme résumée* of Mallarmé, p. 229) the symbol appears as autonomous and independent, existing in its own right and it is left to the reader to decide for himself how to interpret it. The result of the use of symbols is thus greatly to increase the suggestiveness, the mystery of a poem. The meaning has to be guessed, not understood, and the author of a poem himself may hardly know what he is wanting to say. It is clear that when a poet uses symbols to express a strictly personal relationship between things, obscurity can result or his poetry may become the preserve of a few initiated people who know, or think they know, the key to his personal imagery. There is the ever-present danger of seeking obscurity for obscurity's sake, as a mere intellectual exercise. At its most complex, symbolism can lead to a poem having very many possible meanings, and it may be claimed that what a poem thus loses in clarity and comprehensibility, it gains in mystery, variety and richness and, in any case, an honest recognition of complexity, either inherent in the subject of a poem or in the poet's approach to his subject, is preferable to a specious simplicity and clarity. When the use of symbols is combined with a particular attention to the musicality of verse, as with Baudelaire and some of his followers, poetry can become a sort of

magic spell, an evocatory chant which causes wide reverberations in the memory and the imagination. The symbol
is thus an excellent method of expressing a fugitive or
vague state of mind, complex moods, a half-conscious
emotion or a rapid, uncertain sensation or impression;
anything, in fact, that is easier to suggest than to state.

Baudelaire had considered the external world as a representation of a spiritual essence, and many of his immediate
successors share this view of the universe. In addition,
another tendency, also inherent in Baudelaire's conception of *correspondances*, can be observed: it consists in
considering the world purely as a representation of the
person perceiving it. The world has reality only inasmuch as it is observed by the senses of a particular person.
It is an attitude summed up by Henri de Régnier, an
early disciple of Mallarmé, in the line: *Et le monde finit
quand je ferme les yeux.* This subjective conception opens
the door to complete individualism, or, indeed, to anarchy:
if I see a pillar-box as being of the same colour as the sky,
then for me, the pillar-box is blue. While few poets—
Rimbaud was one of them—pushed this idea to such a
strange but logical conclusion, it is clear that, according
to this theory, the world is the personal creation of each
poet, and what is normally spoken of as nature is merely
raw material which the imagination of the poet rearranges
and on which he can embroider *ad libitum*.

These two views—of the universe as the representation
of a spiritual principle and as the creation of those observ-
ing it—are neither mutually exclusive nor necessarily complementary; and they are to be found, consciously or not,
often vaguely felt rather than explicitly formulated, in the
works of a large number of poets of the post-Baudelairian
period, adapted to the personal temperament of each poet.

The case of STÉPHANE MALLARMÉ (1842-1898) is typical.

We find him in his early poetry deeply conscious of the existence of a hidden spiritual reality in the universe which he is attempting to attain and which is symbolised in *Renouveau* by the infinite blue spaces of the sky; but he then passed through a mental crisis which somewhat reorientated his views. He claims in those years to have reached an understanding of the spiritual principle underlying the universe, not through reasoning but by a sort of identification with it. This principle is what he calls *le Néant*—the nothingness of pure spirit when deprived of any of its fortuitous physical externals. He carried his identification with this timeless and infinite essence so far as to lose all sense of his personality, and he wrote in a letter to a friend that he would be unable to realise he existed as a physical, personal presence, were he not able to see himself in his mirror; he has turned himself, by use of the mind, into a complete abstraction, a pure idea.

This strange and disturbing experience revealed to Mallarmé his vocation: having reached this understanding of ultimate nothingness, of the void left when all matter is eliminated, his task must now be to re-create the universe that he had destroyed, in the light of this experience. This re-creation is not mere imitation of the world normally experienced but a work of art, in which, unlike the world, the workings of chance—*le hasard*—should be as far as possible eliminated. There must be, in the poem, no element of meaning or vision or sound that has not been deeply meditated and carefully calculated until everything that does not contribute to the effect of the poem as a unity has been rejected. Expressed in terms of technique, it involves the rejection of inspiration in favour of careful craftsmanship. The external world is too luxuriant, it contains too much that is useless or redundant. Mallarmé would try to reduce this wastefulness, prodigality and superficiality; and this improvement on nature is the poet's justification. As for external reality, it is only of interest when so transformed; appearances are transient and mortal, but they can provide the raw elements for a work of beauty: *Tout au monde*, he wrote, *n'existe que pour aboutir à un Livre*; and asked, in 1884, to give a definition of poetry, he wrote: *La Poésie est l'expression, par le langage humain ramené à son rythme essentiel, du sens mystérieux des aspects de l'existence; elle doue ainsi d'authenticité notre séjour et constitue la seule tâche spirituelle*. Poetry is the only justification for living.

This doctrine has clear resemblances with certain aspects of Gautier's; but it is in his methods that Mallarmé is really original. His most striking is the insistence on the importance of allusiveness in poetry. Viewed in the light of his experience of the *néant*, things are not what they seem and direct statement is inadequate to express the poet's conception of them. Poetry is to be not descriptive but suggestive, and the important task of the poet is not to paint things but their effect on the poet: *évoquer, dans une ombre exprès, l'objet par des mots allusifs, jamais directs* was one of his statements; and, better known still, *nommer un objet supprime les trois quarts de la jouissance poétique, le suggérer, voilà le rêve*.

One of his chief methods of avoiding directness of state-ment lies in his syntax and not only does he make very bold use of such devices as ellipsis and periphrase, but he rearranges the order of words in the sentence in a highly personal way. Also, in order to avoid unnecessarily dis-turbing the unity of a poem, he progressively abolishes punctuation. A great deal of his obscurity springs from these devices, and it is often sufficient to re-establish the normal syntax in order to understand the prose meaning of his statement—although in so doing the poetic effect also vanishes. This contorted syntax and lack of punctua-tion also help a further striving of Mallarmé: his endeavour to achieve a musical effect in his poetry. This musical effect is not the normal endeavour of a poet to write verse that is melodious or onomatopoeic, although onomatopoeia and melodious lines are found in Mallarmé's poetry. Particularly in his later works, however, his conception of music in verse is much more personal: on one hand, he seems to consider that the sounds of vowels and consonants suggest, in themselves, certain meanings, which may often be quite distinct from their ordinary everyday meaning when they form words. He believed that letters and syllables, singly or grouped, could suggest certain ideas without the intervention of any thought, exactly as musical notes can evoke ideas in the listener; it is, in a sense, an attempt to find, in sound, the equivalents of certain ideas. On the other hand, he lavished great care on the relationships of sounds, the effect created by repetition on the unity of the whole poem, in which must be included rhythmic as well as sonorous effects. He reaches thus a use of language which has similarity to an incantation. We might say that the music of his poetry is more harmony than melody and not without analogies with orchestration. This does not, however, mean using various timbres for their own sake but for the sake of the mental equivalents which they evoked; for Mallarmé, a word or juxtaposition of words gives a special resonance to an idea. When, to these preoccupations, we add his belief that the very shape of a word is evocative, we see that Mallarmé's use of language was very complex. At the same time there is no suggestion that he himself found the traditional French rhyme and metre inadequate; in particular, he always attached the greatest importance to correct and even rich rhyming. A final quotation from a preface which he wrote in 1886 for a work by a friend is perhaps the best summing-up of his poetics: *le vers qui de plusieurs vocables refait un mot total, neuf, étranger à la langue* (i.e. ordinary, everyday, utilitarian prose language) *et comme incantatoire, achève cet isolement de la parole, niant le hasard demeuré aux termes mêmes, malgré l'artifice de leur retrempe alternée en le sens et la sonorité et vous cause cette surprise de n'avoir ouï jamais tel fragment ordinaire d'élocution, en même temps que la réminiscence de l'objet nommé baigné dans une neuve atmosphère.* Paraphrasing and interpreting, we might say that the poet creates, albeit with ordinary words, a self-contained poetic universe in which every element is carefully studied with a view to the total effect and with the purpose of eliminating anything unforeseen or uncalculated in the poem, so that, unlike the real world, the poem cannot be altered in any detail without destroying its coherence and, as it were, breaking the spell; prolonged meditation on the interdependence of sound and sense is an important requirement; and the final poem will surprise the reader by combining the inevitability normally associated with logic and reason with mystery created by obliqueness of expression and more usually considered as belonging to irrationality and dreams.

From the beginning, Mallarmé had realised the vulnerability of his conception of poetry, and in a letter to a friend written as early as 1866, we find him desperately trying to justify his idealistic conception: *oui, je le sais,* he exclaims, *nous ne sommes que de vaines formes de la matière, mais bien sublimes pour avoir inventé Dieu et notre âme. Si sublimes, mon ami! que je veux me donner ce spectacle de la matière, ayant conscience d'être, et cependant, s'élançant forcenément dans le rêve qu'elle sait n'être pas . . . et proclamant, devant le Rien qui est la vérité, ces glorieux mensonges!* Art is the creation of an illusion which, in its beauty, is worth more than any material reality; and as he grew older, Mallarmé became more resigned to the inevitable failure of his grandiose projects of expressing the whole universe and contented himself with trying to eternalise, in accordance with his artistic principles, a few moments and scenes of his life and his ideas on art and artists. As his view of life is excessively literary, it is not surprising that many of the subjects which he treats are literary, and this, added to the extreme difficulty of many of his poems, reduces his general appeal. Also, his temperamental, moral and physical range is restricted, and it is often questionable whether the extreme concentration required to read his poetry gives a corresponding satisfaction for our trouble. Too often we may find ourselves admiring the ingenuity of the poet but unable to share the experience of the poetry and Mallarmé is often open to the accusation of failing to realise the importance of communication in a poem. All the same, for those who are prepared to accept him on his own terms, as indeed we must be with any poet if we are to enjoy his poetry, then Mallarmé can give pleasures of unequalled subtlety and complexity. He has the quality of making other poets seem diffuse, careless and uneven.

PAUL VERLAINE (1844-1896) grew up as a poet strongly influenced by the plasticity of the Parnassians and especially impressed by the correctness of their form. Even his later boldness—his use of lines of an odd number of syllables, and his occasional replacement of rhyme by assonance—was mild compared with the free verse of a Laforgue. But amongst his Parnassian admirations, there is one which is supreme, and that is Baudelaire; not the Baudelaire of *Correspondances*, the intelligent critic and aesthetician, nor even the passionate seeker of an ideal beauty, nor yet the Baudelaire of deeply felt religious aspirations—Verlaine's religious crisis is on a much more emotional and senti-mental plane. What Verlaine takes from Baudelaire is summed up in the word *spleen* (see notes on Baudelaire's poem *Bénédiction*, p. 316); a spleen which through his

indecisive, feminine and discontented nature was transposed into a minor key. It is not for nothing that he
entitles his first collection *Poèmes Saturniens,* for melancholy, sadness, vague yearnings, forebodings, sentimental
complexities, fears, uncertainties, lassitude, depression form
the chief climate of his most personal and most successful
work. He also, from an early age and throughout his life,
sought consolation for his disappointment and relief from
his discouragement and inhibitions, and later from his
physical misery, in drink. It is not, therefore, unlikely
that the emotional release of drinking contributed to the
tone of imagination of some of his poetry; and it is
certain that the remorse and disgust of post-intoxication
left its mark.

The object of Verlaine's poetry is the completest and
most naïve self-expression. As he wrote himself: *L'art, mes
enfants, c'est d'être absolument soi-même.* He is not an
intellectual, a thinker, not even an aesthetician. His
domain is his own sensations and his own feelings. He took
no great part, except by his own personal contribution as
a poet, in the extraordinary poetic and intellectual up-
heaval of the 'eighties and 'nineties in France, when so
many reviews were founded and so many eager discus-
sions took place in the literary cafés of the Left Bank,
with the purpose of overthrowing two idols of the age:
positivism, the philosophical system founded by Auguste
Comte (1798-1857), which recognised only demonstrable,
observable facts; and naturalism (the chief exponent
of which was the novelist, Emile Zola, 1840-1902)
which insisted on the necessity of close study of material
phenomena, and tended to look on literature as a branch
of experimental science, especially in the emphasis on the
influence of heredity and environment on personality and
character. In this literary and poetic ferment, Verlaine, particularly in later years, played little active part, except by

the actual example of his works, the best of which had by
then been written. He had made his contribution to the
poetry of his time, one not dissimilar to Lamartine's: he
had reintroduced lyricism and, above all, his own particular emphasis on musicality for, dealing as it did with
half-tones, vague aspirations, half-formulated desires and
feelings, subtle and complicated sensations, his poetry was
obviously suited to that most elusive and allusive means
of poetic suggestions. No poet ever knew better the
resources of assonance, repetition, refrain, variations of
verse form, and the continual use of the mute *e* (which
gives a muffled effect admirably appropriate to the type
of feeling Verlaine is usually rendering). These devices
can be studied in the poems we have reprinted; it is
sufficient to remember here that for Verlaine *naïveté* does
not entail lack of craftsmanship, and his simplicity is far
from artless.

The work of JULES LAFORGUE (1860-1887) falls into
two main parts, the first represented by his early poems,
many of which were left unpublished during his lifetime;
the second comprising his later works, notably the *Complaintes*, and the *Imitation de Notre-Dame-la-Lune* as well as the
Derniers Vers which were the poems he was preparing to
publish at the moment of his untimely death at the age
of twenty-seven.

His early admiration in poetry, as with Mallarmé and
Verlaine, was for Baudelaire; but, like Verlaine, he was
only interested in certain aspects of Baudelaire's work, and
more interested, in fact, in his temperament than his art.
Baudelaire, wrote Laforgue in an early critical article,
was the first to tell, completely, everything possible about
himself and his life in Paris. He is—and this is Laforgue's
highest praise—the complete *décadent*. This term, originally
applied to the poets who began to break away from the

Parnassian school before they came to be called *symbolistes*, describes an attitude developed from certain aspects of Baudelaire's poetry. The decadent is a man who lives on his nerves, a complicated and subtle person, interested in all refinements of the senses, tormented by spleen and mortality, a curious spectator of the shady and feverish complexities of modern life, alternating between langour and hysteria, fascinated by the strange combination of squalor and refinement of Paris, haunted by the problem of evil, a man at the same time exquisitely hypersensitive and yet attracted to the base, in a word vibrating to every feeling and every sensation offered by the life of his time, and neurotically conscious of his own weakness, powerlessness and lassitude. He is a character who may be studied in certain novelists of the time, notably in Huysmans and the early Barrès. Laforgue sums up this *décadent* conception of Baudelaire in these words: *Ni grand cœur ni grand esprit. Mais quels nerfs plaintifs! Quelles narines ouvertes à tout!*

Laforgue thus rejects any ideal of beauty in the classical sense of an aspiration towards balance and harmony: the artist must be resolutely modern and personal and far from seeking universality and stability, the poet's task is to realise his essential ephemerality as an individual and the continual change and development that is taking place, not only in himself but in the society of his time: *mon clavier est perpétuellement changeant, il n'y en a pas un autre identique au mien, tous les claviers sont légitimes.*

Other influences than Baudelaire's added to the complexity of Laforgue's art, above all his study of German philosophy and particularly of Schopenhauer and Hartmann. The pessimistic Schopenhauer drew attention to the illusory nature of external phenomena. External reality is the mere creation of our senses, and if no one were there to perceive it, the world would cease to exist. A study of these external phenomena can, therefore, never lead to truth. What is fundamental in the world is a blind urge to exist, a ruthless will of which mankind is the powerless tool. It is this will forcing mankind to continue to perpetuate life on this planet which makes Schopenhauer see the world as a perpetual vale of tears, in which pain is the only positive reality, where everything is at the mercy of chance, and error, toil, suffering and disappointment, the only law. It may be impossible to break away from this fearful determinism and deliverance can be found only in art, in rejection of the satisfactions of the will, of all desires, hopes and pains in favour of a disinterested contemplation and reproduction of them. Life is never beautiful, but a picture of it can be. Laforgue, it is true, does not adopt all of Schopenhauer's ideas, but he absorbed the spirit of them from the general pessimistic atmosphere of his time. Certain similarities between the German philosopher and Laforgue also spring from the common source of Buddhism, for which there was shown considerable interest at the time, notably by Leconte de Lisle. There is found in Buddhism the conception of the illusory nature of external phenomena and an encouragement to find peace in a mystic union with the universe, which often occur in his poetry.

More direct was the influence of another German philosopher, Hartmann, whose main work, *The Philosophy of the Unconscious*, was published in French in 1877. For Hartmann, whose influence on Laforgue is noticeable from the early 'eighties onwards, mankind is at the mercy of a cosmic Unconscious, which controls our actions, however conscious we may think ourselves to be. This Unconscious uses man as a means of realising itself, and the world is in a perpetual state of becoming more conscious. Thus, though this conception of a supreme force using us as means to an end has its pessimistic side, Laforgue was able to achieve, through it, a certain peace of mind and also a justification for art: for since we are in the hands of the Unconscious, let us accept ourselves as we are and if our fate is to be a poet, let us further the aims of the Unconscious by giving it full importance in our works, thus helping it to reveal itself, to become more conscious. Expressed in aesthetic terms, Laforgue insists on the importance for the poet of listening to his instinctive genius. He finds here also a justification for his search for novelty, and his insistence on being modern, for the poet, in the forefront of humanity and art, is one of the important factors in the evolution of mankind. We are not surprised to discover that Darwin's theory of the evolution of species had a great influence on Laforgue.

There thus occurs a change in Laforgue's attitude to life and art. In his early poems, reprinted posthumously in *Le Sanglot de la Terre*, we find him full of the deepest pessimism, appalled by the anguish of his solitude, overwhelmed by the thought of his infinitesimal importance in the scheme of the universe, terrified by the immense forces in which he is caught up and swept, willy-nilly, to ultimate extinction; in the *Complaintes*, the *Imitation de Notre-Dame-la-Lune* and *Les Derniers Vers*, though still unhappy and often bitter, he has succeeded in achieving a *modus vivendi*, he has been able to justify his existence and see the part he must play in the universe. The cosmic and tragic attitude of his first manner turns to the ironic bitter-sweet tone of the *Complaintes*. He expresses this clearly in his letters: *l'envie de pousser des cris sublimes aux oreilles de mes contemporains . . . m'est passée et je me borne à tordre mon cœur pour le faire s'égoutter en perles curieusement taillées.* He compares himself to a virtuoso, a strummer on a guitar; and elsewhere he writes: *Maintenant, je suis dilettante en tout, avec parfois de petits accès de nausée universelle. Je regarde passer le Carnaval de la vie.* He now views his earlier mystical yearnings and metaphysical outpourings as a *ramassis de petites banalités sales. Je trouve stupide de faire la grosse voix et de jouer de l'éloquence,* he writes; *aujourd'hui que je suis plus sceptique et je m'emballe moins aisément et que, d'autre part, je possède ma langue d'une façon plus minutieuse, plus clownesque, j'écris de petits poèmes de fantaisie, n'ayant qu'un but: faire de l'original à tout prix.* The *angoisses métaphysiques* have been replaced by *chagrins domestiques* and the metaphysically minded adolescent has become a clown and an ironist, although a clown with a breaking heart and an ironist who wishes, like Figaro, to laugh at things for fear of having to cry about them. His fundamental and morbid sensitiveness remains and the mask of the dandy still hides the tenderness and shyness of the disappointed and introspective idealist.

This new attitude is mirrored in a new style that has come to be considered typically Laforguian. While *Le Sanglot de la Terre* was largely in orthodox alexandrines and conventional fixed forms, including the sonnet, he now experiments with many metres and verse forms, ranging from the relatively mild innovations of the *Complaintes*, which can be described as *vers libérés*, to the completely free versification of the *Derniers Vers*. Laforgue was one of the first French poets to make a complete break from traditional French versification and to write in *vers libres*, thus opening a sluice gate through which was to pour the free verse of many of the *symbolistes*. His influence as a precursor is immense, and inasmuch as *vers libres* are now widely accepted as a legitimate vehicle of poetry, his contribution has been decisive and permanent. It is clear that novel aesthetics require a novel form and as an important part of the Symbolist revolt against Parnassianism was the desire to experiment in musicality, it was an obvious step to dislocate traditional metre and rhyme, which under the influence of Leconte de Lisle and the Parnassian school had become very strictly codified. At the same time, it is worth noting that that great musician in verse, Mallarmé, had always found conventional forms completely adequate, so that it may be said that the question of free verse remains unsettled, and the debate shows no sign of ending.

To his innovations in metre and stanza forms, Laforgue added novelty of vocabulary and syntax. He created his own language, and in this, too, he was a guide for many of his contemporaries, even though he does not go so far as many of them and, in particular, did not use learned neologisms for mere esoteric effect. In addition to colloquial, philosophical and scientific (particularly medical) terms, words derived from Latin, Greek, or other languages (including English), and technical expressions of all sorts, of which many are rare, we find a considerable number of words which he invented. One of his amusing novelties was the portmanteau word, formed by telescoping two words into one, to create an original, compound meaning. Thus, *éléphantaisiste*, from *éléphant* and *fantaisiste*, suggests a peculiarly pedestrian humour; *ennuiversel*, from *ennui* and *universel*, that which is all-pervadingly boring, and so on. He also creates words of all sorts, his commonest device being the formation of verbs from other parts of speech: *angéluser* (from *angélus*), *s'arlequiner* (to dress up as a clown), *feu d'artificer* (to flare like a *feu d'artifice*), and so on; he also forms words from different parts of speech—*spleeni-cosité*, *rêvoir* (a place for dreaming), *lunologue*, *bizarrant* (appearing strange), *exilescent*, and so on. When one adds to this range of vocabulary, certain personal tricks of syntax such as the use of infinitive constructions after verbs not usually governing an infinitive, the use of adjectives as nouns, the habit of placing in front of nouns adjectives that normally follow afterwards, and many other devices, it can be seen that he constructs a personal and varied instrument on which to strike almost any tone, learned or simple, direct or allusive, scientific or emotional, analytical or impressionistic, clear or obscure, lively or melancholy, artificial or straightforward, exclamatory or sustained (although in his later manner, the exclamatory is very common and the sustained rare). The whole is generally spiced with sarcasm and humour, and for this he ranges from the most subtle to the pun.

Is he, with all this, a symbolist poet? He bears certain of the marks: his type of idealism, his distrust of rhetoric, his rejection of description for description's sake, his disquietude, his affection for autumnal or wintry seasons, his pessimism, his rejection of life in favour of art, his prosodic innovations, his allusiveness: all these are found in poets of this period. At the same time, the slightest acquaintance with his work shows that his allusiveness is strictly relative, and that he never uses symbols in the way in which Mallarmé and Baudelaire use them. Indeed, it may be questioned whether certain of the characteristics enumerated above may properly be considered symbolist at all: for example, a belief in the illusory nature of external phenomena belongs to Leconte de Lisle as well as to Mallarmé, as does a belief in the superiority of art over nature. Parnassians as well as Symbolists were pessimistic, and had often an affection for half-lights and half-tones; on the other hand, Laforgue seems not to have shared the sometimes excessive musical preoccupations of certain symbolists, nor to have been greatly concerned with synesthesia; and while his poetry shows a markedly anti-Parnassian note, Laforgue also took himself much less seriously than many of the young French poets of the 'eighties. The truth is that, as soon as you try to define Symbolism, you find that it has far greater resemblance to Parnassianism than at first appears; and secondly that, such is the diversity amongst the so-called *symboliste* poets themselves that any general definition is impossible. It is more rewarding to study the poet's work and to be cautious in attaching labels. This remark applies with especial force to the work of the next poet.

Perhaps the most striking aspect of that strangest of poets, ARTHUR RIMBAUD (1854-1891), is his youth: he was writing poetry at the age of sixteen and he was not much over twenty when he wrote the latest verse that we possess; and even if, as some people believe, some of his prose poems date from later, there yet remains nothing written after his early twenties. Rimbaud, then, is an adolescent poet, and it is not surprising if his poetry had the energetic, uncompromising, and trenchant note of youth. Indeed, it often goes further back and recaptures the fresh, vivid, imaginative vision of childhood with which Rimbaud seems to have maintained a link which is as rare as it is often disconcerting and bewildering. It is not surprising, either, that the youth of Rimbaud should have restricted his experience mainly to imaginative experience: memories of reading of all sorts play a large part in his work, although certain experiences of childhood and adolescence, at school and at home, also marked him deeply. His real originality is to turn this lack of adult experience into a virtue.

More than any other single event, the defeat of France in 1870 and its consequences made Rimbaud into a poet of revolt; and yet, if we examine his earlier work and in particular *Les Poètes de Sept Ans*, we see that this war and its sequel acted rather as a catalytic agent to precipitate a revolt already latent and more than half-conscious. Its basis was undoubtedly his relationship with his mother, on which much light is shed in *Les Poètes de Sept Ans*. Strict, bigoted, a social climber, Mme Rimbaud, whose husband had left her after a few years of marriage, came to represent all that against which Arthur revolted: bourgeois complacency, smug piety, conventionality, hypocrisy, *l'esprit de routine*, the institution of the family itself; and on the defeat of France in the Franco-Prussian war and in the resulting disorder, Rimbaud's revolt spread to patriotism, to war and the whole social system.

Most of the poems of Rimbaud before the summer of 1871 express this revolt in vigorous, vivid, often scathing, brutal, sometimes almost hysterical terms. Repugnance at certain religious practices can rarely have achieved the force of some of Rimbaud's poetry of this period. Nor could he find solace from the ugliness of reality in love. In *Les Sœurs de Charité* he describes his plight:

> *Le jeune homme dont l'œil est brillant, la peau brune,*
> *Le beau corps de vingt ans qui devrait aller nu,*
> *Et qu'eût, le front cerclé de cuivre, sous la lune,*
> *Adoré, dans la Perse, un Génie inconnu,*
>
> *Impétueux avec des douceurs virginales*
> *Et noires, fier de ses premiers entêtements,*
> *Pareil aux jeunes mers, pleurs de nuits estivales,*
> *Qui se retournent sur des lits de diamants :* [1]
>
> *Le jeune homme, devant les laideurs de ce monde*
> *Tressaille dans son cœur largement irrité,*
> *Et plein de la blessure éternelle et profonde,*
> *Se prend à désirer sa sœur de charité . . .*

But, although woman is, as Rimbaud vividly expresses it, a *monceau d'entrailles, pitié douce* (one is reminded of the Biblical expression of "bowels of compassion"), he knows that for him she will never be the *sœur de charité*, never the longed-for consoler. Woman, thinks Rimbaud, has already suffered too much through man's own thoughtlessness and brutality, and this has debased the whole relationship between the sexes. Here again a fresh start must be made to establish a more equitable and natural society—an idea which can be seen in Laforgue's theories on the relationship

[1] The boldness, grandeur and imprecision of this image, with its glittering last line, are typically Rimbaldian.

between the sexes (*v.* Laforgue's *Dimanches*, p. 253, and the notes thereto).

Plein de la blessure éternelle et profonde: in these words are summed up the final stage of Rimbaud's revolt, the stage when, after rejecting society, he reaches a rejection of the whole human state. Life and mankind themselves must be completely changed, a fresh start must be made; and in Rimbaud's conception, it is the poet who must be the instrument of this change. So, in a few exciting weeks, Rimbaud worked out an original and epoch-making theory of literature, the theory of the *voyant*, of the poet as a seer and prophet, although "worked out" is perhaps too strong a term for the two disjointed and rhapsodic letters (*les lettres du voyant*) written to two friends in May 1871 which provide our main evidence as to his aims.

His theory is based, first, on self-knowledge. Human personality is not what it seems, and after hundreds of years of misunderstanding and misinterpretation a complete revaluation of it is necessary: *On a tort de dire; je pense. On devrait dire; on me pense. Car Je est un autre.* As soon as one examines oneself closely, one realises that one's personality contains depths of which one is normally unaware and which provide, to a much greater extent than superficial analysis would suggest, the mainsprings of one's life, conduct and art; our thoughts, which we take to be our own, spring from something within us that we cannot control because we do not know what it is. It is this unknown something that we must try to learn about. In this penetration into the depths of one's personality, one will meet strange and horrible things; but the poet must resolutely note everything he discovers and render it as concretely and physically as words allow: *il devra faire sentir, palper, écouter ses inventions; si ce qu'il rapporte de là-bas a forme, il donne forme; si c'est informe, il donne de l'informe.* Colours, scents, shapes that occur to him in his exploration of these depths (which seem very similar to the unconscious of psychologists) must be rendered as vividly, as exactly, as possible, with the same incoherence and irrationality as they appear: *une langue . . . résumant tout, parfums, sons, couleurs, de la pensée accrochant la pensée et tirant;* a conception which has clearly great affinities with the *correspondances* of Baudelaire, for whom Rimbaud has a very great admiration, and in whom he saw *le premier voyant, roi des poètes, un vrai Dieu.* Rimbaud, however, restricts the rôle of the intelligence to a far greater extent and places more emphasis on the nonrational, sensorial aspect of the poet's imagination. The important thing is to produce something new and unknown; Rimbaud wants to do in art what Baudelaire wished to do in life: *Plonger . . . au fond de l'inconnu pour trouver du nouveau,* the descent in Rimbaud's case being into himself.

The manner in which this descent is to be made is also most original, for merely descending into one's soul is not enough: *il s'agit de se faire l'âme monstrueuse.* And Rimbaud makes this famous statement: *le poète se fait voyant par un long, immense et raisonné dérèglement de tous les sens. Toutes les formes d'amour, de souffrance, de folie; . . . il épuise en lui tous les poisons pour n'en garder que les quintessences.* Every form of intoxication by drugs and alcohol; every type of experience; every possible observation of conduct; every distortion of normal vision; every possible exploitation and mortification of the senses of smell and touch and hearing must be used to create in the poet a state favourable to the perception of his inner life, as well as of the outer world, in a hitherto unknown way. Pushed to its extreme, you reach a mental and physical state in which ordinary distinctions between the inner and outer world vanish into a visionary hallucination: the poet, after searching his own inner life, will cultivate it and finally reach a completely new vision of all things.

It must be noted that this deliberate disorganisation of

the senses is not to be undertaken with any purpose of pleasure-seeking or self-indulgence. The poet is not seeking happiness, but knowledge. As Rimbaud says, it is an *ineffable torture, où il a besoin de toute la foi, de toute la force surhumaine, où il devient entre tous le grand malade, le grand criminel, le grand maudit,—et le suprême savant.* This supreme revolt, not only against the organisation of society but against any normal conception of life, is being undertaken not as mere destruction but as a destruction that will lead to a new and better conception of mankind, in which due weight will be given to all the fresh findings of the poet on the nature of man and his relation with his fellows and the surrounding world. Rimbaud's purpose is not only artistic but moral: if and when we can recognise and understand all the hitherto unknown and neglected aspects of humanity, if we can come to terms with reality in all its complexity, if we can accept all the monstrous discoveries of the poet as something natural, then the poet will have become a *multiplicateur de progrès.* Mind and body will achieve a harmony unknown since the Greeks, for despite the apparently subjective nature of his experiences, Rimbaud believed that the poet is merely a more privileged and richer personality than normal people, so that in spite of the individual nature of his methods, he will be discovering truths of universal validity. *Le poète définirait la quantité d'inconnu s'éveillant en son temps dans l'âme universelle;* he will be an *énormité devenant norme absorbée par tous.* Rimbaud is always conscious of his social responsibility as a poet and of his duty to communicate his findings to others. It is an attempt to accept life and its full responsibilities, as opposed to the life-rejection of so many of his contemporary and immediately preceding fellow-poets in France.

Shortly after writing these theories, Rimbaud met Verlaine and embarked on the life of *dérèglement de tous les sens,* the results of which appear in his prose poems, *Les*

Illuminations. He recounts the course of these experiments in his *Saison en Enfer* (1873); and in this work he also describes their ultimate failure: moments of hallucination and exaltation do not provide a means of living; imaginative experience alone is not complete enough to bring about a fundamental reorganisation of life. All that remains, in fact, is a certain number of fruitful ideas of great importance for later poets and a number of astounding reproductions of visionary states. Most of these are in prose and have no place in this anthology, but some of his verse contains elements of this visionary quality and has the power of reviving in the reader a vision of the world, in which imagination and reality, things read and things experienced, are strangely mixed; in which things that seem contradictory are acceptable to the imagination, ordinary concepts of time and space are not valid and everything is seen with eyes untouched by civilisation and society, eyes that see what is before them undistorted by any utilitarian demands, a world in which everything is both wonderful and normal. If one can follow Rimbaud in this path, one arrives, if only for a short while, at the Unknown to which Rimbaud himself aspired; and, as Rimbaud said, even though the poet may end by failing to understand his own visions, at least nothing can take the memory of them from him; and even if the poet dies in his *bondissement par les choses inouïes et innommables,* other poets will come and take up the task where he left it. This is indeed what was to happen in the twentieth century and it is a tribute to the vigour and richness of Rimbaud's work and ideas that he provided inspiration for such completely different poets as the surrealists André Breton and Paul Eluard and the Catholic apologist Paul Claudel; and, as such an inspirer and inventor, he stands more than any other poet of his generation at the beginning of a new era, the era of the twentieth century.

NOTES ON FRENCH VERSIFICATION

THE basic elements of French versification are syllable-count, stress and rhyme.

Syllable-count

In the syllable-count, the mute *e* at the end of a word is elided when followed by a word beginning with a vowel or unaspirated *h*; nor is the mute *e* at the end of a line counted. When any other vowel ending a word is followed by a word beginning with a vowel, *hiatus* is said to exist; this was forbidden by strict seventeenth-century doctrine, though the rule has rarely been exactly followed. Modern French poets would not hesitate to use it, particularly for a special effect. In any case, *hiatus* occurs constantly within words (e.g. *il tuait*). French verse lines are normally of six to twelve syllables, although since Laforgue lines of more than twelve syllables are not infrequent. Lines of less than four syllables are rare. Lines of an even number of syllables are called *pairs*, of an odd number, *impairs*. The latter are rare and reserved for special effects (see, e.g. Baudelaire's *Invitation au Voyage*).

Stress

French verse contains various stresses, one of which always falls on the last syllable. Apart from lines of four syllables or less, one of the stresses is usually more marked than the others. This strong stress marks the division of the line into two parts and this division is called the caesura (*la césure*). In verse of less than twelve syllables, this caesura can occupy different positions: lines of five syllables can be divided 2/3, 3/2 or 1/4; lines of six syllables, 2/4, 4/2, 1/5 or 3/3. These last two divisions entail uneven numbers of syllables in each part and are rarer. Notice that 5/1 would hardly be possible, as one accent must always fall on the last syllable, and the French do not like two stresses falling on successive syllables. In lines of seven or more syllables a caesura is felt to be more necessary than in shorter lines, and in lines of ten or more syllables the caesura was, until the advent of the freest verse, obligatory. The octosyllable can be cut 2/6, 6/2, 5/3, 3/5, 4/4, 1/7 or even carry only one stress on the eighth syllable. Verse of nine or eleven syllables is relatively rare. The decasyllable is usually cut 4/6, 6/4 or 5/5. It is the alexandrine or twelve syllable line (so called from a thirteenth-century poem entitled *Le Roman d'Alexandre*) which occupies the place of importance; and owing to its length, it offers the greatest scope for variety of stress. The caesura traditionally falls at the sixth syllable, dividing the line into two halves or *hémistiches*. In addition to the two main stresses on the sixth and twelfth syllables, there is usually a further stress in each *hémistiche*. The variety of stress is thus very great: 3/3//3/3 is very common, but 2/4//2/4, 2/4//4/2, 4/2//2/4, 2/4//3/3, 1/5//4/2, 1/5//3/3, 4/2//1/5, etc., are all possible combinations. Strict doctrine required that the break at the caesura should be one of sense as well as sound, but, particularly from the early nineteenth century onwards, poets tended to ignore this rule; in this way, as well as by placing strong stress on a syllable in the *hémistiche* other than the last one, the caesura was gradually weakened and the alexandrine became much more fluid. Early nineteenth-century poets also made continual use of an alexandrine divided not into two but three parts. This is called a *trimètre*, and here too the variety of accent is great, e.g. 4/4/4 (the most common), 3/4/5, 2/6/4, etc. Hugo's poetry is full of *trimètres*. In some of these

alexandrines a faint, vestigial stress on the sixth syllable
still persists, but as the century grew older, so poets became bolder and alexandrines appear with no trace of a
six-syllable *hémistiche*; sometimes the sixth syllable even fell
on the weakest of all syllables, a mute *e*.

Rhyme

French rhymes can be masculine or feminine. Feminine
rhymes are those ending in a mute *e* or a mute syllable.
All other rhymes are masculine. The two sorts cannot
rhyme together and normally there should never be
more than two successive lines of either sort; this rule
is known as the *alternance des rimes*. For a full rhyme
(*rime suffisante*) there should normally be two elements
of similarity, i.e. either a vowel preceded by a consonant
(*la consonne d'appui*), as *demi-ami*, or a vowel followed by
a consonant, as *vide-ride*. Rhymes containing only one
element, the vowel, not preceded by the *consonne d'appui*,
are termed *rimes faibles* and, properly speaking, are not
rhymes but assonances. Any rhymes containing more than
the two minimum elements are called *rimes riches*, as *rite-
mérite*, where the additional element is a *consonne d'appui*,
or *puni-muni*, where the additional element is a vowel.
Rhymes can, of course, be richer, with two or more
additional elements, as *plier-peuplier*, *ouvrier-chevrier*, etc.

Apart from rules, there exist certain customs regarding
rhyme, with the aim of making rhyming not too easy.
Thus, no word should normally rhyme with itself or with
a compound of the same stem, as *ordre-désordre*; nor two
compound words of the same root, as *devenir-parvenir*,
bonheur-malheur; nor words expressing similar or opposite
ideas, as *douleur-malheur*, *chrétien-païen*; nor words of hackneyed or obvious associations, as *gloire-victoire*, *songe-
mensonge*; nor two words of the same grammatical category,

as *beauté-bonté*, *trouvé-lavé*, *délibérer-pleurer*, *éclatant-important*, *aimable-agréable*, *magnifiquement-admirablement*. Such rhymes, however rich they may be, are described as *banales*, and though occasionally used by all poets, excessive use would suggest carelessness or laziness or incompetence. Another custom was to tolerate *rimes insuffisantes* only if they were not too frequent and were not, at the same time, *banales*: e.g. *bleu* might rhyme with *feu*, but not *haï* with *flétri*, as these are two past participles.

The combination of rhymes is normally threefold: most common are *rimes plates*, successive pairs of alternately masculine and feminine rhymes, *aabbcc*, etc.; or *rimes croisées*, *ababcdcd*, etc.; or *rimes embrassées*, *abbacddc*, etc., the normal form of the quatrain of a sonnet. The *rime redoublée* is found when the same rhyme occurs more than once in succession, as *aaaa*. Mixed combinations of rhymes form *rimes mêlées*; this occurs usually in poems or verses containing lines of different lengths. In free verse, assonance often replaces rhyme.

Another form of rhyme is internal rhyme. In this, words within a line may rhyme with other words in the same line or with words in the next or adjacent lines, e.g. the word at the end of the first *hémistiche* might rhyme with the word similarly placed in the next line. A similar effect, less marked but subtler and even more varied, can be achieved by alliteration and assonance. Alliteration is the repetition of the same consonant, often, but not necessarily, at the beginning of a word, as *murmure de la mer*. Assonance is the repetition of the same vowel-sound, as in *je ne nie pas l'inattendu de ces idées*, an assonance in *i* as well as an alliteration in *n*. Alliteration and assonance can be used to create onomatopoeic effects in which sound reflects sense, but they are often used to create sound effects without any purpose of *harmonie imitative*.

Enjambement

When the sense of one line is carried over to the next, there is *enjambement*, and the part of the sentence which is carried over is called the *rejet*. Enjambment can also occur at the caesura, thus weakening the symmetrical regularity of the line. In either case, considerable effects of expression can be achieved. This prolongation of the line or of the *hémistiche* is a common practice in the nineteenth century, and increases rhythmic variety as well as being an excellent method of emphasising specific words.

Verse-forms

French verse-forms range from the couplet to the stanza of twelve or more lines. There are a number of fixed forms which include *terza rima* (as in Gautier's *A Zurbaran*) and the sonnet. Stanzas may consist of lines of an equal number of syllables (isometric) or of a different number of syllables (heterometric). *Vers libres* are usually marked by their extreme variety of both metre and verse-form, as well as of rhyme. Common stanzas are the couplet, usually isometric; the quatrain or four-lined stanza, often rhyming *abab* or *abba*. Quatrains may be isometric, e.g. all octosyllables or alexandrines; or they may be heterometric, e.g. alternating alexandrines six- or eight-syllables. Five-lined stanzas are found and six-lined stanzas are frequent, with varying combinations of rhyme-scheme and metre. The seven-lined stanza is rarer, but Vigny uses it for his *Maison du Berger*. The nineteenth-century French poets were generally much interested in stanza forms.

Less common fixed forms include the *rondeau*, rhyming *aabba aab c aabba c*, and the *ballade*, consisting of three eight-lined octosyllabics and a conclusion or *envoi*, rhyming *ababbcbc* in the main stanzas and *bcbc* in the *envoi*, with the last line of each stanza and of the *envoi* the same. Such deliberate archaic survivals are of secondary importance. The only modern fixed form is the sonnet, whose fourteen lines are divided into two quatrains and two tercets, the first, traditionally, providing the exposition and argument, the second the conclusion, while the last line should be particularly striking. The traditional rhyme-scheme of the French sonnet is *abba abba ccd ede*, but in the nineteenth century these rules are often ignored; a break in sense is not always made after the quatrains, which are often in *rimes croisées*; the rhyme-scheme of the tercets, particularly of the last one, is altered, e.g. to *eed*; and instead of five rhymes, six or even seven are found. Baudelaire's sonneteering repays close study.

SHORT GENERAL BIBLIOGRAPHY

Bédier et Hazard: *Histoire de la Littérature française.*
A. M. Boase: *The Poetry of France.*
A. Cassagne: *La Théorie de l'Art pour l'Art en France.*
R. A. Gutman: *Introduction à la lecture des poètes français.*
P. Martino: *L'époque romantique en France.*
    Parnasse et Symbolisme.
G. Michaud and Ph. van Tieghem: *Le Romantisme.*
M. Raymond: *De Baudelaire au Surréalisme.*
A. Thibaudet: *Histoire de la Littérature française depuis 1789.*

Alphonse de Lamartine

LE LAC

AINSI, toujours poussés vers de nouveaux rivages,
Dans la nuit éternelle emportés sans retour,
Ne pourrons-nous jamais sur l'océan des âges
    Jeter l'ancre un seul jour?

O lac! l'année à peine a fini sa carrière,   5
Et près des flots chéris qu'elle devait revoir,
Regarde! je viens seul m'asseoir sur cette pierre
    Où tu la vis s'asseoir!

Tu mugissais ainsi sous ces roches profondes;
Ainsi tu te brisais sur leurs flancs déchirés;   10
Ainsi le vent jetait l'écume de tes ondes
    Sur ses pieds adorés.

Un soir, t'en souvient-il? nous voguions en silence;
On n'entendait au loin, sur l'onde et sous les cieux,
Que le bruit des rameurs qui frappaient en cadence   15
    Tes flots harmonieux.

Tout à coup des accents inconnus à la terre
Du rivage charmé frappèrent les échos;
Le flot fut attentif, et la voix qui m'est chère
    Laissa tomber ces mots: 20

I

"O temps, suspends ton vol! et vous, heures propices,
    Suspendez votre cours!
Laissez-nous savourer les rapides délices
    Des plus beaux de nos jours!

"Assez de malheureux ici-bas vous implorent: 25
    Coulez, coulez pour eux;
Prenez avec leurs jours les soins qui les dévorent,
    Oubliez les heureux.

"Mais je demande en vain quelques moments encore,
    Le temps m'échappe et fuit;   30
Je dis à cette nuit: 'Sois plus lente'; et l'aurore
    Va dissiper la nuit.

"Aimons donc, aimons donc! de l'heure fugitive,
    Hâtons-nous, jouissons!
L'homme n'a point de port, le temps n'a point de rive;   35
    Il coule, et nous passons!"

Temps jaloux, se peut-il que ces moments d'ivresse,
Où l'amour à longs flots nous verse le bonheur,
S'envolent loin de nous de la même vitesse
    Que les jours de malheur?   40

Hé quoi! n'en pourrons-nous fixer au moins la trace?
Quoi! passés pour jamais? quoi! tout entiers perdus?
Ce temps qui les donna, ce temps qui les efface,
    Ne nous les rendra plus?

Eternité, néant, passé, sombres abîmes,   45
Que faites-vous des jours que vous engloutissez?
Parlez: nous rendrez-vous ces extases sublimes
    Que vous nous ravissez?

2

O lac! rochers muets! grottes! forêt obscure!
Vous que le temps épargne ou qu'il peut rajeunir,   50
Gardez de cette nuit, gardez, belle nature,
        Au moins le souvenir!

Qu'il soit dans ton repos, qu'il soit dans tes orages,
Beau lac, et dans l'aspect de tes riants coteaux,
Et dans ces noirs sapins, et dans ces rocs sauvages   55
        Qui pendent sur tes eaux!

Qu'il soit dans le zéphyr qui frémit et qui passe,
Dans les bruits de tes bords par tes bords répétés,
Dans l'astre au front d'argent qui blanchit ta surface
        De ses molles clartés!   60

Que le vent qui gémit, le roseau qui soupire,
Que les parfums légers de ton air embaumé,
Que tout ce qu'on entend, l'on voit ou l'on respire,
        Tout dise: "Ils ont aimé!"

L'ISOLEMENT

SOUVENT sur la montagne, à l'ombre du vieux
      chêne,
    Au coucher du soleil, tristement je m'assieds;
Je promène au hasard mes regards sur la plaine,
Dont le tableau changeant se déroule à mes pieds.

Ici gronde le fleuve aux vagues écumantes;   5
Il serpente, et s'enfonce en un lointain obscur;
Là le lac immobile étend ses eaux dormantes
Où l'étoile du soir se lève dans l'azur.

Au sommet de ces monts couronnés de bois sombres,
Le crépuscule encor jette un dernier rayon;   10
Et le char vaporeux de la reine des ombres
Monte, et blanchit déjà les bords de l'horizon.

Cependant, s'élançant de la flèche gothique,
Un son religieux se répand dans les airs:
Le voyageur s'arrête, et la cloche rustique   15
Aux derniers bruits du jour mêle de saints concerts.

Mais à ces doux tableaux mon âme indifférente
N'éprouve devant eux ni charme ni transports;
Je contemple la terre ainsi qu'une ombre errante:
Le soleil des vivants n'échauffe plus les morts.   20

De colline en colline en vain portant ma vue,
Du sud à l'aquilon, de l'aurore au couchant,
Je parcours tous les points de l'immense étendue,
Et je dis: "Nulle part le bonheur ne m'attend."

Que me font ces vallons, ces palais, ces chaumières,   25
Vains objets dont pour moi le charme est envolé?
Fleuves, rochers, forêts, solitudes si chères,
Un seul être vous manque, et tout est dépeuplé!

Que le tour du soleil ou commence ou s'achève,
D'un œil indifférent je le suis dans son cours;   30
En un ciel sombre ou pur qu'il se couche ou se lève,
Qu'importe le soleil! je n'attends rien des jours.

Quand je pourrais le suivre en sa vaste carrière,
Mes yeux verraient partout le vide et les déserts:
Je ne désire rien de tout ce qu'il éclaire;   35
Je ne demande rien à l'immense univers.

Mais peut-être au-delà des bornes de sa sphère,
Lieux où le vrai soleil éclaire d'autres cieux,
Si je pouvais laisser ma dépouille à la terre,
Ce que j'ai tant rêvé paraîtrait à mes yeux!   40

Là, je m'enivrerais à la source où j'aspire;
Là, je retrouverais et l'espoir et l'amour,
Et ce bien idéal que toute âme désire,
Et qui n'a pas de nom au terrestre séjour!

Que ne puis-je, porté sur le char de l'Aurore,   45
Vague objet de mes vœux, m'élancer jusqu'à toi!
Sur la terre d'exil pourquoi resté-je encore?
Il n'est rien de commun entre la terre et moi.

Quand la feuille des bois tombe dans la prairie,
Le vent du soir s'élève et l'arrache aux vallons;   50
Et moi, je suis semblable à la feuille flétrie:
Emportez-moi comme elle, orageux aquilons!

LE VALLON

MON cœur, lassé de tout, même de l'espérance,
N'ira plus de ses vœux importuner le sort;
Prêtez-moi seulement, vallon de mon enfance,
Un asile d'un jour pour attendre la mort.

Voici l'étroit sentier de l'obscure vallée: 5
Du flanc de ces coteaux pendent des bois épais,
Qui, courbant sur mon front leur ombre entremêlée,
Me couvrent tout entier de silence et de paix.

5

Là, deux ruisseaux cachés sous des ponts de verdure
Tracent en serpentant les contours du vallon;   10
Ils mêlent un moment leur onde et leur murmure,
Et non loin de leur source ils se perdent sans nom.

La source de mes jours comme eux s'est écoulée;
Elle a passé sans bruit, sans nom et sans retour:
Mais leur onde est limpide, et mon âme troublée   15
N'aura pas réfléchi les clartés d'un beau jour.

La fraîcheur de leurs lits, l'ombre qui les couronne,
M'enchaînent tout le jour sur les bords des ruisseaux;
Comme un enfant bercé par un chant monotone,
Mon âme s'assoupit au murmure des eaux.   20

Ah! c'est là qu'entouré d'un rempart de verdure,
D'un horizon borné qui suffit à mes yeux,
J'aime à fixer mes pas, et, seul dans la nature,
A n'entendre que l'onde, à ne voir que les cieux.

J'ai trop vu, trop senti, trop aimé dans ma vie;   25
Je viens chercher vivant le calme du Léthé.
Beaux lieux, soyez pour moi ces bords où l'on oublie;
L'oubli seul désormais est ma félicité.

Mon cœur est en repos, mon âme est en silence;
Le bruit lointain du monde expire en arrivant,   30
Comme un son éloigné qu'affaiblit la distance,
A l'oreille incertaine apporté par le vent.

D'ici je vois la vie, à travers un nuage,
S'évanouir pour moi dans l'ombre du passé;
L'amour seul est resté, comme une grande image   35
Survit seule au réveil dans un songe effacé.

Repose-toi, mon âme, en ce dernier asile,
Ainsi qu'un voyageur qui, le cœur plein d'espoir,
S'assied, avant d'entrer, aux portes de la ville,
Et respire un moment l'air embaumé du soir.   40

Comme lui, de nos pieds secouons la poussière;
L'homme par ce chemin ne repasse jamais:
Comme lui, respirons au bout de la carrière
Ce calme avant-coureur de l'éternelle paix.

Tes jours, sombres et courts comme les jours d'automne, 45
Déclinent comme l'ombre au penchant des coteaux;
L'amitié te trahit, la pitié t'abandonne,
Et, seule, tu descends le sentier des tombeaux.

Mais la nature est là qui t'invite et qui t'aime;
Plonge-toi dans son sein qu'elle t'ouvre toujours: 50
Quand tout change pour toi, la nature est la même,
Et le même soleil se lève sur tes jours.

De lumière et d'ombrage elle t'entoure encore:
Détache ton amour des faux biens que tu perds;
Adore ici l'écho qu'adorait Pythagore,   55
Prête avec lui l'oreille aux célestes concerts.

Suis le jour dans le ciel, suis l'ombre sur la terre!
Dans les plaines de l'air vole avec l'aquilon;
Avec le doux rayon de l'astre du mystère
Glisse à travers les bois dans l'ombre du vallon.   60

Dieu, pour le concevoir, a fait l'intelligence:
Sous la nature enfin découvre son auteur!
Une voix à l'esprit parle dans son silence:
Qui n'a pas entendu cette voix dans son cœur?

7

L'OCCIDENT

ET la mer s'apaisait comme une urne écumante
Qui s'abaisse au moment où le foyer pâlit,
Et, retirant du bord sa vague encor fumante,
Comme pour s'endormir, rentrait dans son grand lit;

Et l'astre qui tombait de nuage en nuage   5
Suspendait sur les flots un orbe sans rayon,
Puis plongeait la moitié de sa sanglante image,
Comme un navire en feu qui sombre à l'horizon;

Et la moitié du ciel pâlissait, et la brise
Défaillait dans la voile, immobile et sans voix,   10
Et les ombres couraient, et sous leur teinte grise
Tout sur le ciel et l'eau s'effaçait à la fois;

Et dans mon âme, aussi pâlissant à mesure,
Tous les bruits d'ici-bas tombaient avec le jour,
Et quelque chose en moi, comme dans la nature,   15
Pleurait, priait, souffrait, bénissait tour à tour.

Et, vers l'occident seul, une porte éclatante
Laissait voir la lumière à flots d'or ondoyer,
Et la nue empourprée imitait une tente
Qui voile sans l'éteindre un immense foyer;   20

Et les ombres, les vents, et les flots de l'abîme,
Vers cette arche de feu tout paraissait courir,
Comme si la nature et tout ce qui l'anime
En perdant la lumière avait craint de mourir.

La poussière du soir y volait de la terre,   25
L'écume à blancs flocons sur la vague y flottait;
Et mon regard long, triste, errant, involontaire,
Les suivait, et de pleurs sans chagrin s'humectait.

Et tout disparaissait; et mon âme oppressée
Restait vide et pareille à l'horizon couvert;   30
Et puis il s'élevait une seule pensée,
Comme une pyramide au milieu du désert:

O lumière! où vas-tu? Globe épuisé de flamme,
Nuages, aquilons, vagues, où courez-vous?
Poussière, écume, nuit; vous, mes yeux; toi, mon âme,   35
Dites, si vous savez, où donc allons-nous tous?

A toi, grand Tout, dont l'astre est la pâle étincelle
En qui la nuit, le jour, l'esprit, vont aboutir!
Flux et reflux divin de vie universelle,
Vaste océan de l'Être où tout va s'engloutir! . . .   40

L'INFINI DANS LES CIEUX

C'EST une nuit d'été; nuit dont les vastes ailes
    Font jaillir dans l'azur des milliers d'étincelles
    Qui, ravivant le ciel comme un miroir terni,
Permet à l'œil charmé d'en sonder l'infini;
Nuit où le firmament, dépouillé de nuages,   5
De ce livre de feu rouvre toutes les pages:
Sur le dernier sommet des monts, d'où le regard
Dans un double horizon se répand au hasard,
Je m'assieds en silence, et laisse ma pensée
Flotter comme une mer où la lune est bercée.   10

L'harmonieux éther, dans ses vagues d'azur,
Enveloppe les monts d'un fluide plus pur;
Leurs contours qu'il éteint, leurs cimes qu'il efface,
Semblent nager dans l'air et trembler dans l'espace,
Comme on voit jusqu'au fond d'une mer en repos   15
L'ombre de son rivage onduler sous les flots.

Sous ce jour sans rayon, plus serein qu'une aurore,
A l'œil contemplatif la terre semble éclore;
Elle déroule au loin ses horizons divers
Où se joua la main qui sculpta l'univers.   20
Là, semblable à la vague, une colline ondule;
Là le coteau poursuit le coteau qui recule,
Et le vallon, voilé de verdoyants rideaux,
Se creuse comme un lit pour l'ombre et pour les eaux;
Ici s'étend la plaine, où, comme sur la grève,   25
La vague des épis s'abaisse et se relève;
Là, pareil au serpent dont les nœuds sont rompus,
Le fleuve, renouant ses flots interrompus,
Trace à son cours d'argent des méandres sans nombre,
Se perd sous la colline et reparaît dans l'ombre;   30
Comme un nuage noir, les profondes forêts
D'une tache grisâtre ombragent les guérets,
Et plus loin, où la plage en croissant se reploie,
Où le regard confus dans les vapeurs se noie,
Un golfe de la mer, d'îles entrecoupé,   35
Des blancs reflets du ciel par la lune frappé,
Comme un vaste miroir brisé sur la poussière,
Réfléchit dans l'obscur des fragments de lumière.
Que le séjour de l'homme est divin, quand la nuit
De la vie orageuse étouffe ainsi le bruit!   40
Ce sommeil qui d'en haut tombe avec la rosée
Et ralentit le cours de la vie épuisée,
Semble planer aussi sur tous les éléments,
Et de tout ce qui vit calmer les battements.
Un silence pieux s'étend sur la nature;   45
Le fleuve a son éclat, mais n'a plus son murmure;
Les chemins sont déserts, les chaumières sans voix;
Nulle feuille ne tremble à la voûte des bois;
Et la mer elle-même, expirant sur sa rive,
Roule à peine à la plage une lame plaintive.   50

On dirait, en voyant ce monde sans échos,
Où l'oreille jouit d'un magique repos,
Où tout est majesté, crépuscule, silence,
Et dont le regard seul **atteste** l'existence,
Que l'on contemple en songe, à travers le passé,   55
Le fantôme d'un monde où la vie a cessé.
Seulement, dans les troncs des pins aux larges cimes,
Dont les groupes épars croissent sur ces abîmes,
L'haleine de la nuit, qui se brise parfois,
Répand de loin en loin d'harmonieuses voix,   60
Comme pour attester, dans leur cime sonore,
Que ce monde assoupi palpite et vit encore . . .

MILLY OU LA TERRE NATALE

POURQUOI le prononcer ce nom de la patrie?
Dans son brillant exil mon cœur en a frémi;
Il résonne de loin dans mon âme attendrie,
Comme les pas connus ou la voix d'un ami.

Montagnes que voilait le brouillard de l'automne,   5
Vallons que tapissait le givre du matin,
Saules dont l'émondeur effeuillait la couronne,
Vieilles tours que le soir dorait dans le lointain,

Murs noircis par les ans, coteaux, sentier rapide,
Fontaine où les pasteurs accroupis tour à tour   10
Attendaient goutte à goutte une eau rare et limpide,
Et, leur urne à la main, s'entretenaient du jour.

Chaumière où du foyer étincelait la flamme,
Toit que le pèlerin aimait à voir fumer,
Objets inanimés, avez-vous donc une âme   15
Qui s'attache à notre âme et la force d'aimer?

J'ai vu des cieux d'azur, où la nuit est sans voiles,
Dorés jusqu'au matin sous les pieds des étoiles,
Arrondir sur mon front dans leur arc infini
Leur dôme de cristal qu'aucun vent n'a terni;　　　　20
J'ai vu des monts voilés de citrons et d'olives
Réfléchir dans les flots leurs ombres fugitives,
Et dans leurs frais vallons, au souffle du zéphir,
Bercer sur l'épi mûr le cep prêt à mûrir;
Sur des bords où les mers ont à peine un murmure,　　25
J'ai vu des flots brillants l'onduleuse ceinture
Presser et relâcher dans l'azur de ses plis
De leurs caps dentelés les contours assouplis,
S'étendre dans le golfe en nappes de lumière,
Blanchir l'écueil fumant de gerbes de poussière,　　30
Porter dans le lointain d'un occident vermeil
Des îles qui semblaient le lit d'or du soleil,
Ou, s'ouvrant devant moi sans rideau, sans limite,
Me montrer l'infini que le mystère habite;
J'ai vu ces fiers sommets, pyramides des airs,　　35
Où l'été repliait le manteau des hivers,
Jusqu'au sein des vallons descendant par étages,
Entrecouper leurs flancs de hameaux et d'ombrages,
De pics et de rochers ici se hérisser,
En pentes de gazon plus loin fuir et glisser,　　40
Lancer en arcs fumants, avec un bruit de foudre,
Leurs torrents en écume et leurs fleuves en poudre,
Sur leurs flancs éclairés, obscurcis tour à tour,
Former des vagues d'ombre et des îles de jour,
Creuser de frais vallons que la pensée adore,　　45
Remonter, redescendre, et remonter encore,
Puis des derniers degrés de leurs vastes remparts,
A travers les sapins et les chênes épars,
Dans le miroir des lacs qui dorment sous leur ombre
Jeter leurs reflets verts ou leur image sombre,　　50

Et sur le tiède azur de ces limpides eaux
Faire onduler leur neige et flotter leurs coteaux;
J'ai visité ces bords et ce divin asile
Qu'a choisis pour dormir l'ombre du doux Virgile,
Ces champs que la Sibylle à ses yeux déroula,   55
Et Cume, et l'Élysée: et mon cœur n'est pas là!...

Mais il est sur la terre une montagne aride
Qui ne porte en ses flancs ni bois ni flot limpide,
Dont par l'effort des ans l'humble sommet miné,
Et sous son propre poids jour par jour incliné,   60
Dépouillé de son sol fuyant dans les ravines,
Garde à peine un buis sec qui montre ses racines,
Et se couvre partout de rocs prêts à crouler
Que sous son pied léger le chevreau fait rouler.
Ces débris par leur chute ont formé d'âge en âge   65
Un coteau qui décroît et, d'étage en étage,
Porte, à l'abri des murs dont ils sont étayés,
Quelques avares champs de nos sueurs payés,
Quelques ceps dont les bras, cherchant en vain l'érable,
Serpentent sur la terre ou rampent sur le sable,   70
Quelques buissons de ronce, où l'enfant des hameaux
Cueille un fruit oublié qu'il dispute aux oiseaux,
Où la maigre brebis des chaumières voisines
Broute en laissant sa laine en tribut aux épines:
Lieux que ni le doux bruit des eaux pendant l'été,   75
Ni le frémissement du feuillage agité,
Ni l'hymne aérien du rossignol qui veille,
Ne rappellent au cœur, n'enchantent pour l'oreille,
Mais que, sous les rayons d'un ciel toujours d'airain,
La cigale assourdit de son cri souterrain.   80
Il est dans ces déserts un toit rustique et sombre
Que la montagne seule abrite de son ombre,
Et dont les murs, battus par la pluie et les vents,
Portent leur âge écrit sous la mousse des ans.

Sur le seuil désuni de trois marches de pierre 85
Le hasard a planté les racines d'un lierre
Qui, redoublant cent fois ses nœuds entrelacés,
Cache l'affront du temps sous ses bras élancés,
Et, recourbant en arc sa volute rustique,
Fait le seul ornement du champêtre portique. 90
Un jardin qui descend au revers d'un coteau
Y présente au couchant son sable altéré d'eau;
La pierre sans ciment, que l'hiver a noircie,
En borne tristement l'enceinte rétrécie;
La terre, que la bêche ouvre à chaque saison, 95
Y montre à nu son sein sans ombre et sans gazon;
Ni tapis émaillés, ni cintres de verdure,
Ni ruisseau sous des bois, ni fraîcheur, ni murmure;
Seulement sept tilleuls par le soc oubliés,
Protégeant un peu d'herbe étendue à leurs pieds, 100
Y versent dans l'automne une ombre tiède et rare,
D'autant plus douce au front sous un ciel plus avare;
Arbres dont le sommeil et des songes si beaux
Dans mon heureuse enfance habitaient les rameaux!
Dans le champêtre enclos qui soupire après l'onde, 105
Un puits dans le rocher cache son eau profonde,
Où le vieillard qui puise, après de longs efforts,
Dépose en gémissant son urne sur les bords;
Une aire où le fléau sur l'argile étendue
Bat à coups cadencés la gerbe répandue, 110
Où la blanche colombe et l'humble passereau
Se disputent l'épi qu'oublia le râteau;
Et, sur la terre épars des instruments rustiques,
Des jougs rompus, des chars dormant sous les portiques,
Des essieux dont l'ornière a brisé les rayons, 115
Et des socs émoussés qu'ont usés les sillons.

Rien n'y console l'œil de sa prison stérile,
Ni les dômes dorés d'une superbe ville,

Ni le chemin poudreux, ni le fleuve lointain,
Ni les toits blanchissants aux clartés du matin :　　120
Seulement, répandus de distance en distance,
De sauvages abris qu'habite l'indigence,
Le long d'étroits sentiers en désordre semés,
Montrent leur toit de chaume et leurs murs enfumés,
Où le vieillard, assis au seuil de sa demeure,　　125
Dans son berceau de jonc endort l'enfant qui pleure ;
Enfin un sol sans ombre et des cieux sans couleur,
Et des vallons sans onde !—Et c'est là qu'est mon cœur !
Ce sont là les séjours, les sites, les rivages,
Dont mon âme attendrie évoque les images,　　130
Et dont pendant les nuits mes songes les plus beaux
Pour enchanter mes yeux composent leurs tableaux !

Là chaque heure du jour, chaque aspect des montagnes,
Chaque son qui le soir s'élève des campagnes,
Chaque mois qui revient, comme un pas des saisons,　　135
Reverdir ou faner les bois ou les gazons,
La lune qui décroît ou s'arrondit dans l'ombre,
L'étoile qui gravit sur la colline sombre,
Les troupeaux des hauts lieux chassés par les frimas,
Des coteaux aux vallons descendant pas à pas,　　140
Le vent, l'épine en fleur, l'herbe verte ou flétrie,
Le soc dans le sillon, l'onde dans la prairie,
Tout m'y parle une langue aux intimes accents,
Dont les mots, entendus dans l'âme et dans les sens,
Sont des bruits, des parfums, des foudres, des orages,　　145
Des rochers, des torrents, et ces douces images,
Et ces vieux souvenirs dormant au fond de nous,
Qu'un site nous conserve et qu'il nous rend plus doux.
Là mon cœur en tout lieu se retrouve lui-même ;
Tout s'y souvient de moi, tout m'y connaît, tout
　　m'aime.　　150

Mon œil trouve un ami dans tout cet horizon,
Chaque arbre a son histoire et chaque pierre un nom.
Qu'importe que ce nom, comme Thèbe ou Palmyre,
Ne nous rappelle pas les fastes d'un empire,
Le sang humain versé pour le choix des tyrans,   155
Ou ces fléaux de Dieu que l'homme appelle grands!
Ce site où la pensée a rattaché sa trame,
Ces lieux encor tout pleins des fastes de notre âme,
Sont aussi grands pour nous que ces champs du destin
Où naquit, où tombe quelque empire incertain: 160
Rien n'est vil! rien n'est grand! l'âme en est la mesure.
Un cœur palpite au nom de quelque humble masure,
Et sous les monuments des héros et des dieux
Le pasteur passe et siffle en détournant les yeux.

Voilà le banc rustique où s'asseyait mon père,   165
La salle où résonnait sa voix mâle et sévère,
Quand les pasteurs, assis sur leurs socs renversés,
Lui comptaient les sillons par chaque heure tracés,
Ou qu'encor palpitant des scènes de sa gloire,
De l'échafaud des rois il nous disait l'histoire,   170
Et, plein du grand combat qu'il avait combattu,
En racontant sa vie enseignait la vertu.
Voilà la place vide où ma mère à toute heure,
Au plus léger soupir, sortait de sa demeure,
Et, nous faisant porter ou la laine ou le pain,   175
Vêtissait l'indigence ou nourrissait la faim;
Voilà les toits de chaume où sa main attentive
Versait sur la blessure ou le miel ou l'olive,
Ouvrait près du chevet des vieillards expirants
Ce livre où l'espérance est permise aux mourants,   180
Recueillait leurs soupirs sur leur bouche oppressée,
Faisait tourner vers Dieu leur dernière pensée,
Et, tenant par la main les plus jeunes de nous,
A la veuve, à l'enfant, qui tombaient à genoux,

Disait, en essuyant les pleurs de leurs paupières: 185
"Je vous donne un peu d'or, rendez-leur vos prières."
Voilà le seuil, à l'ombre, où son pied nous berçait,
La branche du figuier que sa main abaissait;
Voici l'étroit sentier où, quand l'airain sonore
Dans le temple lointain vibrait avec l'aurore,   190
Nous montions sur sa trace à l'autel du Seigneur
Offrir deux purs encens, innocence et bonheur!
C'est ici que sa voix pieuse et solennelle
Nous expliquait un Dieu que nous sentions en elle
Et, nous montrant l'épi dans son germe enfermé,   195
La grappe distillant son breuvage embaumé,
La génisse en lait pur changeant le suc des plantes,
Le rocher qui s'entr'ouvre aux sources ruisselantes,
La laine des brebis dérobée aux rameaux
Servant à tapisser les doux nids des oiseaux,   200
Et le soleil exact à ses douze demeures
Partageant aux climats les saisons et les heures,
Et ces astres des nuits que Dieu seul peut compter,
Mondes où la pensée ose à peine monter,
Nous enseignait la foi par la reconnaissance,   205
Et faisait admirer à notre simple enfance
Comment l'astre et l'insecte invisible à nos yeux
Avaient, ainsi que nous, leur père dans les cieux!
Ces bruyères, ces champs, ces vignes, ces prairies,
Ont tous leurs souvenirs et leurs ombres chéries.   210
Là mes sœurs folâtraient, et le vent dans leurs jeux
Les suivait en jouant avec leurs blonds cheveux;
Là, guidant les bergers aux sommets des collines,
J'allumais des bûchers de bois mort et d'épines,
Et mes yeux, suspendus aux flammes du foyer,   215
Passaient heure après heure à les voir ondoyer.
Là, contre la fureur de l'aquilon rapide,
Le saule caverneux nous prêtait son tronc vide

Et j'écoutais siffler dans son feuillage mort
Des brises dont mon âme a retenu l'accord.   220
Voilà le peuplier qui, penché sur l'abîme,
Dans la saison des nids nous berçait sur sa cime,
Le ruisseau dans les prés, dont les dormantes eaux
Submergeaient lentement nos barques de roseaux,
Le chêne, le rocher, le moulin monotone,   225
Et le mur au soleil où, dans les jours d'automne,
Je venais, sur la pierre assis près des vieillards,
Suivre le jour qui meurt de mes derniers regards.
Tout est encor debout; tout renaît à sa place;
De nos pas sur le sable on suit encor la trace;   230
Rien ne manque à ces lieux qu'un cœur pour en jouir:
Mais, hélas! l'heure baisse et va s'évanouir;
La vie a dispersé, comme l'épi sur l'aire,
Loin du champ paternel les enfants et la mère,
Et ce foyer chéri ressemble aux nids déserts   235
D'où l'hirondelle a fui pendant de longs hivers.
Déjà l'herbe qui croît sur les dalles antiques
Efface autour des murs les sentiers domestiques,
Et le lierre, flottant comme un manteau de deuil,
Couvre à demi la porte et rampe sur le seuil;   240
Bientôt peut-être . . . Écarte, ô mon Dieu, ce présage!
Bientôt un étranger, inconnu du village,
Viendra, l'or à la main, s'emparer de ces lieux
Qu'habite encor pour nous l'ombre de nos aïeux,
Et d'où nos souvenirs des berceaux et des tombes   245
S'enfuiront à sa voix, comme un nid de colombes
Dont la hache a fauché l'arbre dans les forêts,
Et qui ne savent plus où se poser après!

Ne permets pas, Seigneur, ce deuil et cet outrage!
Ne souffre pas, mon Dieu, que notre humble héritage 250
Passe de main en main troqué contre un vil prix,
Comme le toit du vice ou le champ des proscrits;

Qu'un avide étranger vienne d'un pied superbe
Fouler l'humble sillon de nos berceaux sur l'herbe,
Dépouiller l'orphelin, grossir, compter son or   255
Aux lieux où l'indigence avait seule un trésor,
Et blasphémer ton nom sous ces mêmes portiques
Où ma mère à nos voix enseignait tes cantiques!
Ah! que plutôt cent fois, aux vents abandonné,
Le toit pende en lambeaux sur le mur incliné;   260
Que les fleurs du tombeau, les mauves, les épines,
Sur les parvis brisés germent dans les ruines;
Que le lézard dormant s'y réchauffe au soleil,
Que Philomèle y chante aux heures du sommeil,
Que l'humble passereau, les colombes fidèles,   265
Y rassemblent en paix leurs petits sous leurs ailes,
Et que l'oiseau du ciel vienne bâtir son nid
Aux lieux où l'innocence eut autrefois son lit!

Ah! si le nombre écrit sous l'œil des destinées
Jusqu'aux cheveux blanchis prolonge mes années   270
Puissé-je, heureux vieillard, y voir baisser mes jours
Parmi ces monuments de mes simples amours,
Et, quand ces toits bénis et ces tristes décombres
Ne seront plus pour moi peuplés que par des ombres,
Y retrouver au moins dans les noms, dans les lieux,   275
Tant d'êtres adorés disparus de mes yeux!
Et vous, qui survivrez à ma cendre glacée,
Si vous voulez charmer ma dernière, pensée,
Un jour, élevez-moi . . . Non, ne m'élevez rien;
Mais, près des lieux où dort l'humble espoir du chrétien, 280
Creusez-moi dans ces champs la couche que j'envie
Et ce dernier sillon où germe une autre vie!
Étendez sur ma tête un lit d'herbe des champs
Que l'agneau du hameau broute encore au printemps,
Où l'oiseau dont mes sœurs ont peuplé ces asiles   285
Vienne aimer et chanter durant mes nuits tranquilles.

Là, pour marquer le place où vous m'allez coucher,
Roulez de la montagne un fragment de rocher;
Que nul ciseau surtout ne le taille et n'efface
La mousse des vieux jours qui brunit sa surface   290
Et, d'hiver en hiver incrustée à ses flancs,
Donne en lettre vivante une date à ses ans.
Point de siècle ou de nom sur cette agreste page!
Devant l'éternité tout siècle est du même âge,
Et Celui dont la voix réveille le trépas   295
Au défaut d'un vain nom ne nous oubliera pas.
Là, sous des cieux connus, sous les collines sombres
Qui couvrirent jadis mon berceau de leurs ombres,
Plus près du sol natal, de l'air et du soleil,
D'un sommeil plus léger j'attendrai le réveil.   300
Là ma cendre, mêlée à la terre qui m'aime,
Retrouvera la vie avant mon esprit même,
Verdira dans les prés, fleurira dans les fleurs,
Boira des nuits d'été les parfums et les pleurs;
Et, quand du jour sans soir la première étincelle   305
Viendra m'y réveiller pour l'aurore éternelle,
En ouvrant mes regards je reverrai des lieux
Adorés de mon cœur et connus de mes yeux,
Les pierres du hameau, le clocher, la montagne,
Le lit sec du torrent et l'aride campagne;   310
Et, rassemblant de l'œil tous les êtres chéris
Dont l'ombre près de moi dormait sous ses débris,
Avec des sœurs, un père et l'âme d'une mère,
Ne laissant plus de cendre en dépôt à la terre,
Comme le passager qui des vagues descend   315
Jette encore au navire un œil reconnaissant,
Nos voix diront ensemble à ces lieux pleins de charmes
L'adieu, le seul adieu qui n'aura point de larmes!

LA VIGNE ET LA MAISON

Psalmodies de l'âme
Dialogue entre mon âme et moi

MOI

QUEL fardeau te pèse, ô mon âme!
    Sur ce vieux lit des jours par l'ennui retourné,
    Comme un fruit de douleurs qui pèse aux
flancs de femme
Impatient de naître et pleurant d'être né,
La nuit tombe, ô mon âme! un peu de veille encore!   5
Ce coucher d'un soleil est d'un autre l'aurore.
Vois comme avec tes sens s'écroule ta prison!
Vois comme aux premiers vents de la précoce automne
Sur les bords de l'étang où le roseau frissonne,
S'envole brin à brin le duvet du chardon!   10
Vois comme de mon front la couronne est fragile!
Vois comme cet oiseau dont le nid est la tuile
Nous suit pour emporter à son frileux asile
Nos cheveux blancs, pareils à la toison que file
La vieille femme assise au seuil de sa maison!   15
Dans un lointain qui fuit ma jeunesse recule,
Ma sève refroidie avec lenteur circule,
L'arbre quitte sa feuille et va nouer son fruit:
Ne presse pas ces jours qu'un autre doigt calcule,
Bénis plutôt ce Dieu qui place un crépuscule   20
Entre les bruits du soir et la paix de la nuit!
Moi qui par des concerts saluai ta naissance,
Moi qui te réveillai neuve à cette existence
Avec des chants de fête et des chants d'espérance,
Moi qui fis de ton cœur chanter chaque soupir,   25
Veux-tu que, remontant ma harpe qui sommeille,
Comme un David assis près d'un Saül qui veille,
    Je chante encor pour t'assoupir?

L'ÂME

Non: Depuis qu'en ces lieux le temps m'oublia seule,
La terre m'apparaît vieille comme une aïeule   30
Qui pleure ses enfants sous ses robes de deuil.
Je n'aime des longs jours que l'heure des ténèbres,
Je n'écoute des chants que ces strophes funèbres
Que sanglote le prêtre en menant un cercueil.

MOI

Pourtant le soir qui tombe a des langueurs sereines   35
Que la fin donne à tout, aux bonheurs comme aux
      peines;
Le linceul même est tiède au cœur enseveli:
On a vidé ses yeux de ses dernières larmes,
L'âme à son désespoir trouve de tristes charmes,
Et des bonheurs perdus se sauve dans l'oubli.   40

Cette heure a pour nos sens des impressions douces
Comme des pas muets qui marchent sur des mousses:
C'est l'amère douceur du baiser des adieux.
De l'air plus transparent le cristal est limpide,
Des mots vaporisés l'azur vague et liquide   45
      S'y fond avec l'azur des cieux.

Je ne sais quel lointain y baigne toute chose,
Ainsi que le regard l'oreille s'y repose,
On entend dans l'éther glisser le moindre vol;
C'est le pied de l'oiseau sur le rameau qui penche   50
Ou la chute d'un fruit détaché de la branche
      Qui tombe du poids sur le sol.

Aux premières lueurs de l'aurore frileuse,
On voit flotter ces fils dont la vierge fileuse,
D'arbre en arbre au verger, a tissé le réseau: 55

Blanche toison de l'air que la brume encor mouille,
Qui traîne sur nos pas, comme de la quenouille
    Un fil traîne après le fuseau.

Aux précaires tiédeurs de la trompeuse automne,
Dans l'oblique rayon le moucheron foisonne,   60
Prêt à mourir d'un souffle à son premier frisson;
Et sur le seuil désert de la ruche engourdie,
Quelque abeille en retard, qui sort et qui mendie,
Rentre lourde de miel dans sa chaude prison.

Viens, reconnais la place où ta vie était neuve!   65
N'as-tu point de douceur, dis-moi, pauvre âme veuve,
A remuer ici la cendre des jours morts?
A revoir ton arbuste et ta demeure vide,
Comme l'insecte ailé revoit sa chrysalide,
    Balayure qui fut son corps?   70

    Moi, le triste instinct m'y ramène:
    Rien n'a changé que le temps;
    Des lieux où notre œil se promène,
    Rien n'a fui que les habitants.

    Suis-moi du cœur pour voir encore,   75
    Sur la pente douce au midi,
    La vigne qui nous fit éclore
    Ramper sur le roc attiédi.

    Contemple la maison de pierre,
    Dont nos pas usèrent le seuil: 80
    Vois-la se vêtir de son lierre
    Comme d'un vêtement de deuil.

    Ecoute le cri des vendanges
    Qui monte du pressoir voisin,
    Vois les sentiers rocheux des granges   85
    Rougis par le sang du raisin.

Regarde au pied du toit qui croule:
Voilà, près du figuier séché,
Le cep vivace qui s'enroule
A l'angle du mur ébréché! 90

L'hiver noircit sa rude écorce;
Autour du banc rongé du ver
Il contourne sa branche torse
Comme un serpent frappé du fer.

Autrefois ses pampres sans nombre 95
S'entrelaçaient autour du puits;
Père et mère goûtaient son ombre,
Enfants, oiseaux, rongeaient ses fruits.

Il grimpait jusqu'à la fenêtre,
Il s'arrondissait en arceau; 100
Il sembre encor nous reconnaître
Comme un chien gardien d'un berceau.

Sur cette mousse des allées
Où rougit son pampre vermeil,
Un bouquet de feuilles gelées 105
Nous abrite encor du soleil.

Vives glaneuses de novembre,
Les grives, sur la grappe en deuil,
Ont oubliés ces beaux grains d'ambre
Qu'enfant nous convoitions de l'œil. 110

Le rayon du soir la transperce
Comme un albâtre oriental,
Et le sucre d'or qu'elle verse
Y pend en larmes de cristal.

Sous ce cep de vigne qui t'aime, 115
O mon âme! ne crois-tu pas
Te retrouver enfin toi-même,
Malgré l'absence et le trépas?

N'a-t-il pas pour toi le délice
Du brasier tiède et réchauffant 120
Qu'allume une vieille nourrice
Au foyer qui nous vit enfant?

Ou l'impression qui console
L'agneau tondu hors de saison,
Quand il sent sur sa laine folle 125
Repousser sa chaude toison?

L'ÂME

Que me fait le coteau, le toit, la vigne aride?
Que me ferait le ciel, si le ciel était vide?
Je ne vois en ces lieux que ceux qui n'y sont pas!
Pourquoi ramènes-tu mes regrets sur leur trace? 130
Des bonheurs disparus se rappeler la place,
C'est rouvrir des cercueils pour revoir des trépas!

I

Le mur est gris, la tuile est rousse,
L'hiver a rongé le ciment;
Des pierres disjointes la mousse 135
Verdit l'humide fondement;
Les gouttières, que rien n'essuie,
Laissent, en rigoles de suie,
S'égoutter le ciel pluvieux,
Traçant sur la vide demeure 140
Ces noirs sillons par où l'on pleure,
Que les veuves ont sous les yeux.

La porte où file l'araignée,
Qui n'entend plus le doux accueil,
Reste immobile et dédaignée   145
Et ne tourne plus sur son seuil;
Les volets que le moineau souille,
Détachés de leurs gonds de rouille,
Battent nuit et jour le granit;
Les vitraux brisés par les grêles   150
Livrent aux vieilles hirondelles
Un libre passage à leur nid.

Leur gazouillement sur les dalles
Couvertes de duvets flottants   155
Est la seule voix de ces salles
Pleines des silences du temps.
De la solitaire demeure
Une ombre lourde d'heure en heure
Se détache sur le gazon:
Et cette ombre, couchée et morte,   160
Est la seule chose qui sorte
Tout le jour de cette maison!

II

Efface ce séjour, ô Dieu! de ma paupière,
Ou rends-le-moi semblable à celui d'autrefois,
Quand la maison vibrait comme un grand cœur de
    pierre   165
De tous ces cœurs joyeux qui battaient sous ses toits!

A l'heure où la rosée au soleil s'évapore
Tous ces volets fermés s'ouvraient à sa chaleur,
Pour y laisser entrer, avec la tiède aurore,
Les nocturnes parfums de nos vignes en fleur. 170

On eût dit que ces murs respiraient comme un être
Des pampres réjouis la jeune exhalaison;
La vie apparaissaît rose, à chaque fenêtre,
Sous les beaux traits d'enfants nichés dans la maison.

Leurs blonds cheveux, épars au vent de la montagne,   175
Les filles, se passant leurs deux mains sur les yeux,
Jetaient des cris de joie à l'écho des montagnes,
Ou sur leurs seins naissants croisaient leurs doigts
      pieux.

La mère, de sa couche à ces doux bruits levée,
Sur ces fronts inégaux se penchait tour à tour,   180
Comme la poule heureuse assemble sa couvée,
Leur apprenant les mots qui bénissent le jour.

Moins de balbutiements sortent du nid sonore,
Quand, au rayon d'été qui vient la réveiller,
L'hirondelle, au plafond qui les abrite encore,   185
A ses petits sans plume apprend à gazouiller.

Et les bruits du foyer que l'aube fait renaître,
Les pas des serviteurs sur les degrés de bois,
Les aboiements du chien qui voit sortir son maître,
Le mendiant plaintif qui fait pleurer sa voix,   190

Montaient avec le jour; et, dans les intervalles,
Sous des doigts de quinze ans répétant leur leçon,
Les claviers résonnaient ainsi que des cigales
Qui font tinter l'oreille au temps de la moisson!

III
      Puis ces bruits d'année en année   195
Baissèrent d'une vie, hélas! et d'une voix;
Une fenêtre en deuil, à l'ombre condamnée,
      Se ferma sous le bord des toits.

27

Printemps après printemps, de belles fiancées
        Suivirent de chers ravisseurs,   200
Et, par la mère en pleurs sur le seuil embrassées,
        Partirent en baisant leurs sœurs.

Puis sortit un matin pour le champ où l'on pleure
        Le cercueil tardif de l'aïeul,
Puis un autre, et puis deux; et puis dans la demeure   205
        Un vieillard morne resta seul!

Puis la maison glissa sur la pente rapide
        Où le temps entasse les jours,
Puis la porte à jamais se ferma sur le vide,
        Et l'ortie envahit les cours! . . .   210

IV

O famille! ô mystère! ô cœur de la nature,
Où l'amour dilaté dans toute créature
Se resserre en foyer pour couver des berceaux!
Goutte de sang puisée à l'artère du monde,
Qui court de cœur en cœur toujours chaude et féconde,   215
Et qui se ramifie en éternels ruisseaux!

Chaleur du sein de mère où Dieu nous fit éclore,
Qui du duvet natal nous enveloppe encore
Quand le vent d'hiver siffle à la place des lits;
Arrière-goût du lait dont la femme nous sèvre,   220
Qui, même en tarissant, nous embaume la lèvre;
Etreinte de deux bras par l'amour amollis!

Premier rayon du ciel vu dans des yeux de femmes,
Premier foyer d'une âme où s'allument nos âmes,
Premiers bruits de baisers au cœur retentissants!   225
Adieux, retours, départs pour de lointaines rives,
Mémoire qui revient pendant les nuits pensives
A ce foyer des cœurs, univers des absents!

Ah! que tout fils dise anathème
A l'insensé qui vous blasphème!   230
Rêveur du groupe universel,
Qu'il embrasse, au lieu de sa mère,
Sa froide et stoïque chimère
Qui n'a ni cœur, ni lait, ni sel!

Du foyer proscrit volontaire,   235
Qu'il cherche en vain sur cette terre
Un père au visage attendri;
Que tout foyer lui soit de glace,
Et qu'il change à jamais de place
Sans qu'aucun lieu lui jette un cri!   240

Envieux du champ de famille,
Que, pareil au frelon qui pille
L'humble ruche adossée au mur,
Il maudisse la loi divine
Qui donne un sol à la racine   245
Pour multiplier le fruit mûr!

Que sur l'herbe des cimetières
Il foule, indifférent, les pierres
Sans savoir laquelle prier!
Qu'il réponde au nom qui le nomme   250
Sans savoir s'il est né d'un homme,
Ou s'il est fils d'un meurtrier! . . .

v

Dieu! qui révèle aux cœurs mieux qu'à l'intelligence!
Resserre autour de nous, faits de joie et de pleurs,
Ces groupes rétrécis où de ta Providence   255
Dans la chaleur du sang nous sentons les chaleurs;

Où, sous la porte bien close,
La jeune nichée éclose
Des saintetés de l'amour
Passe du lait de la mère   260
Au pain savoureux qu'un père
Pétrit des sueurs du jour;

Où ces beaux fronts de famille,
Penchés sur l'âtre et l'aiguille,
Prolongent leurs soirs pieux: 265
O soirs! ô douces veillées
Dont les images mouillées
Flottent dans l'eau de nos yeux!

Oui, je vous revois tous, et toutes, âmes mortes!
O chers essaims groupés aux fenêtres, aux portes!   270
Les bras tendus vers vous, je crois vous ressaisir,
Comme on croit dans les eaux embrasser des visages
Dont le miroir trompeur réfléchit les images,
Mais glace le baiser aux lèvres du désir.

Toi qui fis la mémoire, est-ce pour qu'on oublie? ...   275
Non, c'est pour rendre au temps à la fin tous ses jours
Pour faire confluer, là-bas, en un seul cours,
Le passé, l'avenir, ces deux moitiés de vie
Dont l'une dit jamais et l'autre dit toujours.

Ce passé, doux Éden dont notre âme est sortie,   280
De notre éternité ne fait-il pas partie?
Où le temps a cessé tout n'est-il pas présent?
Dans l'immuable sein qui contiendra nos âmes
Ne rejoindrons-nous pas tout ce que nous aimâmes
Au foyer qui n'a plus d'absent?   285

30

Toi qui formas ces nids rembourrés de tendresses
Où la nichée humaine est chaude de caresses
      Est-ce pour en faire un cercueil?
N'as-tu pas, dans un pan de tes globes sans nombre,
Une pente au soleil, une vallée à l'ombre   290
      Pour y rebâtir ce doux seuil?

Non plus grand, non plus beau, mais pareil, mais le
      même
Où l'instinct serre un cœur contre les cœurs qu'il aime,
Où le chaume et la tuile abritent tout l'essaim,
Où le père gouverne, où la mère aime et prie,   295
Où dans ses petits-fils l'aïeule est réjouie
      De voir multiplier son sein!

Toi qui permets, ô père! aux pauvres hirondelles
De fuir sous d'autres cieux la saison des frimas,
N'as-tu donc pas aussi pour tes petits sans ailes   300
D'autres toits préparés dans tes divins climats?
O douce Providence! ô mère de famille
Dont l'immense foyer de tant d'enfants fourmille,
Et qui les vois pleurer, souriante au milieu,
Souviens-toi, cœur du ciel, que la terre est ta fille   305
      Et que l'homme est parent de Dieu!

MOI

      Pendant que l'âme oubliait l'heure,
      Si courte dans cette saison,
      L'ombre de la chère demeure
      S'allongeait sur le froid gazon;   310
      Mais de cette ombre sur la mousse
      L'impression funèbre et douce
      Me consolait d'y pleurer seul:
      Il me semblait qu'une main d'ange
      De mon berceau prenait un lange   315
      Pour m'en faire un sacré linceul!

Alfred de Vigny

MOÏSE

Poème

LE soleil prolongeait sur la cime des tentes
    Ces obliques rayons, ces flammes éclatantes,
    Ces larges traces d'or qu'il laisse dans les airs,
Lorsqu'en un lit de sable il se couche aux déserts.
La pourpre et l'or semblaient revêtir la campagne.   5
Du stérile Nébo gravissant la montagne,
Moïse, homme de Dieu, s'arrête, et, sans orgueil,
Sur le vaste horizon promène un long coup d'œil.
Il voit d'abord Phasga, que des figuiers entourent;
Puis, au delà des monts que ses regards parcourent,   10
S'étend tout Galaad, Éphraïm, Manassé,
Dont le pays fertile à sa droite est placé;
Vers le Midi, Juda, grand et stérile, étale
Ses sables où s'endort la mer occidentale;
Plus loin, dans un vallon que le soir a pâli,   15
Couronné d'oliviers, se montre Nephtali;
Dans des plaines de fleurs magnifiques et calmes,
Jéricho s'aperçoit: c'est la ville des palmes;
Et, prolongeant ses bois, des plaines de Phogor,
Le lentisque touffu s'étend jusqu'à Ségor.   20
Il voit tout Chanaan, et la terre promise,
Où sa tombe, il le sait, ne sera point admise.

Il voit, sur les Hébreux étend sa grande main,
Puis vers le haut du mont il reprend son chemin.

Or, des champs de Moab couvrant la vaste enceinte,   25
Pressés au large pied de la montagne sainte,
Les enfants d'Israël s'agitaient au vallon
Comme les blés épais qu'agite l'aquilon.
Dès l'heure où la rosée humecte l'or des sables
Et balance sa perle au sommet des érables,   30
Prophète centenaire, environné d'honneur,
Moïse était parti pour trouver le Seigneur.
On le suivait des yeux aux flammes de sa tête,
Et, lorsque du grand mont il atteignit le faîte,
Lorsque son front perça le nuage de Dieu   35
Qui couronnait d'éclairs la cime du haut lieu,
L'encens brûla partout sur les autels de pierre,
Et six cent mille Hébreux, courbés dans la poussière,
A l'ombre du parfum par le soleil doré,
Chantèrent d'une voix le cantique sacré;   40
Et les fils de Lévi, s'élevant sur la foule,
Tels qu'un bois de cyprès sur le sable qui roule,
Du peuple avec la harpe accompagnant les voix,
Dirigeaient vers le ciel l'hymne du Roi des Rois.

Et, debout devant Dieu, Moïse ayant pris place,   45
Dans le nuage obscur lui parlait face à face.

Il disait au Seigneur: "Ne finirai-je pas?
Où voulez-vous encor que je porte mes pas?
Je vivrai donc toujours puissant et solitaire?
Laissez-moi m'endormir du sommeil de la terre.—   50
Que vous ai-je donc fait pour être votre élu?
J'ai conduit votre peuple où vous avez voulu.
Voilà que son pied touche à la terre promise.
De vous à lui qu'un autre accepte l'entremise,

Au coursier d'Israël qu'il attache le frein; 55
Je lui lègue mon livre et la verge d'airain.

"Pourquoi vous fallut-il tarir mes espérances,
Ne pas me laisser homme avec mes ignorances,
Puisque du mont Horeb jusques au mont Nébo
Je n'ai pas pu trouver le lieu de mon tombeau? 60
Hélas! vous m'avez fait sage parmi les sages!
Mon doigt du peuple errant a guidé les passages.
J'ai fait pleuvoir le feu sur la tête des rois;
L'avenir à genoux adorera mes lois;
Des tombes des humains j'ouvre la plus antique, 65
La mort trouve à ma voix une voix prophétique,
Je suis très grand, mes pieds sont sur les nations,
Ma main fait et défait les générations.—
Hélas! je suis, Seigneur, puissant et solitaire,
Laissez-moi m'endormir du sommeil de la terre! 70

"Hélas! je sais aussi tous les secrets des cieux,
Et vous m'avez prêté la force de vos yeux.
Je commande à la nuit de déchirer ses voiles;
Ma bouche par leur nom a compté les étoiles,
Et, dès qu'au firmament mon geste l'appela, 75
Chacune s'est hâtée en disant: 'Me voilà.'
J'impose mes deux mains sur le front des nuages
Pour tarir dans leurs flancs la source des orages;
J'engloutis les cités sous les sables mouvants;
Je renverse les monts sous les ailes des vents; 80
Mon pied infatigable est plus fort que l'espace;
Le fleuve aux grandes eaux se range quand je passe,
Et la voix de la mer se tait devant ma voix.
Lorsque mon peuple souffre, ou qu'il lui faut des lois,
J'élève mes regards, votre esprit me visite; 85
La terre alors chancelle et le soleil hésite,

Vos anges sont jaloux et m'admirent entre eux.—
Et cependant, Seigneur, je ne suis pas heureux;
Vous m'avez fait vieillir puissant et solitaire,
Laissez-moi m'endormir du sommeil de la terre! 90

"Sitôt que votre souffle a rempli le berger,
Les hommes se sont dit: 'Il nous est étranger';
Et les yeux se baissaient devant mes yeux de flamme,
Car ils venaient, hélas! d'y voir plus que mon âme.
J'ai vu l'amour s'éteindre et l'amitié tarir; 95
Les vierges se voilaient et craignaient de mourir.
M'enveloppant alors de la colonne noire,
J'ai marché devant tous, triste et seul dans ma gloire,
Et j'ai dit dans mon cœur: 'Que vouloir à présent?'
Pour dormir sur un sein mon front est trop pesant, 100
Ma main laisse l'effroi sur la main qu'elle touche,
L'orage est dans ma voix, l'éclair est sur ma bouche;
Aussi, loin de m'aimer, voilà qu'ils tremblent tous,
Et, quand j'ouvre les bras, on tombe à mes genoux.
O Seigneur! j'ai vécu puissant et solitaire, 105
Laissez-moi m'endormir du sommeil de la terre!"

Or, le peuple attendait, et, craignant son courroux,
Priait sans regarder le mont du Dieu jaloux;
Car s'il levait les yeux, les flancs noirs du nuage
Roulaient et redoublaient les foudres de l'orage, 110
Et le feu des éclairs, aveuglant les regards,
Enchaînait tous les fronts courbés de toutes parts.
Bientôt le haut du mont reparut sans Moïse.—
Il fut pleuré.—Marchant vers la terre promise,
Josué s'avançait pensif, et pâlissant, 115
Car il était déjà l'élu du Tout-Puissant.

LE COR

I

J'AIME le son du Cor, le soir, au fond des bois,
Soit qu'il chante les pleurs de la biche aux abois,
Ou l'adieu du chasseur que l'écho faible accueille,
Et que le vent du nord porte de feuille en feuille.

Que de fois seul dans l'ombre à minuit demeuré,   5
J'ai souri de l'entendre, et plus souvent pleuré!
Car je croyais ouïr de ces bruits prophétiques
Qui précédaient la mort des Paladins antiques.

O montagnes d'azur! ô pays adoré!
Rocs de la Frazona, cirque du Marboré,   10
Cascades qui tombez des neiges entraînées,
Sources, gaves, ruisseaux, torrents des Pyrénées;

Monts gelés et fleuris, trône des deux saisons,
Dont le front est de glace et les pieds de gazons!
C'est là qu'il faut s'asseoir, c'est là qu'il faut entendre   15
Les airs lointains d'un Cor mélancolique et tendre.

Souvent un voyageur, lorsque l'air est sans bruit
De cette voix d'airain fait retentir la nuit;
A ses chants cadencés autour de lui se mêle
L'harmonieux grelot du jeune agneau qui bêle.   20

Une biche attentive, au lieu de se cacher,
Se suspend immobile au sommet du rocher,
Et la cascade unit, dans une chute immense,
Son éternelle plainte au chant de la romance.

Ames des Chevaliers, revenez-vous encor?   25
Est-ce vous qui parlez avec la voix du Cor?
Roncevaux! Roncevaux! dans ta sombre vallée
L'ombre du grand Roland n'est donc pas consolée!

II

Tous les preux étaient morts, mais aucun n'avait fui.
Il reste seul debout, Olivier près de lui,   30
L'Afrique sur les monts l'entoure et tremble encore.
"Roland, tu vas mourir, rends-toi, criait le More;

Tous tes Pairs sont couchés dans les eaux des torrents."
Il rugit comme un tigre, et dit: "Si je me rends,
Africain, ce sera lorsque les Pyrénées   35
Sur l'onde avec leurs corps rouleront entraînées."

—Rends-toi donc, répond-il, ou meurs, car les voilà."
Et du plus haut des monts un grand rocher roula.
Il bondit, il roula jusqu'au fond de l'abîme,
Et de ses pins, dans l'onde, il vint briser la cime.   40

—"Merci! cria Roland; tu m'as fait un chemin."
Et jusqu'au pied des monts le roulant d'une main,
Sur le roc affermi comme un géant s'élance,
Et prête à fuir, l'armée à ce seul pas balance.

III

Tranquilles cependant, Charlemagne et ses preux   45
Descendaient la montagne et se parlaient entre eux.
A l'horizon déjà, par leurs eaux signalées,
De Luz et d'Argelès se montraient les vallées.

L'armée applaudissait. Le luth du troubadour
S'accordait pour chanter les saules de l'Adour;   50
Le vin français coulait dans la coupe étrangère;
Le soldat, en riant, parlait à la bergère.

Roland gardait les monts; tous passaient sans effroi.
Assis nonchalamment sur un noir palefroi
Qui marchait revêtu de housses violettes,   55
Turpin disait, tenant les saintes amulettes:

"Sire, on voit dans le ciel des nuages de feu;
Suspendez votre marche, il ne faut tenter Dieu.
Par monsieur saint Denis, certes ce sont des âmes
Qui passent dans les airs sur ces vapeurs de flammes. 60

"Deux éclairs ont relui, puis deux autres encor."
Ici l'on entendit le son lointain du Cor.—
L'Empereur étonné, se jetant en arrière,
Suspend du destrier la marche aventurière.

"Entendez-vous? dit-il.—Oui, ce sont des pasteurs 65
Rappelant les troupeaux épars sur les hauteurs,
Répondit l'archevêque, ou la voix étouffée
Du nain vert Obéron qui parle avec sa fée."

Et l'Empereur poursuit, mais son front soucieux
Est plus sombre et plus noir que l'orage des cieux. 70
Il craint la trahison, et tandis qu'il y songe
Le Cor éclate et meurt, renaît et se prolonge.

"Malheur! c'est mon neveu! malheur! car si Roland
Appelle à son secours, ce doit être en mourant.
Arrière! chevaliers, repassons la montagne! 75
Tremble encor sous nos pieds, sol trompeur de
    l'Espagne!"

IV

Sur le plus haut des monts s'arrêtent les chevaux;
L'écume les blanchit; sous leurs pieds, Roncevaux
Des feux mourants du jour à peine se colore.
A l'horizon lointain fuit l'étendard du More. 80

Checkout Receipt

Delta College Library
09/12/12 03:59PM
++++++++++++++++++++++++++++++++++++++

PATRON: 21434002638852

Twelve French poets, 1820-1900 : an
anthology of 19th century French poetry
/
debk
CALL NO: PQ1181 .P3 1957
31434000268874
10/03/12
DUE TIME:

TOTAL: 1
BALANCE DUE: 0.00

—"Turpin, n'as-tu rien vu dans le fond du torrent?
—J'y vois deux chevaliers; l'un mort, l'autre expirant.
Tous deux sont écrasés sous une roche noire;
Le plus fort, dans sa main, élève un Cor d'ivoire,
Son âme en s'exhalant nous appela deux fois."   85

Dieu! que le son du Cor est triste au fond des bois!

LA MORT DU LOUP

I

LES nuages couraient sur la lune enflammée
    Comme sur l'incendie on voit fuir la fumée,
    Et les bois étaient noirs jusques à l'horizon.
Nous marchions, sans parler, dans l'humide gazon,
Dans la bruyère épaisse et dans les hautes brandes,   5
Lorsque, sous des sapins pareils à ceux des landes,
Nous avons aperçu les grands ongles marqués
Par les loups voyageurs que nous avions traqués.
Nous avons écouté, retenant notre haleine
Et le pas suspendu.—Ni le bois ni la plaine   10
Ne poussaient un soupir dans les airs; seulement
La girouette en deuil criait au firmament,
Car le vent, élevé bien au-dessus des terres,
N'effleurait de ses pieds que les tours solitaires,
Et les chênes d'en bas, contre les rocs penchés,   15
Sur leurs coudes semblaient endormis et couchés.
Rien ne bruissait donc, lorsque, baissant la tête,
Le plus vieux des chasseurs qui s'étaient mis en quête
A regardé le sable en s'y couchant; bientôt,
Lui que jamais ici l'on ne vit en défaut,   20
A déclaré tout bas que ces marques récentes
Annonçaient la démarche et les griffes puissantes

De deux grands loups-cerviers et de deux louveteaux.
Nous avons tous alors préparé nos couteaux,
Et, cachant nos fusils et leurs lueurs trop blanches,   25
Nous allions, pas à pas, en écartant les branches.

Trois s'arrêtent, et moi, cherchant ce qu'ils voyaient,
J'aperçois tout à coup deux yeux qui flamboyaient,
Et je vois au-delà quatre formes légères
Qui dansaient sous la lune au milieu des bruyères,   30
Comme font, chaque jour, à grand bruit sous nos yeux,
Quand le maître revient, les lévriers joyeux.
Leur forme était semblable et semblable la danse;
Mais les enfants du Loup se jouaient en silence,
Sachant bien qu'à deux pas, ne dormant qu'à demi,   35
Se couche dans ses murs l'homme, leur ennemi.

Le père était debout, et plus loin, contre un arbre,
Sa Louve reposait, comme celle de marbre
Qu'adoraient les Romains et dont les flancs velus
Couvaient les demi-dieux Rémus et Romulus.   40
Le Loup vient et s'assied, les deux jambes dressées,
Par leurs ongles crochus dans le sable enfoncées.
Il s'est jugé perdu puisqu'il était surpris,
Sa retraite coupée et tous ses chemins pris;
Alors il a saisi, dans sa gueule brûlante   45
Du chien le plus hardi la gorge pantelante,
Et n'a pas desserré ses mâchoires de fer,
Malgré nos coups de feu qui traversaient sa chair,
Et nos couteaux aigus qui, comme des tenailles,
Se croisaient en plongeant dans ses larges entrailles,   50
Jusqu'au dernier moment où le chien étranglé,
Mort longtemps avant lui, sous ses pieds a roulé.
Le Loup le quitte alors et puis il nous regarde.
Les couteaux lui restaient au flanc jusqu'à la garde,
Le clouaient au gazon tout baigné dans son sang;   55
Nos fusils l'entouraient en sinistre croissant.

Il nous regarde encore, ensuite il se recouche,
Tout en léchant le sang répandu sur sa bouche,
Et, sans daigner savoir comment il a péri,
Refermant ses grands yeux, meurt sans jeter un cri.　　60

II

J'ai reposé mon front sur mon fusil sans poudre,
Me prenant à penser, et n'ai pu me résoudre
A poursuivre sa Louve et ses fils, qui, tous trois,
Avaient voulu l'attendre, et, comme je le crois,
Sans ses deux louveteaux, la belle et sombre veuve　　65
Ne l'eût pas laissé seul subir la grande épreuve;
Mais son devoir était de les sauver, afin
De pouvoir leur apprendre à bien souffrir la faim,
A ne jamais entrer dans le pacte des villes
Que l'homme a fait avec les animaux serviles　　70
Qui chassent devant lui, pour avoir le coucher,
Les premiers possesseurs du bois et du rocher.

III

Hélas! ai-je pensé, malgré ce grand nom d'Hommes,
Que j'ai honte de nous, débiles que nous sommes!
Comment on doit quitter la vie et tous ses maux,　　75
C'est vous qui le savez, sublimes animaux!
A voir ce que l'on fut sur terre et ce qu'on laisse,
Seul le silence est grand, tout le reste est faiblesse.
—Ah! je t'ai bien compris, sauvage voyageur,
Et ton dernier regard m'est allé jusqu'au cœur!　　80
Il disait: "Si tu peux, fais que ton âme arrive,
A force de rester studieuse et pensive,
Jusqu'à ce haut degré de stoïque fierté
Où, naissant dans les bois, j'ai tout d'abord monté.
Gémir, pleurer, prier, est également lâche.　　85
Fais énergiquement ta longue et lourde tâche,
Dans la voie où le Sort a voulu t'appeler,
Puis, après, comme moi, souffre et meurs sans parler."

LA COLÈRE DE SAMSON

LE désert est muet, la tente est solitaire.
    Quel pasteur courageux la dressa sur la terre
    Du sable et des lions?—La nuit n'a pas calmé
La fournaise du jour dont l'air est enflammé.
Un vent léger s'élève à l'horizon et ride   5
Les flots de la poussière ainsi qu'un lac limpide.
Le lin blanc de la tente est bercé mollement;
L'œuf d'autruche, allumé, veille paisiblement,
Des voyageurs voilés intérieure étoile,
Et jette longuement deux ombres sur la toile.   10

L'une est grande et superbe, et l'autre est à ses pieds:
C'est Dalila l'esclave, et ses bras sont liés
Aux genoux réunis du maître jeune et grave
Dont la force divine obéit à l'esclave.
Comme un doux léopard elle est souple, et répand   15
Ses cheveux dénoués aux pieds de son amant.
Ses grands yeux, entr'ouverts comme s'ouvre l'amande,
Sont brûlants du plaisir que son regard demande,
Et jettent, par éclats, leurs mobiles lueurs.

Ses bras fins tout mouillés de tièdes sueurs,   20
Ses pieds voluptueux qui sont croisés sous elle,
Ses flancs, plus élancés que ceux de la gazelle,
Pressés de bracelets, d'anneaux, de boucles d'or,
Sont bruns, et, comme il sied aux filles de Hatsor,
Ses deux seins, tout chargés d'amulettes anciennes   25
Sont chastement pressés d'étoffes syriennes.

Les genoux de Samson fortement sont unis
Comme les deux genoux du colosse Anubis.
Elle s'endort sans force et riante et bercée
Par la puissante main sous sa tête placée.   30

Lui, murmure le chant funèbre et douloureux
Prononcé dans la gorge avec des mots hébreux.
Elle ne comprend pas la parole étrangère,
Mais le chant verse un somme en sa tête légère.

"Une lutte éternelle en tout temps, en tout lieu,   35
Se livre sur la terre, en présence de Dieu,
Entre la bonté d'Homme et la ruse de Femme,
Car la femme est un être impur de corps et d'âme.

"L'Homme a toujours besoin de caresse et d'amour;
Sa mère l'en abreuve alors qu'il vient au jour,   40
Et ce bras le premier l'engourdit, le balance
Et lui donne un désir d'amour et d'indolence.
Troublé dans l'action, troublé dans le dessein,
Il rêvera partout à la chaleur du sein,
Aux chansons de la nuit, aux baisers de l'aurore,   45
A la lèvre de feu que sa lèvre dévore,
Aux cheveux dénoués qui roulent sur son front,
Et les regrets du lit, en marchant, le suivront.
Il ira dans la ville, et, là, les vierges folles
Le prendront dans leurs lacs aux premières paroles.   50
Plus fort il sera né, mieux il sera vaincu,
Car plus le fleuve est grand et plus il est ému.
Quand le combat que Dieu fit pour la créature
Et contre son semblable et contre la Nature
Force l'Homme à chercher un sein où reposer,   55
Quand ses yeux sont en pleurs, il lui faut un baiser.
Mais il n'a pas encor fini toute sa tâche:
Vient un autre combat plus secret, traître et lâche;
Sous son bras, sous son cœur se livre celui-là;
Et, plus ou moins, la Femme est toujours DALILA.   60

"Elle rit et triomphe; en sa froideur savante,
Au milieu de ses sœurs elle attend et se vante

43

De ne rien éprouver des atteintes du feu.
A sa plus belle amie elle en a fait l'aveu:
Elle se fait aimer sans aimer elle-même;   65
Un maître lui fait peur. C'est le plaisir qu'elle aime:
L'Homme est rude et le prend sans savoir le donner.
Un sacrifice illustre et fait pour étonner
Rehausse mieux que l'or, aux yeux de ses pareilles,
La beauté qui produit tant d'étranges merveilles   70
Et d'un sang précieux sait arroser ses pas.
—Donc, ce que j'ai voulu, Seigneur, n'existe pas!—
Celle à qui va l'amour et de qui vient la vie,
Celle-là, par Orgueil, se fait notre ennemie.
La Femme est, à présent, pire que dans ces temps   75
Où, voyant les humains, Dieu dit: "Je me repens!"
Bientôt, se retirant dans un hideux royaume,
La Femme aura Gomorrhe et l'Homme aura Sodome:
Et, se jetant, de loin, un regard irrité,
Les deux sexes mourront chacun de son côté.   80

"Eternel! Dieu des forts! vous savez que mon âme
N'avait pour aliment que l'amour d'une femme,
Puisant dans l'amour seul plus de sainte vigueur
Que mes cheveux divins n'en donnaient à mon cœur.
—Jugez-nous.—La voilà sur mes pieds endormie.   85
Trois fois elle a vendu mes secrets et ma vie,
Et trois fois a versé des pleurs fallacieux
Qui n'ont pu me cacher la rage de ses yeux;
Honteuse qu'elle était plus encor qu'étonnée
De se voir découverte ensemble et pardonnée: 90
Car la bonté de l'Homme est forte, et sa douceur
Ecrase, en l'absolvant, l'être faible et menteur.

"Mais enfin je suis las. J'ai l'âme si pesante,
Que mon corps gigantesque et ma tête puissante
Qui soutiennent le poids des colonnes d'airain   95
Ne la peuvent porter avec tout son chagrin.

Toujours voir serpenter la vipère dorée
Qui se traîne en sa fange et s'y croit ignorée;
Toujours ce compagnon dont le cœur n'est pas sûr,
La Femme, enfant malade et douze fois impur!   100
Toujours mettre sa force à garder sa colère
Dans son cœur offensé, comme en un sanctuaire
D'où le feu s'échappant irait tout dévorer,
Interdire à ses yeux de voir ou de pleurer,
C'est trop! Dieu, s'il le veut, peut balayer ma cendre.   105
J'ai donné mon secret, Dalila va le vendre.
Qu'ils seront beaux, les pieds de celui qui viendra
Pour m'annoncer la mort!—Ce qui sera, sera!"

Il dit, et s'endormit près d'elle jusqu'à l'heure
Où les guerriers, tremblants d'être dans sa demeure,   110
Payant au poids de l'or chacun de ses cheveux,
Attachèrent ses mains et brûlèrent ses yeux,
Le traînèrent sanglant et chargé d'une chaîne
Que douze grands taureaux ne tiraient qu'avec peine,
Le placèrent debout, silencieusement,   115
Devant Dagon, leur Dieu, qui gémit sourdement
Et deux fois, en tournant, recula sur sa base
Et fit pâlir deux fois ses prêtres en extase,
Allumèrent l'encens, dressèrent un festin
Dont le bruit s'entendait du mont le plus lointain,   120
Et près de la génisse aux pieds du Dieu tuée
Placèrent Dalila, pâle prostituée,
Couronnée, adorée et reine du repas,
Mais tremblante et disant: "IL NE ME VERRA PAS!"

Terre et Ciel! avez-vous tressailli d'allégresse   125
Lorsque vous avez vu la menteuse maîtresse
Suivre d'un œil hagard les yeux tachés de sang
Qui cherchaient le soleil d'un regard impuissant?
Et quand enfin Samson, secouant les colonnes
Qui faisaient le soutien des immenses Pylônes,   130

Ecrasa d'un seul coup, sous les débris mortels,
Ses trois mille ennemis, leurs dieux et leurs autels?

Terre et Ciel! punissez par de telles justices
La trahison ourdie en des amours factices,
Et la délation du secret de nos cœurs   135
Arraché dans nos bras par des baisers menteurs!

LE MONT DES OLIVIERS

I

ALORS il était nuit et Jésus marchait seul,
   Vêtu de blanc ainsi qu'un mort de son linceul;
   Les disciples dormaient au pied de la colline.
Parmi les oliviers, qu'un vent sinistre incline,
Jésus marche à grands pas en frissonnant comme eux,   5
Triste jusqu'à la mort, l'œil sombre et ténébreux,
Le front baissé, croisant les deux bras sur sa robe
Comme un voleur de nuit cachant ce qu'il dérobe;
Connaissant les rochers mieux qu'un sentier uni,
Il s'arrête en un lieu nommé Gethsémani.   10
Il se courbe, à genoux, le front contre la terre,
Puis regarde le ciel en appelant: "Mon Père!"
—Mais le ciel reste noir, et Dieu ne répond pas.
Il se lève étonné, marche encore à grands pas,
Froissant les oliviers qui tremblent. Froide et lente,   15
Découle de sa tête une sueur sanglante.
Il recule, il descend, il crie avec effroi:
"Ne pouviez-vous prier et veiller avec moi?"
Mais un sommeil de mort accable les apôtres,
Pierre à la voix du maître est sourd comme les autres.   20
Le Fils de l'Homme alors remonte lentement.
Comme un pasteur d'Égypte il cherche au firmament

Si l'Ange ne luit pas au fond de quelque étoile.
Mais un nuage en deuil s'étend comme le voile
D'une veuve, et ses plis entourent le désert.   25
Jésus, se rappelant ce qu'il avait souffert
Depuis trente-trois ans, devint homme, et la crainte
Serra son cœur mortel d'une invincible étreinte.
Il eut froid. Vainement il appela trois fois:
"Mon père!"—Le vent seul répondit à sa voix.   30
Il tomba sur le sable assis, et, dans sa peine,
Eut sur le monde et l'homme une pensée humaine.
—Et la Terre trembla, sentant la pesanteur
Du Sauveur qui tombait aux pieds du Créateur.

II

Jésus disait: "O Père, encor laisse-moi vivre!   35
Avant le dernier mot ne ferme pas mon livre!
Ne sens-tu pas le monde et tout le genre humain
Qui souffre avec ma chair et frémit dans ta main?
C'est que la Terre a peur de rester seule et veuve,
Quand meurt celui qui dit une parole neuve,   40
Et que tu n'as laissé dans son sein desséché
Tomber qu'un mot du ciel par ma bouche épanché.
Mais ce mot est si pur et sa douceur est telle,
Qu'il a comme enivré la famille mortelle
D'une goutte de vie et de divinité,   45
Lorsqu'en ouvrant les bras j'ai dit: FRATERNITÉ!
"—Père, oh! si j'ai rempli mon douloureux message,
Si j'ai caché le Dieu sous la face du Sage,
Du sacrifice humain si j'ai changé le prix,
Pour l'offrande des corps recevant les esprits,   50
Substituant partout aux choses le symbole,
La parole au combat, comme aux trésors l'obole,
Aux flots rouges du sang les flots vermeils du vin,
Aux membres de la chair le pain blanc sans levain;

Si j'ai coupé les temps en deux parts, l'une esclave   55
Et l'autre libre;—au nom du passé que je lave,
Par le sang de mon corps qui souffre et va finir,
Versons-en la moitié pour laver l'avenir!
Père libérateur! jette aujourd'hui, d'avance,
La moitié de ce sang d'amour et d'innocence   60
Sur la tête de ceux qui viendront en disant:
"Il est permis pour tous de tuer l'innocent."
Nous savons qu'il naîtra, dans le lointain des âges,
Des dominateurs durs escortés de faux sages
Qui troubleront l'esprit de chaque nation   65
En donnant un faux sens à ma rédemption.
—Hélas! je parle encor que déjà ma parole
Est tournée en poison dans chaque parabole;
Eloigne ce calice impur et plus amer
Que le fiel, ou l'absinthe, ou les eaux de la mer.   70
Les verges qui viendront, la couronne d'épine,
Les clous des mains, la lance au fond de ma poitrine,
Enfin toute la croix qui se dresse et m'attend,
N'ont rien, mon Père, oh! rien qui m'épouvante autant!

Quand les Dieux veulent bien s'abattre sur les mondes,   75
Ils n'y doivent laisser que des traces profondes:
Et si j'ai mis le pied sur ce globe incomplet,
Dont le gémissement sans repos m'appelait,
C'était pour y laisser deux Anges à ma place
De qui la race humaine aurait baisé la trace,   80
La Certitude heureuse et l'Espoir confiant,
Qui, dans le Paradis, marchent en souriant.
Mais je vais la quitter, cette indigente terre,
N'ayant que soulevé ce manteau de misère
Qui l'entoure à grands plis, drap lugubre et fatal,   85
Que d'un bout tient le Doute et de l'autre le Mal.

"Mal et Doute! En un mot je puis les mettre en poudre.
Vous les aviez prévus, laissez-moi vous absoudre

De les avoir permis.—C'est l'accusation
Qui pèse de partout sur la création!—   90
Sur son tombeau désert faisons monter Lazare.
Du grand secret des morts qu'il ne soit plus avare,
Et de ce qu'il a vu donnons-lui souvenir:
Qu'il parle.—Ce qui dure et ce qui doit finir,
Ce qu'a mis le Seigneur au cœur de la Nature,   95
Ce qu'elle prend et donne à toute créature,
Quels sont avec le ciel ses muets entretiens,
Son amour ineffable et ses chastes liens,
Comment tout s'y détruit et tout s'y renouvelle,
Pourquoi ce qui s'y cache et ce qui s'y révèle;   100
Si les astres des cieux tour à tour éprouvés
Sont comme celui-ci coupables et sauvés;
Si la Terre est pour eux ou s'ils sont pour la Terre;
Ce qu'a de vrai la fable et de clair le mystère,
D'ignorant le savoir et de faux la raison;   105
Pourquoi l'âme est liée en sa faible prison,
Et pourquoi nul sentier entre deux larges voies,
Entre l'ennui du calme et des paisibles joies
Et la rage sans fin des vagues passions,
Entre la léthargie et les convulsions;   110
Et pourquoi pend la Mort comme une sombre épée
Attristant la Nature à tout moment frappée;
Si le Juste et le Bien, si l'Injuste et le Mal
Sont de vils accidents en un cercle fatal,
Ou si de l'univers ils sont les deux grands pôles, 115
Soutenant terre et cieux sur leurs vastes épaules;
Et pourquoi les Esprits du mal sont triomphants
Des maux immérités, de la mort des enfants;
Et si les Nations sont des femmes guidées
Par les étoiles d'or des divines idées,   120
Ou de folles enfants sans lampes dans la nuit,
Se heurtant et pleurant et que rien ne conduit;
Et si, lorsque des temps l'horloge périssable

Aura jusqu'au dernier versé ses grains de sable,
Un regard de vos yeux, un cri de votre voix,   125
Un soupir de mon cœur, un signe de ma croix,
Pourra faire ouvrir l'ongle aux Peines Éternelles,
Lâcher leur proie humaine et reployer leurs ailes:
Tout sera révélé dès que l'homme saura
De quels lieux il arrive et dans quels il ira."   130

III

Ainsi le divin Fils parlait au divin Père.
Il se prosterne encore, il attend, il espère,
Mais il renonce et dit: "Que votre volonté
Soit faite et non la mienne et pour l'éternité!"
Une terreur profonde, une angoisse infinie   135
Redoublent sa torture et sa lente agonie.
Il regarde longtemps, longtemps cherche sans voir.
Comme un marbre de deuil tout le ciel était noir;
La Terre sans clartés, sans astre et sans aurore,
Et sans clartés de l'âme ainsi qu'elle est encore,   140
Frémissait.—Dans le bois il entendit des pas,
Et puis il vit rôder la torche de Judas.

LE SILENCE

S'il est vrai qu'au Jardin sacré des Écritures,
Le Fils de l'Homme ait dit ce qu'on voit rapporté;
Muet, aveugle et sourd au cri des créatures,   145
Si le Ciel nous laissa comme un monde avorté,
Le juste opposera le dédain à l'absence,
Et ne répondra plus que par un froid silence
Au silence éternel de la Divinité.

LA MAISON DU BERGER

Lettre à Éva

I

SI ton cœur, gémissant du poids de notre vie,
   Se traîne et se débat comme un aigle blessé,
   Portant comme le mien, sur son aile asservie,
Tout un monde fatal, écrasant et glacé;
S'il ne bat qu'en saignant par sa plaie immortelle,   5
S'il ne voit plus l'amour, son étoile fidèle,
Eclairer pour lui seul l'horizon effacé;

Si ton âme enchaînée, ainsi que l'est mon âme,
Lasse de son boulet et de son pain amer,
Sur sa galère en deuil laisse tomber la rame,   10
Penche sa tête pâle et pleure sur la mer,
Et cherchant dans les flots une route inconnue,
Y voit, en frissonnant, sur son épaule nue,
La lettre sociale écrite avec le fer;

Si ton corps, frémissant des passions secrètes,   15
S'indigne des regards, timide et palpitant;
S'il cherche à sa beauté de profondes retraites
Pour la mieux dérober au profane insultant;
Si ta lèvre se sèche au poison des mensonges,
Si ton beau front rougit de passer dans les songes   20
D'un impur inconnu qui te voit et t'entend,

Pars courageusement, laisse toutes les villes;
Ne ternis plus tes pieds aux poudres du chemin,
Du haut de nos pensers vois les cités serviles
Comme les rocs fatals de l'esclavage humain.   25

Les grands bois et les champs sont de vastes asiles,
Libres comme la mer autour des sombres îles.
Marche à travers les champs une fleur à la main.

La Nature t'attend dans un silence austère;
L'herbe élève à tes pieds son nuage des soirs,   30
Et le soupir d'adieu du soleil à la terre
Balance les beaux lis comme des encensoirs.
La forêt a voilé ses colonnes profondes,
La montagne se cache, et sur les pâles ondes
Le saule a suspendu ses chastes reposoirs.   35

Le crépuscule ami s'endort dans la vallée,
Sur l'herbe d'émeraude et sur l'or du gazon,
Sous les timides joncs de la source isolée
Et sous le bois rêveur qui tremble à l'horizon,
Se balance en fuyant dans les grappes sauvages,   40
Jette son manteau gris sur le bord des rivages,
Et des fleurs de la nuit entr'ouvre la prison.

Il est sur la montagne une épaisse bruyère
Où les pas du chasseur ont peine à se plonger,
Qui plus haut que nos fronts lève sa tête altière,   45
Et garde dans la nuit le pâtre et l'étranger.
Viens y cacher l'amour et ta divine faute;
Si l'herbe est agitée ou n'est pas assez haute,
J'y roulerai pour toi la Maison du Berger.

Elle va doucement avec ses quatre roues,   50
Son toit n'est pas plus haut que ton front et tes yeux;
La couleur du corail et celle de tes joues
Teignent le char nocturne et ses muets essieux.
Le seuil est parfumé, l'alcôve est large et sombre,
Et, là, parmi les fleurs, nous trouverons dans l'ombre,   55
Pour nos cheveux unis, un lit silencieux.

Je verrai, si tu veux, les pays de la neige,
Ceux où l'astre amoureux dévore et resplendit,
Ceux que heurtent les vents, ceux que la mer assiège,
Ceux où le pôle obscur sous sa glace est maudit.   60
Nous suivrons du hasard la course vagabonde.
Que m'importe le jour, que m'importe le monde?
Je dirai qu'ils sont beaux quand tes yeux l'auront dit.

Que Dieu guide à son but la vapeur foudroyante
Sur le fer des chemins qui traversent les monts,   65
Qu'un Ange soit debout sur sa forge bruyante,
Quand elle va sous terre ou fait trembler les ponts
Et, de ses dents de feu dévorant ses chaudières,
Transperce les cités et saute les rivières,
Plus vite que le cerf dans l'ardeur de ses bonds!   70

Oui, si l'Ange aux yeux bleus ne veille sur sa route,
Et le glaive à la main ne plane et la défend,
S'il n'a compté les coups du levier, s'il n'écoute
Chaque tour de la roue en son cours triomphant,
S'il n'a l'œil sur les eaux et la main sur la braise,   75
Pour jeter en éclats la magique fournaise,
Il suffira toujours du caillou d'un enfant.

Sur ce taureau de fer qui fume, souffle et beugle,
L'homme a monté trop tôt. Nul ne connaît encor
Quels orages en lui porte ce rude aveugle,   80
Et le gai voyageur lui livre son trésor;
Son vieux père et ses fils, il les jette en otage
Dans le ventre brûlant du taureau de Carthage,
Qui les rejette en cendre aux pieds du Dieu de l'or.

Mais il faut triompher du temps et de l'espace,   85
Arriver ou mourir. Les marchands sont jaloux.
L'or pleut sous les charbons de la vapeur qui passe,
Le moment et le but sont l'univers pour nous.

Tous se sont dit: "Allons!"—mais aucun n'est le maître
Du dragon mugissant qu'un savant a fait naître;   90
Nous nous sommes joués à plus fort que nous tous.

Eh bien! que tout circule et que les grandes causes
Sur les ailes de feu lancent les actions,
Pourvu qu'ouverts toujours aux généreuses choses,
Les chemins du vendeur servent les passions.   95
Béni soit le Commerce au hardi caducée,
Si l'Amour que tourmente une sombre pensée
Peut franchir en un jour deux grandes nations.

Mais, à moins qu'un ami menacé dans sa vie
Ne jette, en appelant, le cri du désespoir,   100
Ou qu'avec son clairon la France nous convie
Aux fêtes du combat, aux luttes du savoir;
A moins qu'au lit de mort une mère éplorée
Ne veuille encor poser sur sa race adorée
Ces yeux tristes et doux qu'on ne doit plus revoir,   105

Evitons ces chemins.—Leur voyage est sans grâces,
Puisqu'il est aussi prompt, sur ses lignes de fer,
Que la flèche élancée à travers les espaces
Qui va de l'arc au but en faisant siffler l'air.
Ainsi jetée au loin, l'humaine créature   110
Ne respire et ne voit, dans toute la nature,
Qu'un brouillard étouffant que traverse un éclair.

On n'entendra jamais piaffer sur une route
Le pied vif du cheval sur les pavés en feu:
Adieu, voyages lents, bruits lointains qu'on écoute,   115
Le rire du passant, les retards de l'essieu,
Les détours imprévus des pentes variées,
Un ami rencontré, les heures oubliées,
L'espoir d'arriver tard dans un sauvage lieu.

La distance et le temps sont vaincus. La science   120
Trace autour de la terre un chemin triste et droit.
Le Monde est rétréci par notre expérience
Et l'équateur n'est plus qu'un anneau trop étroit.
Plus de hasard. Chacun glissera sur sa ligne
Immobile au seul rang que le départ assigne,   125
Plongé dans un calcul silencieux et froid.

Jamais la Rêverie amoureuse et paisible
N'y verra sans horreur son pied blanc attaché;
Car il faut que ses yeux sur chaque objet visible
Versent un long regard, comme un fleuve épanché;   130
Qu'elle interroge tout avec inquiétude,
Et, des secrets divins se faisant une étude,
Marche, s'arrête et marche avec le col penché.

II

Poésie! ô trésor! perle de la pensée!
Les tumultes du cœur, comme ceux de la mer,   135
Ne sauraient empêcher ta robe nuancée
D'amasser les couleurs qui doivent te former.
Mais sitôt qu'il te voit briller sur un front mâle,
Troublé de ta lueur mystérieuse et pâle,
Le vulgaire effrayé commence à blasphémer.   140

Le pur enthousiasme est craint des faibles âmes
Qui ne sauraient porter son ardeur ni son poids.
Pourquoi le fuir?—la vie est double dans les flammes.
D'autres flambeaux divins nous brûlent quelquefois:
C'est le Soleil du ciel, c'est l'Amour, c'est la Vie;   145
Mais qui de les éteindre a jamais eu l'envie?
Tout en les maudissant, on les chérit tous trois.

La Muse a mérité les insolents sourires
Et les soupçons moqueurs qu'éveille son aspect.
Dès que son œil chercha le regard des Satyres,   150
Sa parole trembla, son serment fut suspect,
Il lui fut interdit d'enseigner la sagesse.
Au passant du chemin elle criait: largesse!
Le passant lui donna sans crainte et sans respect.

Ah! fille sans pudeur! fille du saint Orphée,   155
Que n'as-tu conservé ta belle gravité!
Tu n'iras pas ainsi, d'une voix étouffée,
Chanter aux carrefours impurs de la cité,
Tu n'aurais pas collé sur le coin de ta bouche
Le coquet madrigal, piquant comme une mouche,   160
Et, près de ton ciel bleu, l'équivoque effronté.

Tu tombas dès l'enfance, et, dans la folle Grèce,
Un vieillard, t'enivrant de son baiser jaloux,
Releva le premier ta robe de prêtresse,
Et, parmi les garçons, t'assit sur les genoux.   165
De ce baiser mordant ton front porte la trace;
Tu chantas en buvant dans les banquets d'Horace,
Et Voltaire à la cour te traîna devant nous.

Vestale aux feux éteints! les hommes les plus graves
Ne posent qu'à demi ta couronne à leur front;   170
Ils se croient arrêtés, marchant dans tes entraves,
Et n'être que poète est pour eux un affront.
Ils jettent leurs pensers aux vents de la tribune,
Et ces vents, aveuglés comme l'est la Fortune,
Les rouleront comme elle et les emporteront.   175

Ils sont fiers et hautains dans leur fausse attitude,
Mais le sol tremble aux pieds de ces tribuns romains.
Leurs discours passagers flattent avec étude
La foule qui les presse et qui leur bat des mains;

Toujours renouvelé sous ses étroits portiques,   180
Ce parterre ne jette aux acteurs politiques
Que des fleurs sans parfums, souvent sans lendemains.

Ils ont pour horizon leur salle de spectacle;
La chambre où ces élus donnent leurs faux combats
Jette en vain, dans son temple, un incertain oracle;   185
Le peuple entend de loin le bruit de leurs débats,
Mais il regarde encor le jeu des assemblées
De l'œil dont ses enfants et ses femmes troublées
Voient le terrible essai des vapeurs aux cent bras.

L'ombrageux paysan gronde à voir qu'on dételle,   190
Et que pour le scrutin on quitte le labour.
Cependant le dédain de la chose immortelle
Tient jusqu'au fond du cœur quelque avocat d'un
      jour.
Lui qui doute de l'âme, il croit à ses paroles.
Poésie, il se rit de tes graves symboles,   195
O toi des vrais penseurs impérissable amour!

Comment se garderaient les profondes pensées
Sans rassembler leurs feux dans ton diamant pur
Qui conserve si bien leurs splendeurs condensées?
Ce fin miroir solide, étincelant et dur,   200
Reste des nations mortes, durable pierre
Qu'on trouve sous ses pieds lorsque dans la poussière
On cherche les cités sans en voir un seul mur.

Diamant sans rival, que tes feux illuminent
Les pas lents et tardifs de l'humaine Raison!   205
Il faut, pour voir de loin les peuples qui cheminent,
Que le Berger t'enchâsse au toit de sa Maison.
Le jour n'est pas levé.—Nous sommes encore
Au premier rayon blanc qui précède l'aurore
Et dessine la terre aux bords de l'horizon.   210

Les peuples tout enfants à peine se découvrent
Par-dessus les buissons nés pendant leur sommeil,
Et leur main, à travers les ronces qu'ils entr'ouvrent,
Met aux coups mutuels le premier appareil.
La barbarie encor tient nos pieds dans sa gaîne.   215
Le marbre des vieux temps jusqu'aux reins nous
    enchaîne,
Et tout homme énergique au dieu Terme est pareil.

Mais notre esprit rapide en mouvements abonde;
Ouvrons tout l'arsenal de ses puissants ressorts.
L'invisible est réel. Les âmes ont leur monde   220
Où sont accumulés d'impalpables trésors.
Le Seigneur contient tout dans ses deux bras immenses,
Son Verbe est le séjour de nos intelligences,
Comme ici-bas l'espace est celui de nos corps.

III

Eva, qui donc es-tu? Sais-tu bien ta nature?   225
Sais-tu quel est ici ton but et ton devoir?
Sais-tu que, pour punir l'homme, sa créature,
D'avoir porté la main sur l'arbre du savoir,
Dieu permit qu'avant tout, de l'amour de soi-même
En tout temps, à tout âge, il fit son bien suprême,   230
Tourmenté de s'aimer, tourmenté de se voir?

Mais si Dieu près de lui t'a voulu mettre, ô femme!
Compagne délicate! Éva! sais-tu pourquoi?
C'est pour qu'il se regarde au miroir d'une autre âme,
Qu'il entende ce chant qui ne vient que de toi: 235
—L'enthousiasme pur dans une voix suave.
C'est afin que tu sois son juge et son esclave
Et règnes sur sa vie en vivant sous sa loi.

Ta parole joyeuse a des mots despotiques;
Tes yeux sont si puissants, ton aspect est si fort,   240
Que les rois d'Orient ont dit dans leurs cantiques
Ton regard redoutable à l'égal de la mort;
Chacun cherche à fléchir tes jugements rapides . . .
—Mais ton cœur, qui dément tes formes intrépides,
Cède sans coup férir aux rudesses du sort.   245

Ta pensée a des bonds comme ceux des gazelles,
Mais ne saurait marcher sans guide et sans appui.
Le sol meurtrit ses pieds, l'air fatigue ses ailes,
Son œil se ferme au jour dès que le jour a lui;
Parfois, sur les hauts lieux d'un seul élan posée,   250
Troublée au bruit des vents, ta mobile pensée
Ne peut seule y veiller sans crainte et sans ennui.

Mais aussi tu n'as rien de nos lâches prudences,
Ton cœur vibre et résonne au cri de l'opprimé,
Comme dans une église aux austères silences   255
L'orgue entend un soupir et soupire alarmé.
Tes paroles de feu meuvent les multitudes,
Tes pleurs lavent l'injure et les ingratitudes,
Tu pousses par le bras l'homme . . . il se lève armé.

C'est à toi qu'il convient d'ouïr les grandes plaintes   260
Que l'humanité triste exhale sourdement.
Quand le cœur est gonflé d'indignations saintes,
L'air des cités l'étouffe à chaque battement.
Mais de loin les soupirs des tourmentes civiles,
S'unissant au-dessus du charbon noir des villes,   265
Ne forment qu'un grand mot qu'on entend clairement.

Viens donc! le ciel pour moi n'est plus qu'une auréole
Qui t'entoure d'azur, t'éclaire et te défend;
La montagne est ton temple et le bois sa coupole;

L'oiseau n'est sur la fleur balancé par le vent,   270
Et la fleur ne parfume et l'oiseau ne soupire
Que pour mieux enchanter l'air que ton sein respire;
La terre est le tapis de tes beaux pieds d'enfant.

Eva, j'aimerai tout dans les choses créées,
Je les contemplerai dans ton regard rêveur   275
Qui partout répandra ses flammes colorées,
Son repos gracieux, sa magique saveur:
Sur mon cœur déchiré viens poser ta main pure,
Ne me laisse jamais seul avec la Nature:
Car je la connais trop pour n'en pas avoir peur.   280

Elle me dit: "Je suis l'impassible théâtre
Que ne peut remuer le pied de ses acteurs;
Mes marches d'émeraude et mes parvis d'albâtre,
Mes colonnes de marbre ont les dieux pour sculpteurs.
Je n'entends ni vos cris ni vos soupirs: à peine   285
Je sens passer sur moi la comédie humaine
Qui cherche en vain au ciel ses muets spectateurs.

"Je roule avec dédain, sans voir et sans entendre,
A côté des fourmis les populations;
Je ne distingue pas leur terrier de leur cendre,   290
J'ignore en les portant les noms des nations.
On me dit une mère, et je suis une tombe.
Mon hiver prend vos morts comme son hécatombe,
Mon printemps ne sent pas vos adorations.

"Avant vous, j'étais belle et toujours parfumée,   295
J'abandonnais au vent mes cheveux tout entiers,
Je suivais dans les cieux ma route accoutumée,
Sur l'axe harmonieux des divins balanciers.
Après vous, traversant l'espace où tout s'élance,
J'irai seule et sereine, en un chaste silence   300
Je fendrai l'air du front et de mes seins altiers."

C'est là ce que me dit sa voix triste et superbe,
Et dans mon cœur alors je la hais, et je vois
Notre sang dans son onde et nos morts sous son herbe
Nourrissant de leurs sucs la racine des bois.   305
Et je dis à mes yeux qui lui trouvaient des charmes:
"Ailleurs tous vos regards, ailleurs toutes vos larmes,
Aimez ce que jamais on ne verra deux fois."

Oh! qui verra deux fois ta grâce et ta tendresse,
Ange doux et plaintif qui parle en soupirant?   310
Qui naîtra comme toi portant une caresse
Dans chaque éclair tombé de ton regard mourant,
Dans les balancements de ta tête penchée,
Dans ta taille indolente et mollement couchée,
Et dans ton pur sourire amoureux et souffrant?   315

Vivez, froide Nature, et revivez sans cesse
Sous nos pieds, sur nos fronts, puisque c'est votre loi;
Vivez, et dédaignez, si vous êtes déesse,
L'Homme, humble passager, qui dut vous être un roi;
Plus que tout votre règne et que ses splendeurs vaines, 320
J'aime la majesté des souffrances humaines,
Vous ne recevrez pas un cri d'amour de moi.

Mais toi, ne veux-tu pas, voyageuse indolente,
Rêver sur mon épaule, en y posant ton front?
Viens du paisible seuil de la maison roulante   325
Voir ceux qui sont passés et ceux qui passeront.
Tous les tableaux humains qu'un Esprit pur m'apporte
S'animeront pour toi quand, devant notre porte,
Les grand pays muets longuement s'étendront.

Nous marcherons ainsi, ne laissant que notre ombre   330
Sur cette terre ingrate où les morts ont passé;
Nous nous parlerons d'eux à l'heure où tout est sombre,

Où tu te plais à suivre un chemin effacé,
A rêver, appuyée aux branches incertaines,
Pleurant, comme Diane au bord de ses fontaines,   335
Ton amour taciturne et toujours menacé.

LA BOUTEILLE À LA MER

Conseil à un Jeune Homme Inconnu

I

COURAGE, ô faible enfant, de qui ma solitude
   Reçoit ces chants plaintifs, sans nom, que vous
      jetez
Sous mes yeux ombragés du camail de l'étude.
Oubliez les enfants par la mort arrêtés;
Oubliez Chatterton, Gilbert et Malfilâtre;   5
De l'œuvre d'avenir saintement idolâtre,
Enfin, oubliez l'homme en vous-même,—Ecoutez:

II

Quand un grave marin voit que le vent l'emporte
Et que les mâts brisés pendent tous sur le pont,
Que dans son grand duel la mer est la plus forte   10
Et que par des calculs l'esprit en vain répond;
Que le courant l'écrase et le roule en sa course,
Qu'il est sans gouvernail et partant sans ressource,
Il se croise les bras dans un calme profond.

III

Il voit les masses d'eau, les toise et les mesure,   15
Les méprise en sachant qu'il en est écrasé,
Soumet son âme au poids de la matière impure
Et se sent mort ainsi que son vaisseau rasé.

—A de certains moments, l'âme est sans résistance
Mais le penseur s'isole et n'attend d'assistance   20
Que de la forte foi dont il est embrasé.

IV

Dans les heures du soir, le jeune Capitaine
A fait ce qu'il a pu pour le salut des siens.
Nul vaisseau n'apparaît sur la vague lointaine,
La nuit tombe, et le brick court aux rocs indiens.   25
—Il se résigne, il prie; il se recueille, il pense
A Celui qui soutient les pôles et balance
L'équateur hérissé des longs méridiens.

V

Son sacrifice est fait; mais il faut que la terre
Recueille du travail le pieux monument.   30
C'est le journal savant, le calcul solitaire,
Plus rare que la perle et que le diamant;
C'est la carte des flots faite dans la tempête,
La carte de l'écueil qui va briser sa tête:
Aux voyageurs futurs sublime testament.   35

VI

Il écrit: "Aujourd'hui, le courant nous entraîne,
Désemparés, perdus, sur la Terre-de-Feu.
Le courant porte à l'est. Notre mort est certaine:
Il faut cingler au nord pour bien passer ce lieu.
—Ci-joint est mon journal, portant quelques études   40
Des constellations des hautes latitudes.
Qu'il aborde, si c'est la volonté de Dieu!"

VII

Puis, immobile et froid, comme le cap des brumes
Qui sert de sentinelle au détroit Magellan,
Sombre comme ces rocs au front chargé d'écumes,   45

Ces pics noirs dont chacun porte un deuil castillan,
Il ouvre une bouteille et la choisit très forte,
Tandis que son vaisseau que le courant emporte
Tourne en un cercle étroit comme un vol de milan.

VIII

Il tient dans une main cette vieille compagne,   50
Ferme, de l'autre main, son flanc noir et terni.
Le cachet porte encor le blason de Champagne:
De la mousse de Reims son col vert est jauni.
D'un regard, le marin en soi-même rappelle
Quel jour il assembla l'équipage autour d'elle,   55
Pour porter un grand toste au pavillon béni.

IX

On avait mis en panne, et c'était grande fête;
Chaque homme sur son mât tenait le verre en main;
Chacun à son signal se découvrit la tête,
Et répondit d'en haut par un hourrah soudain.   60
Le soleil souriant dorait les voiles blanches;
L'air ému répétait ces voix mâles et franches,
Ce noble appel de l'homme à son pays lointain.

X

Après le cri de tous, chacun rêve en silence.
Dans la mousse d'Aï luit l'éclair d'un bonheur;   65
Tout au fond de son verre il aperçoit la France.
La France est pour chacun ce qu'y laissa son cœur:
L'un y voit son vieux père assis au coin de l'âtre,
Comptant ses jours d'absence; à la table du pâtre,
Il voit sa chaise vide à côté de sa sœur.   70

64

XI

Un autre y voit Paris, où sa fille penchée
Marque avec le compas tous les souffles de l'air,
Ternit de pleurs la glace où l'aiguille est cachée,
Et cherche à ramener l'aimant avec le fer.
Un autre y voit Marseille. Une femme se lève,   75
Court au port et lui tend un mouchoir de la grève,
Et ne sent pas ses pieds enfoncés dans la mer.

XII

O superstition des amours ineffables,
Murmures de nos cœurs qui nous semblez des voix,
Calculs de la science, ô décevantes fables!   80
Pourquoi nous apparaître en un jour tant de fois?
Pourquoi vers l'horizon nous tendre ainsi des pièges?
Espérances roulant comme roulent les neiges;
Globes toujours pétris et fondus sous nos doigts!

XIII

Où sont-ils à présent? Où sont ces trois cents braves? 85
Renversés par le vent dans les courants maudits,
Aux harpons indiens ils portent pour épaves
Leurs habits déchirés sur leurs corps refroidis.
Les savants officiers, la hache à la ceinture,
Ont péri les premiers en coupant la mâture: 90
Ainsi, de ces trois cents il n'en reste que dix!

XIV

Le Capitaine encor jette un regard au pôle
Dont il vient d'explorer les détroits inconnus.
L'eau monte à ses genoux et frappe son épaule;
Il peut lever au ciel l'un de ses deux bras nus.   95
Son navire est coulé, sa vie est révolue:
Il lance la Bouteille à la mer, et salue
Les jours de l'avenir qui pour lui sont venus.

XV

Il sourit en songeant que ce fragile verre
Portera sa pensée et son nom jusqu'au port,　　　　100
Que d'une île inconnue il agrandit la terre,
Qu'il marque un nouvel astre et le confie au sort,
Que Dieu peut bien permettre à des eaux insensées
De perdre des vaisseaux, mais non pas des pensées,
Et qu'avec un flacon il a vaincu la mort.　　　　105

XVI

Tout est dit. A présent, que Dieu lui soit en aide!
Sur le brick englouti l'onde a pris son niveau.
Au large flot de l'est le flot de l'ouest succède,
Et la Bouteille y roule en son vaste berceau.
Seule dans l'Océan, la frêle passagère　　　　110
N'a pas pour se guider une brise légère;
—Mais elle vient de l'arche et porte le rameau.

XVII

Les courants l'emportaient, les glaçons la retiennent
Et la couvrent des plis d'un épais manteau blanc.
Les noirs chevaux de mer la heurtent, puis reviennent　　　115
La flairer avec crainte, et passent en soufflant.
Elle attend que l'été, changeant ses destinées,
Vienne ouvrir le rempart des glaces obstinées,
Et vers la ligne ardente elle monte en roulant.

XVIII

Un jour, tout était calme, et la mer Pacifique,　　　　120
Par ses vagues d'azur, d'or et de diamant,
Renvoyait ses splendeurs au soleil du tropique.
Un navire y passait majestueusement;
Il a vu la Bouteille aux gens de mer sacrée:
Il couvre de signaux sa flamme diaprée,　　　　125
Lance un canot en mer et s'arrête un moment.

XIX

Mais on entend au loin le canon des corsaires;
Le négrier va fuir, s'il peut prendre le vent.
Alerte! et coulez bas ces sombres adversaires!
Noyez or et bourreaux du couchant au levant!   130
La frégate reprend ses canots et les jette
En son sein, comme fait la sarigue inquiète,
Et par voile et vapeur vole et roule en avant.

XX

Seule dans l'Océan, seule toujours!—Perdue
Comme un point invisible en un mouvant désert,   135
L'aventurière passe errant dans l'étendue,
Et voit tel cap secret qui n'est pas découvert.
Tremblante voyageuse à flotter condamnée,
Elle sent sur son col que depuis une année
L'algue et les goémons lui font un manteau vert.   140

XXI

Un soir enfin, les vents qui soufflent des Florides
L'entraînent vers la France et ses bords pluvieux.
Un pêcheur accroupi sous des rochers arides
Tire dans ses filets le flacon précieux.
Il court, cherche un savant et lui montre sa prise;   145
Et, sans l'oser ouvrir, demande qu'on lui dise
Quel est cet élixir noir et mystérieux.

XXII

Quel est cet élixir! Pêcheur, c'est la science,
C'est l'élixir divin que boivent les esprits,
Trésor de la pensée et de l'expérience;   150
Et si tes lourds filets, ô pêcheur, avaient pris
L'or qui toujours serpente aux veines du Mexique,
Les diamants de l'Inde et les perles d'Afrique,
Ton labeur de ce jour aurait eu moins de prix.

E

XXIII

Regarde.—Quelle joie ardente et sérieuse!   155
Une gloire de plus luit sur la nation.
Le canon tout-puissant et la cloche pieuse
Font sur les toits tremblants bondir l'émotion.
Aux héros du savoir plus qu'à ceux des batailles
On va faire aujourd'hui de grandes funérailles.   160
Lis ce mot sur les murs: "Commémoration!"

XXIV

Souvenir éternel, gloire à la découverte
Dans l'homme ou la nature, égaux en profondeur,
Dans le Juste et le Bien, source à peine entr'ouverte,
Dans l'Art inépuisable, abîme de splendeur!   165
Qu'importe oubli, morsure, injustice insensée,
Glaces et tourbillons de notre traversée?
Sur la pierre des morts croît l'arbre de grandeur.

XXV

Cet arbre est le plus beau de la terre promise
C'est votre phare à tous, Penseurs laborieux!   170
Voguez sans jamais craindre ou les flots ou la brise
Pour tout trésor scellé du cachet précieux.
L'or pur doit surnager, et sa gloire est certaine.
Dites en souriant, comme ce Capitaine:
"Qu'il aborde, si c'est la volonté des Dieux!"   175

XXVI

Le vrai Dieu, le Dieu fort, est le Dieu des idées.
Sur nos fronts où le germe est jeté par le sort,
Répandons le savoir en fécondes ondées;
Puis, recueillant le fruit tel que de l'âme il sort,
Tout empreint du parfum des saintes solitudes,   180
Jetons l'œuvre à la mer, la mer des multitudes:
—Dieu la prendra du doigt pour la conduire au port.

Victor Hugo

CLAIR DE LUNE

LA lune était sereine et jouait sur les flots.—
La fenêtre enfin libre est ouverte à la brise,
La sultane regarde, et la mer qui se brise,
Là-bas, d'un flot d'argent brode les noirs îlots.

De ses doigts en vibrant s'échappe la guitare.   5
Elle écoute . . . Un bruit sourd frappe les sourds échos.
Est-ce un lourd vaisseau turc qui vient des eaux de Cos,
Battant l'archipel grec de sa rame tartare?

Sont-ce des cormorans qui plongent tour à tour,
Et coupent l'eau, qui roule en perles sur leur aile?   10
Est-ce un djinn qui là-haut siffle d'une voix grêle,
Et jette dans la mer les créneaux de la tour?

Qui trouble ainsi les flots près du sérail des femmes?—
Ni le noir cormoran, sur la vague bercé,
Ni les pierres du mur, ni le bruit cadencé   15
D'un lourd vaisseau rampant sur l'onde avec des rames.

Ce sont des sacs pesants, d'où partent des sanglots.
On verrait, en sondant la mer qui les promène,
Se mouvoir dans leurs flancs comme une forme hu-
      maine . . .—
La lune était sereine et jouait sur les flots.   20

SOLEILS COUCHANTS

J'AIME les soirs sereins et beaux, j'aime les soirs,
    Soit qu'ils dorent le front des antiques manoirs
        Ensevelis dans les feuillages;
Soit que la brume au loin s'allonge en bancs de feu;
Soit que mille rayons brisent dans un ciel bleu   5
        A des archipels de nuages.

Oh! regardez le ciel! cent nuages mouvants,
Amoncelés là-haut sous le souffle des vents,
        Groupent leurs formes inconnues;
Sous leurs flots par moments flamboie un pâle éclair,   10
Comme si tout à coup quelque géant de l'air
        Tirait son glaive dans les nues.

Le soleil, à travers leurs ombres, brille encor;
Tantôt fait, à l'égal des larges dômes d'or,
        Luire le toit d'une chaumière;   15
Ou dispute aux brouillards les vagues horizons;
Ou découpe, en tombant sur les sombres gazons
        Comme de grands lacs de lumière.

Puis voilà qu'on croit voir, dans le ciel balayé,
Pendre un grand crocodile au dos large et rayé,   20
        Aux trois rangs de dents acérées;
Sous son ventre plombé glisse un rayon du soir;
Cent nuages ardents luisent sous son flanc noir
        Comme des écailles dorées.

Puis se dresse un palais. Puis l'air tremble, et tout fuit. 25
L'édifice effrayant des nuages détruit
        S'écroule en ruines pressées;
Il jonche au loin le ciel, et ses cônes vermeils
Pendent, la pointe en bas, sur nos têtes, pareils
        A des montagnes renversées.   30

Ces nuages de plomb, d'or, de cuivre, de fer,
Où l'ouragan, la trombe, et la foudre, et l'enfer
  Dorment avec de sourds murmures,
C'est Dieu qui les suspend en foule aux cieux profonds,
Comme un guerrier qui pend aux poutres des plafonds 35
  Ses retentissantes armures.

Tout s'en va! Le soleil, d'en haut précipité,
Comme un globe d'airain qui, rouge, est rejeté
  Dans les fournaises remuées,
En tombant sur leurs flots que son choc désunit 40
Fait en flocons de feu jaillir jusqu'au zénith
  L'ardente écume des nuées.

Oh! contemplez le ciel! et dès qu'a fui le jour,
En tout temps, en tout lieu, d'un ineffable amour,
  Regardez à travers ses voiles; 45
Un mystère est au fond de leur grave beauté,
L'hiver, quand ils sont noirs comme un linceul, l'été,
  Quand la nuit les brode d'étoiles.

LORSQUE L'ENFANT PARAÎT

LORSQUE l'enfant paraît, le cercle de famille
  Applaudit à grands cris. Son doux regard qui
   brille
  Fait briller tous les yeux,
Et les plus tristes fronts, les plus souillés peut-être,
Se dérident soudain à voir l'enfant paraître, 5
  Innocent et joyeux.

Soit que juin ait verdi mon seuil, ou que novembre
Fasse autour d'un grand feu vacillant dans la chambre
        Les chaises se toucher,
Quand l'enfant vient, la joie arrive et nous éclaire.   10
On rit, on se récrie, on l'appelle, et sa mère
        Tremble à le voir marcher.

Quelquefois nous parlons, en remuant la flamme,
De patrie et de Dieu, des poètes, de l'âme
        Qui s'élève en priant;   15
L'enfant paraît, adieu le ciel et la patrie
Et les poètes saints! la grave causerie
        S'arrête en souriant.

La nuit, quand l'homme dort, quand l'esprit rêve, à
    l'heure
Où l'on entend gémir, comme une voix qui pleure,   20
        L'onde entre les roseaux,
Si l'aube tout à coup là-bas luit comme un phare,
Sa clarté dans les champs éveille une fanfare
        De cloches et d'oiseaux.

Enfant, vous êtes l'aube et mon âme est la plaine   25
Qui des plus douces fleurs embaume son haleine
        Quand vous la respirez;
Mon âme est la forêt dont les sombres ramures
S'emplissent pour vous seul de suaves murmures
        Et de rayons dorés!   30

Car vos beaux yeux sont pleins de douceurs infinies,
Car vos petites mains, joyeuses et bénies,
        N'ont point mal fait encor;
Jamais vos jeunes pas n'ont touché notre fange,
Tête sacrée! enfant aux cheveux blonds! bel ange   35
        A l'auréole d'or!

Vous êtes parmi nous la colombe de l'arche.
Vos pieds tendres et purs n'ont point l'âge où l'on
    marche,
        Vos ailes sont d'azur.
Sans le comprendre encor vous regardez le monde.   40
Double virginité! corps où rien n'est immonde,
        Ame où rien n'est impur!

Il est si beau, l'enfant, avec son doux sourire,
Sa douce bonne foi, sa voix qui veut tout dire,
        Ses pleurs vite apaisés,   45
Laissant errer sa vue étonnée et ravie,
Offrant de toutes parts sa jeune âme à la vie
        Et sa bouche aux baisers!

Seigneur! préservez-moi, préservez ceux que j'aime,
Frères, parents, amis, et mes ennemis même   50
        Dans le mal triomphants,
De jamais voir, Seigneur! l'été sans fleurs vermeilles,
La cage sans oiseaux, la ruche sans abeilles,
        La maison sans enfants.

PUISQUE J'AI MIS MA LÈVRE

PUISQUE j'ai mis ma lèvre à ta coupe encor
        pleine,
    Puisque j'ai dans tes mains posé mon front pâli,
Puisque j'ai respiré parfois la douce haleine
De ton âme, parfum dans l'ombre enseveli;

Puisqu'il me fut donné de t'entendre me dire   5
Les mots où se répand le cœur mystérieux,
Puisque j'ai vu pleurer, puisque j'ai vu sourire
Ta bouche sur ma bouche et tes yeux sur mes yeux;

Puisque j'ai vu briller sur ma tête ravie
Un rayon de ton astre, hélas! voilé toujours,   10
Puisque j'ai vu tomber dans l'onde de ma vie
Une feuille de rose arrachée à tes jours,

Je puis maintenant dire aux rapides années:
—Passez! passez toujours! je n'ai plus à vieillir!
Allez-vous-en avec vos fleurs toutes fanées;   15
J'ai dans l'âme une fleur que nul ne peut cueillir!

Votre aile en le heurtant ne fera rien répandre
Du vase où je m'abreuve et que j'ai bien rempli.
Mon âme a plus de feu que vous n'avez de cendre!
Mon cœur a plus d'amour que vous n'avez d'oubli!   20

TRISTESSE D'OLYMPIO

LES champs n'étaient point noirs, les cieux
    n'étaient pas mornes.
  Non, le jour rayonnait dans un azur sans bornes
      Sur la terre étendu,
L'air était plein d'encens et les prés de verdures
Quand il revit ces lieux où par tant de blessures   5
      Son cœur s'est répandu!

L'automne souriait; les coteaux vers la plaine
Penchaient leurs bois charmants qui jaunissaient à
    peine;
      Le ciel était doré;
Et les oiseaux, tournés vers celui que tout nomme,   10
Disant peut-être à Dieu quelque chose de l'homme,
      Chantaient leur chant sacré!

74

Il voulut tout revoir, l'étang près de la source,
La masure où l'aumône avait vidé leur bourse,
   Le vieux frêne plié,   15
Les retraites d'amour au fond des bois perdues,
L'arbre où dans les baisers leurs âmes confondues
   Avaient tout oublié!

Il chercha le jardin, la maison isolée,
La grille d'où l'œil plonge en une oblique allée,   20
   Les vergers en talus.
Pâle, il marchait.—Au bruit de son pas grave et sombre,
Il voyait à chaque arbre, hélas! se dresser l'ombre
   Des jours qui ne sont plus!

Il entendait frémir dans la forêt qu'il aime   25
Ce doux vent qui, faisant tout vibrer en nous-même,
   Y réveille l'amour,
Et, remuant le chêne ou balançant la rose,
Semble l'âme de tout qui va sur chaque chose
   Se poser tour à tour!   30

Les feuilles qui gisaient dans le bois solitaire,
S'efforçant sous ses pas de s'élever de terre,
   Couraient dans le jardin;
Ainsi, parfois, quand l'âme est triste, nos pensées
S'envolent un moment sur leurs ailes blessées,   35
   Puis retombent soudain.

Il contempla longtemps les formes magnifiques
Que la nature prend dans les champs pacifiques;
   Il rêva jusqu'au soir;
Tout le jour il erra le long de la ravine,   40
Admirant tour à tour le ciel, face divine,
   Le lac, divin miroir!

Hélas! se rappelant ses douces aventures,
Regardant, sans entrer, par-dessus les clôtures,
   Ainsi qu'un paria,   45
Il erra tout le jour. Vers l'heure où la nuit tombe,
Il se sentit le cœur triste comme une tombe,
   Alors il s'écria:

"O douleur! j'ai voulu, moi dont l'âme est troublée,
Savoir si l'urne encor conservait sa liqueur,   50
Et voir ce qu'avait fait cette heureuse vallée
De tout ce que j'avais laissé là de mon cœur!

"Que peu de temps suffit pour changer toutes choses!
Nature au front serein, comme vous oubliez!
Et comme vous brisez dans vos métamorphoses   55
Les fils mystérieux où nos cœurs sont liés!

"Nos chambres de feuillage en halliers sont changées!
L'arbre où fut notre chiffre est mort ou renversé;
Nos roses dans l'enclos ont été ravagées
Par les petits enfants qui sautent le fossé.   60

"Un mur clôt la fontaine où, par l'heure échauffée,
Folâtre, elle buvait en descendant des bois;
Elle prenait de l'eau dans sa main, douce fée,
Et laissait retomber des perles de ses doigts!

"On a pavé la route âpre et mal aplanie,   65
Où, dans le sable pur se dessinant si bien,
Et de sa petitesse étalant l'ironie,
Son pied charmant semblait rire à côté du mien!

"La borne du chemin, qui vit des jours sans nombre,
Où jadis pour m'attendre elle aimait à s'asseoir,   70
S'est usée en heurtant, lorsque la route est sombre,
Les grands chars gémissants qui reviennent le soir.

"La forêt ici manque et là s'est agrandie,
De tout ce qui fut nous presque rien n'est vivant;
Et, comme un tas de cendre éteinte et refroidie,   75
L'amas des souvenirs se disperse à tout vent!

"N'existons-nous donc plus? Avons-nous eu notre
      heure?
Rien ne la rendra-t-il à nos cris superflus?
L'air joue avec la branche au moment où je pleure;
Ma maison me regarde et ne me connaît plus.   80

"D'autres vont maintenant passer où nous passâmes.
Nous y sommes venus, d'autres vont y venir;
Et le songe qu'avaient ébauché nos deux âmes,
Ils le continueront sans pouvoir le finir!

"Car personne ici-bas ne termine et n'achève;   85
Les pires des humains sont comme les meilleurs;
Nous nous réveillons tous au même endroit du rêve.
Tout commence en ce monde et tout finit ailleurs.

"Oui, d'autres à leur tour viendront, couples sans tache,
Puiser dans cet asile heureux, calme, enchanté,   90
Tout ce que la nature à l'amour qui se cache
Mêle de rêverie et de solennité!

"D'autres auront nos champs, nos sentiers, nos re-
      traites;
Ton bois, ma bien-aimée, est à des inconnus.
D'autres femmes viendront, baigneuses indiscrètes,   95
Troubler le flot sacré qu'ont touché tes pieds nus!

"Quoi donc! c'est vainement qu'ici nous nous aim-
      âmes!
Rien ne nous restera de ces coteaux fleuris
Où nous fondions notre être en y mêlant nos flammes!
L'impassible nature a déjà tout repris.   100

"Oh! dites-moi, ravins, frais ruisseaux, treilles mûres,
Rameaux chargés de nids, grottes, forêts, buissons,
Est-ce que vous ferez pour d'autres vos murmures?
Est-ce que vous direz à d'autres vos chansons?

"Nous vous comprenions tant! doux, attentifs, austères,   105
Tous nos échos s'ouvraient si bien à votre voix!
Et nous prêtions si bien, sans troubler vos mystères,
L'oreille aux mots profonds que vous dites parfois!

"Répondez, vallon pur, répondez, solitude,
O nature abritée en ce désert si beau,   110
Lorsque nous dormirons tous deux dans l'attitude
Que donne aux morts pensifs la forme du tombeau,

"Est-ce que vous serez à ce point insensible
De nous savoir couchés, morts avec nos amours,
Et de continuer votre fête paisible,   115
Et de toujours sourire et de chanter toujours?

"Est-ce que, nous sentant errer dans vos retraites,
Fantômes reconnus par vos monts et vos bois,
Vous ne nous direz pas de ces choses secrètes
Qu'on dit en revoyant des amis d'autrefois?   120

"Est-ce que vous pourrez, sans tristesse et sans plainte,
Voir nos ombres flotter où marchèrent nos pas,
Et la voir m'entraîner, dans une morne étreinte,
Vers quelque source en pleurs qui sanglote tout bas?

"Et s'il est quelque part, dans l'ombre où rien ne
      veille,   125
Deux amants sous vos fleurs abritant leurs transports,
Ne leur irez-vous pas murmurer à l'oreille:
—Vous qui vivez, donnez une pensée aux morts!

"Dieu nous prête un moment les prés et les fontaines,
Les grands bois frissonnants, les rocs profonds et
    sourds, 130
Et les cieux azurés et les lacs et les plaines,
Pour y mettre nos cœurs, nos rêves, nos amours;

"Puis il nous les retire. Il souffle notre flamme;
Il plonge dans la nuit l'antre où nous rayonnons;
Et dit à la vallée, où s'imprima notre âme, 135
D'effacer notre trace et d'oublier nos noms.

"Eh bien! oubliez-nous, maison, jardin, ombrages!
Herbe, use notre seuil! ronce, cache nos pas!
Chantez, oiseaux! ruisseaux, coulez! croissez, feuil-
    lages!
Ceux que vous oubliez ne vous oublieront pas. 140

"Car vous êtes pour nous l'ombre de l'amour même!
Vous êtes l'oasis qu'on rencontre en chemin!
Vous êtes, ô vallon, la retraite suprême
Où nous avons pleuré nous tenant par la main!

"Toutes les passions s'éloignent avec l'âge, 145
L'une emportant son masque et l'autre son couteau,
Comme un essaim chantant d'histrions en voyage
Dont le groupe décroît derrière le coteau.

"Mais toi, rien ne t'efface, amour! toi qui nous
    charmes,
Toi qui, torche ou flambeau, luis dans notre brouil-
    lard! 150
Tu nous tiens par la joie, et surtout par les larmes.
Jeune homme on te maudit, on t'adore vieillard.

"Dans ces jours où la tête au poids des ans s'incline,
Où l'homme, sans projets, sans but, sans visions,
Sent qu'il n'est déjà plus qu'une tombe en ruine   155
Où gisent ses vertus et ses illusions;

"Quand notre âme en rêvant descend dans nos en-
      trailles,
Comptant dans notre cœur, qu'enfin la glace atteint,
Comme on compte les morts sur un champ de batailles,
Chaque douleur tombée et chaque songe éteint,   160

"Comme quelqu'un qui cherche en tenant une lampe,
Loin des objets réels, loin du monde rieur,
Elle arrive à pas lents par une obscure rampe
Jusqu'au fond désolé du gouffre intérieur;

"Et là, dans cette nuit qu'aucun rayon n'étoile,   165
L'âme, en un repli sombre où tout semble finir,
Sent quelque chose encor palpiter sous un voile . . .—
C'est toi qui dors dans l'ombre, ô sacré souvenir!"

SOUVENIR DE LA NUIT DU QUATRE

L'ENFANT avait reçu deux balles dans la tête.
      Le logis était propre, humble, paisible, honnête;
      On voyait un rameau bénit sur un portrait.
Une vieille grand'mère était là qui pleurait.
Nous le déshabillions en silence. Sa bouche,   5
Pâle, s'ouvrait; la mort noyait son œil farouche;
Ses bras pendants semblaient demander des appuis.
Il avait dans sa poche une toupie en buis.
On pouvait mettre un doigt dans les trous de ses plaies.
Avez-vous vu saigner la mûre dans les haies?   10
Son crâne était ouvert comme un bois qui se fend.
L'aïeule regarda déshabiller l'enfant,

Disant:—Comme il est blanc! approchez donc la
    lampe.
Dieu! ses pauvres cheveux sont collés sur sa tempe!—
Et quand ce fut fini, le prit sur ses genoux.   15
La nuit était lugubre; on entendait des coups
De fusil dans la rue où l'on en tuait d'autres.
—Il faut ensevelir l'enfant, dirent les nôtres.
Et l'on prit un drap blanc dans l'armoire en noyer.
L'aïeule cependant l'approchait du foyer,   20
Comme pour réchauffer ses membres déjà roides.
Hélas! ce que la mort touche de ses mains froides
Ne se réchauffe plus aux foyers d'ici-bas!
Elle pencha la tête et lui tira ses bas,
Et dans ses vieilles mains prit les pieds du cadavre.   25
—Est-ce que ce n'est pas une chose qui navre!
Cria-t-elle; monsieur, il n'avait pas huit ans!
Ses maîtres, il allait en classe, étaient contents.
Monsieur, quand il fallait que je fisse une lettre,
C'est lui qui l'écrivait. Est-ce qu'on va se mettre   30
A tuer les enfants maintenant? Ah! mon Dieu!
On est donc des brigands? Je vous demande un peu,
Il jouait ce matin, là, devant la fenêtre!
Dire qu'ils m'ont tué ce pauvre petit être!
Il passait dans la rue, ils ont tiré dessus.   35
Monsieur, il était bon et doux comme un Jésus.
Moi je suis vieille, il est tout simple que je parte;
Cela n'aurait rien fait à monsieur Bonaparte
De me tuer au lieu de tuer mon enfant!—
Elle s'interrompit, les sanglots l'étouffant,   40
Puis elle dit, et tous pleuraient près de l'aïeule:
—Que vais-je devenir à présent toute seule?
Expliquez-moi cela, vous autres, aujourd'hui.
Hélas! je n'avais plus de sa mère que lui.
Pourquoi l'a-t-on tué? je veux qu'on me l'explique.   45
L'enfant n'a pas crié vive la République.—

Nous nous taisions, debout et graves, chapeau bas,
Tremblant devant ce deuil qu'on ne console pas.

Vous ne compreniez point, mère, la politique.
Monsieur Napoléon, c'est son nom authentique,   50
Est pauvre, et même prince; il aime les palais;
Il lui convient d'avoir des chevaux, des valets,
De l'argent pour son jeu, sa table, son alcôve,
Ses chasses; par la même occasion, il sauve
La famille, l'église et la société;   55
Il veut avoir Saint-Cloud, plein de roses l'été,
Où viendront l'adorer les préfets et les maires;
C'est pour cela qu'il faut que les vieilles grand'mères,
De leurs pauvres doigts gris que fait trembler le temps,
Cousent dans le linceul des enfants de sept ans.   60

RÉPONSE À UN ACTE D'ACCUSATION

CAUSONS. Quand je sortis du collège, du thème,
    Des vers latins, farouche, espèce d'enfant blême
    Et grave, au front penchant, aux membres ap-
        pauvris,
Quand, tâchant de comprendre et de juger, j'ouvris
Les yeux sur la nature et sur l'art, l'idiome,   5
Peuple et noblesse, était l'image du royaume;
La poésie était la monarchie; un mot
Etait un duc et pair, ou n'était qu'un grimaud;
Les syllabes pas plus que Paris et que Londre
Ne se mêlaient; ainsi marchent sans se confondre   10
Piétons et cavaliers traversant le pont Neuf;
La langue était l'état avant quatre-vingt-neuf;
Les mots, bien ou mal nés, vivaient parqués en castes;
Les uns, nobles, hantant les Phèdres, les Jocastes,

Les Méropes, ayant le décorum pour loi,   15
Et montant à Versaille aux carrosses du roi;
Les autres, tas de gueux, drôles patibulaires,
Habitant les patois; quelques-uns aux galères
Dans l'argot; dévoués à tous les genres bas;
Déchirés en haillons dans les halles; sans bas,   20
Sans perruque; créés pour la prose et la farce;
Populace du style au fond de l'ombre éparse; . . .
Alors, brigand, je vins; je m'écriai: Pourquoi
Ceux-ci toujours devant, ceux-là toujours derrière?
Et sur l'Académie, aïeule et douairière,   25
Cachant sous ses jupons les tropes effarés,
Et sur les bataillons d'alexandrins carrés,
Je fis souffler un vent révolutionnaire.
Je mis un bonnet rouge au vieux dictionnaire.
Plus de mot sénateur! plus de mot roturier!   30
Je fis une tempête au fond de l'encrier,
Et je mêlai, parmi les ombres débordées,
Au peuple noir des mots l'essaim blanc des idées;
Et je dis: Pas de mot où l'idée au vol pur
Ne puisse se poser, toute humide d'azur! . . .   35
Je bondis hors du cercle et brisai le compas.
Je nommai le cochon par son nom; pourquoi pas?
Guichardin a nommé le Borgia, Tacite
Le Vitellius. Fauve, implacable, explicite,
J'ôtai du cou du chien stupéfait son collier   40
D'épithètes; dans l'herbe, à l'ombre du hallier,
Je fis fraterniser la vache et la génisse,
L'une étant Margoton et l'autre Bérénice . . .
Les neuf muses, seins nus, chantaient la Carmagnole;
L'emphase frissonna dans sa fraise espagnole;   45
Jean, l'ânier, épousa la bergère Myrtil.
On entendit un roi dire: Quelle heure est-il?
Je massacrai l'albâtre, et la neige, et l'ivoire;
Je retirai le jais de la prunelle noire,

Et j'osai dire au bras: Sois blanc, tout simplement. 50
Je violai du vers le cadavre fumant;
J'y fis entrer le chiffre; ô terreur! Mithridate
Du siège de Cyzique eût pu citer la date . . .
Oui, c'est vrai, ce sont là quelques-uns de mes crimes.
J'ai pris et démoli la bastille des rimes. 55
J'ai fait plus: j'ai brisé tous les carcans de fer
Qui liaient le mot peuple, et tiré de l'enfer
Tous les vieux mots damnés, légions sépulcrales;
J'ai de la périphrase écrasé les spirales,
Et mêlé, confondu, nivelé sous le ciel 60
L'alphabet, sombre tour qui naquit de Babel;
Et je n'ignorais pas que la main courroucée
Qui délivre le mot, délivre la pensée. . . .

MES DEUX FILLES

DANS le frais clair-obscur du soir charmant qui
        tombe,
    L'une pareille au cygne et l'autre à la colombe,
Belles, et toutes deux joyeuses, ô douceur!
Voyez, la grande sœur et la petite sœur
Sont assises au seuil du jardin, et sur elles 5
Un bouquet d'œillets blancs aux longues tiges frêles,
Dans une urne de marbre agité par le vent,
Se penche, et les regarde, immobile et vivant,
Et frissonne dans l'ombre, et semble, au bord du vase,
Un vol de papillons arrêté dans l'extase. 10

ELLE ÉTAIT DÉCHAUSSÉE

ELLE était déchaussée, elle était décoiffée,
    Assise, les pieds nus, parmi les joncs penchants;
    Moi qui passais par là, je crus voir une fée,
Et je lui dis: Veux-tu t'en venir dans les champs?

Elle me regarda de ce regard suprême   5
Qui reste à la beauté quand nous en triomphons,
Et je lui dis: Veux-tu, c'est le mois où l'on aime,
Veux-tu nous en aller sous les arbres profonds?

Elle essuya ses pieds à l'herbe de la rive;
Elle me regarda pour la seconde fois,   10
Et la belle folâtre alors devint pensive.
Oh! comme les oiseaux chantaient au fond des bois!

Comme l'eau caressait doucement le rivage!
Je vis venir à moi, dans les grands roseaux verts,
La belle fille heureuse, effarée et sauvage,   15
Ses cheveux dans ses yeux, et riant au travers.

VIENS!—UNE FLÛTE INVISIBLE

VIENS!—une flûte invisible
    Soupire dans les vergers.—
    La chanson la plus paisible
Est la chanson des bergers.

Le vent ride, sous l'yeuse,   5
Le sombre miroir des eaux.—
La chanson la plus joyeuse
Est la chanson des oiseaux.

Que nul soin ne te tourmente.
Aimons-nous! aimons toujours!— 10
La chanson la plus charmante
Est la chanson des amours.

DEMAIN, DÈS L'AUBE

DEMAIN, dès l'aube, à l'heure où blanchit la
    campagne,
    Je partirai. Vois-tu, je sais que tu m'attends.
J'irai par la forêt, j'irai par la montagne.
Je ne puis demeurer loin de toi plus longtemps.

Je marcherai les yeux fixés sur mes pensées, 5
Sans rien voir au dehors, sans entendre aucun bruit,
Seul, inconnu, le dos courbé, les mains croisées,
Triste, et le jour pour moi sera comme la nuit.

Je ne regarderai ni l'or du soir qui tombe,
Ni les voiles au loin descendant vers Harfleur, 10
Et quand j'arriverai, je mettrai sur ta tombe
Un bouquet de houx vert et de bruyère en fleur.

À VILLEQUIER

MAINTENANT que Paris, ses pavés et ses
    marbres,
    Et sa brume et ses toits sont bien loin de mes
    yeux;
Maintenant que je suis sous les branches des arbres,
Et que je puis songer à la beauté des cieux;

86

Maintenant que du deuil qui m'a fait l'âme obscure   5
      Je sors, pâle et vainqueur,
Et que je sens la paix de la grande nature
      Qui m'entre dans le cœur;

Maintenant que je puis, assis au bord des ondes,
Emu par ce superbe et tranquille horizon,   10
Examiner en moi les vérités profondes
Et regarder les fleurs qui sont dans le gazon;

Maintenant, ô mon Dieu! que j'ai ce calme sombre
      De pouvoir désormais
Voir de mes yeux la pierre où je sais que dans l'ombre   15
      Elle dort pour jamais;

Maintenant qu'attendri par ces divins spectacles,
Plaines, forêts, rochers, vallons, fleuve argenté,
Voyant ma petitesse et voyant vos miracles,
Je reprends ma raison devant l'immensité;   20

Je viens à vous, Seigneur, père auquel il faut croire;
      Je vous porte, apaisé,
Les morceaux de ce cœur tout plein de votre gloire
      Que vous avez brisé;

Je viens à vous, Seigneur! confessant que vous êtes   25
Bon, clément, indulgent et doux, ô Dieu vivant!
Je conviens que vous seul savez ce que vous faites,
Et que l'homme n'est rien qu'un jonc qui tremble au
    vent;

Je dis que le tombeau qui sur les morts se ferme
      Ouvre le firmament;   30
Et que ce qu'ici-bas nous prenons pour le terme
      Est le commencement;

Je conviens à genoux que vous seul, père auguste,
Possédez l'infini, le réel, l'absolu;
Je conviens qu'il est bon, je conviens qu'il est juste   35
Que mon cœur ait saigné, puisque Dieu l'a voulu!

Je ne résiste plus à tout ce qui m'arrive
              Par votre volonté,
L'âme de deuils en deuils, l'homme de rive en rive,
              Roule à l'éternité.   40

Nous ne voyons jamais qu'un seul côté des choses;
L'autre plonge en la nuit d'un mystère effrayant.
L'homme subit le joug sans connaître les causes.
Tout ce qu'il voit est court, inutile et fuyant.

Vous faites revenir toujours la solitude   45
              Autour de tous ses pas.
Vous n'avez pas voulu qu'il eût la certitude
              Ni la joie ici-bas!

Dès qu'il possède un bien, le sort le lui retire.
Rien ne lui fut donné, dans ses rapides jours,   50
Pour qu'il s'en puisse faire une demeure, et dire:
C'est ici ma maison, mon champ et mes amours!

Il doit voir peu de temps tout ce que ses yeux voient;
              Il vieillit sans soutiens.
Puisque ces choses sont, c'est qu'il faut qu'elles soient;   55
              J'en conviens, j'en conviens!

Le monde est sombre, ô Dieu! l'immuable harmonie
Se compose des pleurs aussi bien que des chants;
L'homme n'est qu'un atome en cette ombre infinie,
Nuit où montent les bons, où tombent les méchants.   60

Je sais que vous avez bien autre chose à faire
        Que de nous plaindre tous,
Et qu'un enfant qui meurt, désespoir de sa mère,
        Ne vous fait rien, à vous.

Je sais que le fruit tombe au vent qui le secoue,   65
Que l'oiseau perd sa plume et la fleur son parfum;
Que la création est une grande roue
Qui ne peut se mouvoir sans écraser quelqu'un;

Les mois, les jours, les flots des mers, les yeux qui
      pleurent,
        Passent sous le ciel bleu: 70
Il faut que l'herbe pousse et que les enfants meurent,
        Je le sais, ô mon Dieu!

Dans vos cieux, au delà de la sphère des nues,
Au fond de cet azur immobile et dormant,
Peut-être faites-vous des choses inconnues   75
Où la douleur de l'homme entre comme élément.

Peut-être est-il utile à vos desseins sans nombre
        Que des êtres charmants
S'en aillent, emportés par le tourbillon sombre
        Des noirs événements.   80

Nos destins ténébreux vont sous des lois immenses
Que rien ne déconcerte et que rien n'attendrit.
Vous ne pouvez avoir de subites clémences
Qui dérangent le monde, ô Dieu, tranquille esprit!

Je vous supplie, ô Dieu! de regarder mon âme,   85
        Et de considérer
Qu'humble comme un enfant et doux comme une
      femme,
        Je viens vous adorer!

Considérez encor que j'avais, dès l'aurore,
Travaillé, combattu, pensé, marché, lutté,   90
Expliquant la nature à l'homme qui l'ignore,
Éclairant toute chose avec votre clarté;

Que j'avais, affrontant la haine et la colère,
        Fait ma tâche ici-bas,
Que je ne pouvais pas m'attendre à ce salaire,   95
        Que je ne pouvais pas

Prévoir que, vous aussi, sur ma tête qui ploie
Vous appesantiriez votre bras triomphant,
Et que, vous qui voyiez comme j'ai peu de joie,
Vous me reprendriez si vite mon enfant!   100

Qu'une âme ainsi frappée à se plaindre est sujette,
        Que j'ai pu blasphémer,
Et vous jeter mes cris comme un enfant qui jette
        Une pierre à la mer!

Considérèz qu'on doute, ô mon Dieu! quand on
        souffre,   105
Que l'œil qui pleure trop finit par s'aveugler,
Qu'un être que son deuil plonge au plus noir du
        gouffre,
Quand il ne vous voit plus, ne peut vous contempler,

Et qu'il ne se peut pas que l'homme, lorsqu'il sombre
        Dans les afflictions,   110
Ait présente à l'esprit la sérénité sombre
        Des constellations!

Aujourd'hui, moi qui fus faible comme une mère,
Je me courbe à vos pieds devant vos cieux ouverts.
Je me sens éclairé dans ma douleur amère   115
Par un meilleur regard jeté sur l'univers.

Seigneur, je reconnais que l'homme est en délire
        S'il ose murmurer;
Je cesse d'accuser, je cesse de maudire,
        Mais laissez-moi pleurer!   120

Hélas! laissez les pleurs couler de ma paupière,
Puisque vous avez fait les hommes pour cela!
Laissez-moi me pencher sur cette froide pierre
Et dire à mon enfant: Sens-tu que je suis là?

Laissez-moi lui parler, incliné sur ses restes,   125
        Le soir, quand tout se tait,
Comme si, dans sa nuit rouvrant ses yeux célestes,
        Cet ange m'écoutait!

Hélas! vers le passé tournant un œil d'envie,
Sans que rien ici-bas puisse m'en consoler,   130
Je regarde toujours ce moment de ma vie
Où je l'ai vue ouvrir son aile et s'envoler.

Je verrai cet instant jusqu'à ce que je meure,
        L'instant, pleurs superflus!
Où je criai: L'enfant que j'avais tout à l'heure,   135
        Quoi donc! je ne l'ai plus!

Ne vous irritez pas que je sois de la sorte,
O mon Dieu! cette plaie a si longtemps saigné!
L'angoisse dans mon âme est toujours la plus forte,
Et mon cœur est soumis, mais n'est pas résigné.   140

Ne vous irritez pas! fronts que le deuil réclame,
        Mortels sujets aux pleurs,
Il nous est malaisé de retirer notre âme
        De ces grandes douleurs.

Voyez-vous, nos enfants nous sont bien nécessaires,   145
Seigneur; quand on a vu dans sa vie, un matin
Au milieu des ennuis, des peines, des misères,
Et de l'ombre que fait sur nous notre destin,

Apparaître un enfant, tête chère et sacrée,
      Petit être joyeux,   150
Si beau, qu'on a cru voir s'ouvrir à son entrée
      Une porte des cieux;

Quand on a vu, seize ans, de cet autre soi-même
Croître la grâce aimable et la douce raison,
Lorsqu'on a reconnu que cet enfant qu'on aime   155
Fait le jour dans notre âme et dans notre maison;

Que c'est la seule joie ici-bas qui persiste
      De tout ce qu'on rêva,
Considérez que c'est une chose bien triste
      De le voir qui s'en va!   160

PAROLES SUR LA DUNE

MAINTENANT que mon temps décroît comme
      un flambeau,
      Que mes tâches sont terminées;
Maintenant que voici que je touche au tombeau
      Par les deuils et par les années,

Et qu'au fond de ce ciel que mon essor rêva,   5
      Je vois fuir, vers l'ombre entraînées,
Comme le tourbillon du passé qui s'en va,
      Tant de belles heures sonnées;

Maintenant que je dis:—Un jour, nous triomphons;
      Le lendemain, tout est mensonge!—   10
Je suis triste, et je marche au bord des flots profonds,
      Courbé comme celui qui songe,

Je regarde, au-dessus du mont et du vallon,
      Et des mers sans fin remuées,
S'envoler, sous le bec du vautour aquilon,   15
      Toute la toison des nuées;

J'entends le vent dans l'air, la mer sur le récif,
      L'homme liant la gerbe mûre;
J'écoute, et je confronte en mon esprit pensif
      Ce qui parle à ce qui murmure;   20

Et je reste parfois couché sans me lever
      Sur l'herbe rare de la dune,
Jusqu'à l'heure où l'on voit apparaître et rêver
      Les yeux sinistres de la lune.

Elle monte, elle jette un long rayon dormant   25
      A l'espace, au mystère, au gouffre;
Et nous nous regardons tous les deux fixement,
      Elle qui brille et moi qui souffre.

Où donc s'en sont allés mes jours évanouis?
      Est-il quelqu'un qui me connaisse?   30
Ai-je encor quelque chose en mes yeux éblouis
      De la clarté de ma jeunesse?

Tout s'est-il envolé? Je suis seul, je suis las;
      J'appelle sans qu'on me réponde;
O vents! ô flots! ne suis-je aussi qu'un souffle, hélas!   35
      Hélas! ne suis-je aussi qu'une onde?

Ne verrai-je plus rien de tout ce que j'aimais?
      Au dedans de moi le soir tombe.
O terre, dont la brume efface les sommets,
      Suis-je le spectre, et toi la tombe?   40

Ai-je donc vidé tout, vie, amour, joie, espoir?
      J'attends, je demande, j'implore;
Je penche tour à tour mes urnes pour avoir
      De chacune une goutte encore!

Comme le souvenir est voisin du remord!   45
      Comme à pleurer tout nous ramène!
Et que je te sens froide en te touchant, ô mort,
      Noir verrou de la porte humaine!

Et je pense, écoutant gémir le vent amer,
      Et l'onde aux plis infranchissables;   50
L'été rit, et l'on voit sur le bord de la mer
      Fleurir le chardon bleu des sables.

MUGITUSQUE BOUM

MUGISSEMENT des bœufs, au temps du doux
      Virgile,
    Comme aujourd'hui, le soir, quand fuit la
      nue agile,
Ou, le matin, quand l'aube aux champs extasiés
Verse à flots la rosée et le jour, vous disiez;

—Mûrissez, blés mouvants! prés, emplissez-vous
    d'herbes!   5
Que la terre, agitant son panache de gerbes,

Chante dans l'onde d'or d'une riche moisson!
Vis, bête; vis caillou; vis, homme; vis, buisson!
A l'heure où le soleil se couche, où l'herbe est pleine
Des grands fantômes noirs des arbres de la plaine   10
Jusqu'aux lointains coteaux rampant et grandissant,
Quand le brun laboureur des collines descend
Et retourne à son toit d'où sort une fumée,
Que la soif de revoir sa femme bien-aimée
Et l'enfant qu'en ses bras hier il réchauffait,   15
Que ce désir, croissant à chaque pas qu'il fait,
Imite dans son cœur l'allongement de l'ombre!
Etres! choses! vivez! sans peur, sans deuil, sans nombre!
Que tout s'épanouisse en sourire vermeil!
Que l'homme ait le repos et le bœuf le sommeil!   20
Vivez! croissez! semez le grain à l'aventure!
Qu'on sente frissonner dans toute la nature,
Sous la feuille des nids, au seuil blanc des maisons,
Dans l'obscur tremblement des profonds horizons,
Un vaste emportement d'aimer, dans l'herbe verte,   25
Dans l'antre, dans l'étang, dans la clairière ouverte,
D'aimer sans fin, d'aimer toujours, d'aimer encor,
Sous la sérénité des sombres astres d'or!
Faites tressaillir l'air, le flot, l'aile, la bouche,
O palpitations du grand amour farouche!   30
Qu'on sente le baiser de l'être illimité!
Et, paix, vertu, bonheur, espérance, bonté,
O fruits divins, tombez des branches éternelles!—

Ainsi vous parliez, voix, grandes voix solennelles;
Et Virgile écoutait comme j'écoute, et l'eau   35
Voyait passer le cygne auguste, et le bouleau
Le vent, et le rocher l'écume, et le ciel sombre
L'homme . . .—O nature! abîme! immensité de
    l'ombre!

PASTEURS ET TROUPEAUX

LE vallon où je vais tous les jours est charmant,
 Serein, abandonné, seul sous le firmament,
 Plein de ronces en fleurs; c'est un sourire triste.
Il vous fait oublier que quelque chose existe,
Et, sans le bruit des champs remplis de travailleurs,   5
On ne saurait plus là si quelqu'un vit ailleurs.
Là, l'ombre fait l'amour; l'idylle naturelle
Rit; le bouvreuil avec le verdier s'y querelle,
Et la fauvette y met de travers son bonnet;
C'est tantôt l'aubépine et tantôt le genêt;   10
De noirs granits bourrus, puis des mousses riantes;
Car Dieu fait un poème avec des variantes;
Comme le vieil Homère, il rabâche parfois,
Mais c'est avec les fleurs, les monts, l'onde et les bois!
Une petite mare est là, ridant sa face,   15
Prenant des airs de flot pour la fourmi qui passe,
Ironie étalée au milieu du gazon,
Qu'ignore l'océan grondant à l'horizon.
J'y rencontre parfois sur la roche hideuse
Un doux être; quinze ans, yeux bleus, pieds nus, gar-
   deuse   20
De chèvres, habitant, au fond d'un ravin noir,
Un vieux chaume croulant qui s'étoile le soir;
Ses sœurs sont au logis et filent leur quenouille;
Elle essuie aux roseaux ses pieds que l'étang mouille;
Chèvres, brebis, béliers, paissent; quand, sombre esprit,   25
J'apparais, le pauvre ange a peur, et me sourit;
Et moi, je la salue, elle étant l'innocence.
Ses agneaux, dans le pré plein de fleurs qui l'encense,
Bondissent, et chacun, au soleil s'empourprant,
Laisse aux buissons, à qui la bise le reprend,   30
Un peu de sa toison, comme un flocon d'écume.

Je passe; enfant, troupeau, s'effacent dans la brume;
Le crépuscule étend sur les longs sillons gris
Ses ailes de fantôme et de chauve-souris;
J'entends encore au loin dans la plaine ouvrière   35
Chanter derrière moi la douce chevrière,
Et, là-bas, devant moi, le vieux gardien pensif
De l'écume, du flot, de l'algue, du récif,
Et des vagues sans trêve et sans fin remuées,
Le pâtre promontoire au chapeau de nuées,   40
S'accoude et rêve au bruit de tous les infinis,
Et, dans l'ascension des nuages bénis,
Regarde se lever la lune triomphale,
Pendant que l'ombre tremble, et que l'âpre rafale
Disperse à tous les vents avec son souffle amer   45
La laine des moutons sinistres de la mer.

BOOZ ENDORMI

BOOZ s'était couché, de fatigue accablé;
   Il avait tout le jour travaillé dans son aire,
   Puis avait fait son lit à sa place ordinaire;
Booz dormait auprès des boisseaux pleins de blé.

Ce vieillard possédait des champs de blés et d'orge;   5
Il était, quoique riche, à la justice enclin;
Il n'avait pas de fange en l'eau de son moulin,
Il n'avait pas d'enfer dans le feu de sa forge.

Sa barbe était d'argent comme un ruisseau d'avril.
Sa gerbe n'était point avare ni haineuse;   10
Quand il voyait passer quelque pauvre glaneuse:
—Laissez tomber exprès des épis, disait-il.

Cet homme marchait pur loin des sentiers obliques,
Vêtu de probité candide et de lin blanc;
Et, toujours du côté des pauvres ruisselant,   15
Ses sacs de grains semblaient des fontaines publiques.

Booz était bon maître et fidèle parent;
Il était généreux, quoiqu'il fût économe;
Les femmes regardaient Booz plus qu'un jeune homme.
Car le jeune homme est beau, mais le vieillard est
        grand.   20

Le vieillard, qui revient vers la source première,
Entre aux jours éternels et sort des jours changeants;
Et l'on voit de la flamme aux yeux des jeunes gens,
Mais dans l'œil du vieillard on voit de la lumière.

Donc, Booz dans la nuit dormait parmi les siens;   25
Près des meules, qu'on eût prises pour des décombres,
Les moissonneurs couchés faisaient des groupes som-
        bres;
Et ceci se passait dans des temps très anciens.

Les tribus d'Israël avaient pour chef un juge;
La terre, où l'homme errait sous la tente, inquiet   30
Des empreintes de pieds de géant qu'il voyait,
Etait encor mouillée et molle du déluge.

Comme dormait Jacob, comme dormait Judith,
Booz, les yeux fermés, gisait sous la feuillée;
Or, la porte du ciel s'étant entre-bâillée   35
Au-dessus de sa tête, un songe en descendit.

Et ce songe était tel, que Booz vit un chêne
Qui, sorti de son ventre, allait jusqu'au ciel bleu;
Une race y montait comme une longue chaîne;
Un roi chantait en bas, en haut mourait un dieu.   40

Et Booz murmurait avec la voix de l'âme:
"Comment se pourrait-il que de moi ceci vînt?
Le chiffre de mes ans a passé quatre vingt,
Et je n'ai pas de fils, et je n'ai plus de femme.

"Voilà longtemps que celle avec qui j'ai dormi,   45
O Seigneur! a quitté ma couche pour la vôtre;
Et nous sommes encor tout mêlés l'un à l'autre,
Elle à demi vivante et moi mort à demi.

"Une race naîtrait de moi! Comment le croire?
Comment se pourrait-il que j'eusse des enfants?   50
Quand on est jeune, on a des matins triomphants,
Le jour sort de la nuit comme d'une victoire;

"Mais, vieux, on tremble ainsi qu'à l'hiver le bouleau.
Je suis veuf, je suis seul, et sur moi le soir tombe,
Et je courbe, ô mon Dieu! mon âme vers la tombe,   55
Comme un bœuf ayant soif penche son front vers
    l'eau."

Ainsi parlait Booz dans le rêve et l'extase,
Tournant vers Dieu ses yeux par le sommeil noyés;
Le cèdre ne sent pas une rose à sa base,
Et lui ne sentait pas une femme à ses pieds.   60

Pendant qu'il sommeillait, Ruth, une moabite,
S'était couchée aux pieds de Booz, le sein nu,
Espérant on ne sait quel rayon inconnu,
Quand viendrait du réveil la lumière subite.

Booz ne savait point qu'une femme était là,   65
Et Ruth ne savait point ce que Dieu voulait d'elle,
Un frais parfum sortait des touffes d'asphodèle;
Les souffles de la nuit flottaient sur Galgala.

L'ombre était nuptiale, auguste et solennelle;
Les anges y volaient sans doute obscurément, 70
Car on voyait passer dans la nuit, par moment,
Quelque chose de bleu qui paraissait une aile.

La respiration de Booz qui dormait,
Se mêlait au bruit sourd des ruisseaux sur la mousse.
On était dans le mois où la nature est douce, 75
Les collines ayant des lis sur leur sommet.

Ruth songeait et Booz dormait; l'herbe était noire;
Les grelots des troupeaux palpitaient vaguement;
Une immense bonté tombait du firmament;
C'était l'heure tranquille où les lions vont boire. 80

Tout reposait dans Ur et dans Jérimadeth;
Les astres émaillaient le ciel profond et sombre;
Le croissant fin et clair parmi ces fleurs de l'ombre
Brillait à l'occident, et Ruth se demandait,

Immobile, ouvrant l'œil à moitié sous ses voiles, 85
Quel dieu, quel moissonneur de l'éternel été
Avait, en s'en allant, négligemment jeté
Cette faucille d'or dans le champ des étoiles.

LA ROSE DE L'INFANTE

ELLE est toute petite; une duègne la garde.
Elle tient à la main une rose et regarde.
Quoi? que regarde-t-elle? Elle ne sait pas. L'eau,
Un bassin qu'assombrit le pin et le bouleau;
Ce qu'elle a devant elle; un cygne aux ailes blanches, 5
Le bercement des flots sous la chanson des branches,

Et le profond jardin rayonnant et fleuri.
Tout ce bel ange a l'air dans la neige pétri.
On voit un grand palais comme au fond d'une gloire,
Un parc, de clairs viviers où les biches vont boire,   10
Et des paons étoilés sous les bois chevelus.
L'innocence est sur elle une blancheur de plus;
Toutes ses grâces font comme un faisceau qui tremble.
Autour de cette enfant l'herbe est splendide et semble
Pleine de vrais rubis et de diamants fins;   15
Un jet de saphirs sort des bouches des dauphins.
Elle se tient au bord de l'eau; sa fleur l'occupe.
Sa basquine est en point de Gênes; sur sa jupe
Une arabesque, errant dans les plis du satin,
Suit les mille détours d'un fil d'or florentin.   20
La rose épanouie et toute grande ouverte,
Sortant du frais bouton comme d'une urne ouverte,
Charge la petitesse exquise de sa main;
Quand l'enfant, allongeant ses lèvres de carmin,
Fronce, en la respirant, sa riante narine,   25
La magnifique fleur, royale et purpurine,
Cache plus qu'à demi ce visage charmant,
Si bien que l'œil hésite, et qu'on ne sait comment
Distinguer de la fleur ce bel enfant qui joue,
Et si l'on voit la rose ou si l'on voit la joue.   30
Ses yeux bleus sont plus beaux sous son pur sourcil
        brun.
En elle tout est joie, enchantement, parfum;
Quel doux regard, l'azur! et quel doux nom, Marie!
Tout est rayon: son œil éclaire et son nom prie.
Pourtant, devant la vie et sous le firmament,   35
Pauvre être! elle se sent très grande vaguement;
Elle assiste au printemps, à la lumière, à l'ombre,
Au grand soleil couchant horizontal et sombre,
A la magnificence éclatante du soir,
Aux ruisseaux murmurants qu'on entend sans les voir,   40

Aux champs, à la nature éternelle et sereine,
Avec la gravité d'une petite reine;
Elle n'a jamais vu l'homme que se courbant;
Un jour, elle sera duchesse de Brabant;
Elle gouvernera la Flandre ou la Sardaigne.   45
Elle est l'infante, elle a cinq ans, elle dédaigne.
Car les enfants des rois sont ainsi; leurs fronts blancs
Portent un cercle d'ombre, et leurs pas chancelants
Sont des commencements de règne. Elle respire
Sa fleur en attendant qu'on lui cueille un empire;   50
Et son regard, déjà royal, dit: C'est à moi.
Il sort d'elle un amour mêlé d'un vague effroi.
Si quelqu'un, la voyant si tremblante et si frêle,
Fût-ce pour la sauver mettait la main sur elle,
Avant qu'il eût pu faire un pas ou dire un mot,   55
Il aurait sur le front l'ombre de l'échafaud.

La douce enfant sourit, ne faisant autre chose
Que de vivre et d'avoir dans la main une rose,
Et d'être là devant le ciel, parmi les fleurs.

Le jour s'éteint; les nids chuchotent, querelleurs;   60
Les pourpres du couchant sont dans les branches
     d'arbre;
La rougeur monte au front des déesses de marbre
Qui semblent palpiter sentant venir la nuit;
Et tout ce qui planait redescend; plus de bruit,
Plus de flamme; le soir mystérieux recueille   65
Le soleil sous la vague et l'oiseau sous la feuille.

Pendant que l'enfant rit, cette fleur à la main,
Dans le vaste palais catholique romain
Dont chaque ogive semble au soleil une mitre,
Quelqu'un de formidable est derrière la vitre;   70
On voit d'en bas une ombre, au fond d'une vapeur,
De fenêtre en fenêtre errer, et l'on a peur;

Cette ombre au même endroit, comme en un cimetière,
Parfois est immobile une journée entière;
C'est un être effrayant qui semble ne rien voir; 75
Il rôde d'une chambre à l'autre, pâle et noir;
Il colle aux vitraux blancs son front lugubre, et songe.
Spectre blême! Son ombre aux feux du soir s'allonge;
Son pas funèbre est lent, comme un glas de beffroi;
Et c'est la Mort, à moins que ce ne soit le Roi. 80

C'est lui; l'homme en qui vit et tremble le royaume.
Si quelqu'un pouvait voir dans l'œil de ce fantôme,
Debout en ce moment l'épaule contre un mur,
Ce qu'on apercevrait dans cet abîme obscur,
Ce n'est pas l'humble enfant, le jardin, l'eau moirée 85
Reflétant le ciel d'or d'une claire soirée,
Les bosquets, les oiseaux se becquetant entre eux.
Non; au fond de cet œil, comme l'onde vitreux,
Sous ce fatal sourcil qui dérobe à la sonde
Cette prunelle autant que l'océan profonde, 90
Ce qu'on distinguerait, c'est, mirage mouvant,
Tout un vol de vaisseaux en fuite dans le vent,
Et, dans l'écume, au pli des vagues, sous l'étoile,
L'immense tremblement d'une flotte à la voile,
Et, là-bas, sous la brume, une île, un blanc rocher, 95
Ecoutant sur les flots ces tonnerres marcher.

Telle est la vision qui, dans l'heure où nous sommes,
Emplit le froid cerveau de ce maître des hommes,
Et qui fait qu'il ne peut rien voir autour de lui.
L'armada, formidable et flottant point d'appui 100
Du levier dont il va soulever tout un monde,
Traverse en ce moment l'obscurité de l'onde;
Le roi, dans son esprit, la suit des yeux, vainqueur,
Et son tragique ennui n'a plus d'autre lueur.

Philippe deux était une chose terrible.   105
Iblis dans le Coran et Caïn dans la Bible
Sont à peine aussi noirs qu'en son Escurial
Ce royal spectre, fils du spectre impérial.
Philippe deux était le Mal tenant le glaive.
Il occupait le haut du monde comme un rêve.   110
Il vivait; nul n'osait le regarder; l'effroi
Faisait une lumière étrange autour du roi;
On tremblait rien qu'à voir passer ses majordomes;
Tant il se confondait, aux yeux troublés des hommes,
Avec l'abîme, avec les astres du ciel bleu!   115
Tant semblait grande à tous son approche de Dieu!
Sa volonté fatale, enfoncée, obstinée,
Etait comme un crampon mis sur la destinée;
Il tenait l'Amérique et l'Inde, il s'appuyait
Sur l'Afrique, il régnait sur l'Europe, inquiet   120
Seulement du côté de la sombre Angleterre;
Sa bouche était silence et son âme mystère;
Son trône était de piège et de fraude construit;
Il avait pour soutien la force de la nuit;
L'ombre était le cheval de sa statue équestre.   125
Toujours vêtu de noir, ce tout-puissant terrestre
Avait l'air d'être en deuil de ce qu'il existait;
Il ressemblait au sphinx qui digère et se tait,
Immuable; étant tout, il n'avait rien à dire.
Nul n'avait vu ce roi sourire; le sourire   130
N'étant pas plus possible à ces lèvres de fer
Que l'aurore à la grille obscure de l'enfer.
S'il secouait parfois sa torpeur de couleuvre,
C'était pour assister le bourreau dans son œuvre,
Et sa prunelle avait pour clarté le reflet   135
Des bûchers sur lesquels par moments il soufflait.
Il était redoutable à la pensée, à l'homme,
A la vie, au progrès, au droit, dévot à Rome;

C'était Satan régnant au nom de Jésus-Christ;
Les choses qui sortaient de son nocturne esprit   140
Semblaient un glissement sinistre de vipères.
L'Escurial, Burgos, Aranjuez, ses repaires,
Jamais n'illuminaient leurs livides plafonds;
Pas de festins, jamais de cour, pas de bouffons;
Les trahisons pour jeu, l'auto-da-fé pour fête.   145
Les rois troublés avaient au-dessus de leur tête
Ses projets dans la nuit obscurément ouverts;
Sa rêverie était un poids sur l'univers;
Il pouvait et voulait tout vaincre et tout dissoudre;
Sa prière faisait le bruit sourd d'une foudre;   150
De grands éclairs sortaient de ses songes profonds.
Ceux auxquels il pensait disaient: Nous étouffons.
Et les peuples, d'un bout à l'autre de l'empire,
Tremblaient, sentant sur eux ces deux yeux fixes luire.

Charles fut le vautour, Philippe est le hibou.   155

Morne en son noir pourpoint, la toison d'or au cou,
On dirait du destin la froide sentinelle;
Son immobilité commande; sa prunelle
Luit comme un soupirail de caverne; son doigt
Semble, ébauchant un geste obscur que nul ne voit,   160
Donner un ordre à l'ombre et vaguement l'écrire.
Chose inouïe! il vient de grincer un sourire.
Un sourire insondable, impénétrable, amer.
C'est que la vision de son armée en mer
Grandit de plus en plus dans sa sombre pensée;   165
C'est qu'il la voit voguer par son dessein poussée,
Comme s'il était là, planant sous le zénith;
Tout est bien; l'océan docile s'aplanit,
L'armada lui fait peur comme au déluge l'arche;
La flotte se déploie en bon ordre de marche,   170
Et, les vaisseaux gardant les espaces fixés,
Echiquier de tillacs, de ponts, de mâts dressés,

Ondule sur les eaux comme une immense claie.
Ces vaisseaux sont sacrés, les flots leur font la haie;
Les courants, pour aider les nefs à débarquer,   175
Ont leur besogne à faire et n'y sauraient manquer;
Autour d'elles la vague avec amour déferle,
L'écueil se change en port, l'écume tombe en perle.
Voici chaque galère avec son gastadour;
Voilà ceux de l'Escaut, voilà ceux de l'Adour;   180
Les cent mestres de camp et les deux connétables;
L'Allemagne a donné ses ourques redoutables,
Naples ses brigantins, Cadix ses galions,
Lisbonne ses marins, car il faut des lions.
Et Philippe se penche, et, qu'importe l'espace?   185
Non seulement il voit, mais il entend. On passe,
On court, on va. Voici le cri des porte-voix,
Le pas des matelots courant sur les pavois,
Les moços, l'amiral appuyé sur son page,
Les tambours, les sifflets des maîtres d'équipage,   190
Les signaux pour la mer, l'appel pour les combats,
Le fracas sépulcral et noir du branle-bas.
Sont-ce des cormorans? sont-ce des citadelles?
Les voiles font un vaste et sourd battement d'ailes;
L'eau gronde, et tout ce groupe énorme vogue, fuit,   195
Et s'enfle et roule avec un prodigieux bruit.
Et le lugubre roi sourit de voir groupées
Sur quatre cents navires quatre-vingt mille épées.
O rictus du vampire assouvissant sa faim!
Cette pâle Angleterre, il la tient donc enfin!   200
Qui pourrait la sauver? Le feu va prendre aux poudres.
Philippe dans sa droite a la gerbe des foudres;
Qui pourrait délier ce faisceau dans son poing?
N'est-il pas le seigneur qu'on ne contredit point?
N'est-il pas l'héritier de César? le Philippe   205
Dont l'ombre immense va du Gange au Pausilippe?

Tout n'est-il pas fini quand il a dit: Je veux!
N'est-ce pas lui qui tient la victoire aux cheveux?
N'est-ce pas lui qui lance en avant cette flotte,
Ces vaisseaux effrayants dont il est le pilote   210
Et que la mer charrie ainsi qu'elle le doit?
Ne fait-il pas mouvoir avec son petit doigt
Tous ces dragons ailés et noirs, essaim sans nombre?
N'est-il pas, lui, le roi? n'est-il pas l'homme sombre
A qui ce tourbillon de monstres obéit?   215
Quand Béit-Cifresil, fils d'Abdallah-Béit,
Eut creusé le grand puits de la mosquée, au Caire,
Il y grava: "Le ciel est à Dieu; j'ai la terre."
Et, comme tout se tient, se mêle et se confond,
Tous les tyrans n'étant qu'un seul despote au fond,   220
Ce que dit ce sultan jadis, ce roi le pense.

Cependant, sur le bord du bassin, en silence,
L'infante tient toujours sa rose gravement,
Et, doux ange aux yeux bleus, la baise par moment.
Soudain un souffle d'air, une de ces haleines   225
Que le soir frémissant jette à travers les plaines,
Tumultueux zéphyr effleurant l'horizon,
Trouble l'eau, fait frémir les joncs, met un frisson
Dans les lointains massifs de myrte et d'asphodèle,
Vient jusqu'au bel enfant tranquille, et, d'un coup
          d'aile,   230
Rapide, et secouant même l'arbre voisin,
Effeuille brusquement la fleur dans le bassin,
Et l'infante n'a plus dans la main qu'une épine.
Elle se penche, et voit sur l'eau cette ruine;
Elle ne comprend pas; qu'est-ce donc? Elle a peur;   235
Et la voilà qui cherche au ciel avec stupeur
Cette brise qui n'a pas craint de lui déplaire.
Que faire? le bassin semble plein de colère;

Lui, si clair tout à l'heure, il est noir maintenant;
Il a des vagues; c'est une mer bouillonnant;   240
Toute la pauvre rose est éparse sur l'onde;
Ses cent feuilles que noie et roule l'eau profonde,
Tournoyant, naufrageant, s'en vont de tous côtés
Sur mille petits flots par la brise irrités;
On croit voir dans un gouffre une flotte qui sombre.   245
—"Madame, dit la duègne avec sa face d'ombre
A la petite fille étonnée et rêvant,
Tout sur terre appartient aux princes, hors le vent."

LE SATYRE

II

LE NOIR

LE satyre chanta la terre monstrueuse.

L'eau, perfide sur mer, dans les champs tortueuse,
Sembla dans son prélude errer comme à travers
Les sables, les graviers, l'herbe et les roseaux verts;
Puis il dit l'Océan, typhon couvert de baves,   5
Puis la Terre lugubre avec toutes ses caves,
Son dessous effrayant, ses trous, ses entonnoirs,
Où l'ombre se fait onde, où vont des fleuves noirs,
Où le volcan, noyé sous d'affreux lacs, regrette
La montagne, son casque, et le feu, son aigrette,   10
Où l'on distingue, au fond des gouffres inouïs,
Les vieux enfers éteints des dieux évanouis.
Il dit la sève; il dit la vaste plénitude
De la nuit, du silence et de la solitude,
Le froncement pensif du sourcil des rochers;   15
Sorte de mer ayant les oiseaux pour nochers,
Pour algue le buisson, la mousse pour éponge,
La végétation aux mille têtes songe;

Les arbres pleins de vent ne sont pas oublieux;
Dans la vallée, au bord des lacs, sur les hauts lieux,   20
Ils gardent la figure antique de la terre;
Le chêne est entre tous profond, fidèle, austère;
Il protège et défend le coin du bois ami
Où le gland l'engendra s'entr'ouvrant à demi,
Où son ombrage attire et fait rêver le pâtre.   25
Pour arracher de là ce vieil opiniâtre,
Que d'efforts, que de peine au rude bûcheron!
Le sylvain raconta Dodone et Cithéron,
Et tout ce qu'aux bas-fonds d'Hémus, sur l'Érymanthe,
Sur l'Hymète, l'autan tumultueux tourmente;   30
Avril avec Tellus pris en flagrant délit,
Les fleuves recevant les sources dans leur lit,
La grenade montrant sa chair sous sa tunique,
Le rut religieux du grand cèdre cynique,
Et, dans l'âcre épaisseur des branchages flottants,   35
La palpitation sauvage du printemps.

"Tout l'abîme est sous l'arbre énorme comme une urne.
La terre sous la plante ouvre son puits nocturne
Plein de feuilles, de fleurs et de l'amas mouvant
Des rameaux que, plus tard, soulèvera le vent,   40
Et dit:—Vivez! Prenez. C'est à vous. Prends, brin
          d'herbe!
Prends, sapin!—La forêt surgit; l'arbre superbe
Fouille le globe avec une hydre sous ses pieds;
La racine effrayante aux longs cous repliés,
Aux mille becs béants dans la profondeur noire,   45
Descend, plonge, atteint l'ombre et tâche de la boire,
Et, bue, au gré de l'air, du lieu, de la saison,
L'offre au ciel en encens ou la crache en poison,
Selon que la racine, embaumée ou malsaine,
Sort, parfum, de l'amour, ou, venin, de la haine.   50

De là, pour les héros, les grâces et les dieux,
L'œillet, le laurier-rose ou le lys radieux,
Et, pour l'homme qui pense et qui voit, la ciguë.

"Mais qu'importe à la terre? Au chaos contiguë,
Elle fait son travail d'accouchement sans fin.   55
Elle a pour nourrisson l'universelle faim.
C'est vers son sein qu'en bas les racines s'allongent.
Les arbres sont autant de mâchoires qui rongent
Les éléments, épars dans l'air souple et vivant;
Ils dévorent la pluie, ils dévorent le vent;   60
Tout leur est bon, la nuit, la mort; la pourriture
Voit la rose et lui va porter sa nourriture;
L'herbe vorace broute au fond des bois touffus;
A toute heure, on entend le craquement confus
Des choses sous la dent des plantes; on voit paître   65
Au loin, de toutes parts, l'immensité champêtre;
L'arbre transforme tout dans son puissant progrès;
Il faut du sable, il faut de l'argile et du grès;
Il en faut au lentisque, il en faut à l'yeuse,
Il en faut à la ronce, et la terre joyeuse   70
Regarde la forêt formidable manger."

Le satyre semblait dans l'abîme songer;
Il peignit l'arbre vu du côté des racines,
Le combat souterrain des plantes assassines,
L'antre que le feu voit, qu'ignore le rayon,   75
Le revers ténébreux de la création,
Comment filtre la source et flambe le cratère;
Il avait l'air de suivre un esprit sous la terre;
Il semblait épeler un magique alphabet;
On eût dit que sa chaîne invisible tombait;   80
Il braillait; on voyait s'échapper de sa bouche
Son rêve avec un bruit d'ailes vague et farouche:

"Les forêts sont le lieu lugubre; la terreur,
Noire, y résiste même au matin, ce doreur;
Les arbres tiennent l'ombre enchaînée à leurs tiges;   85
Derrière le réseau ténébreux des vertiges,
L'aube est pâle, et l'on voit se tordre les serpents
Des branches sur l'aurore horribles et rampants;
Là, tout tremble; au-dessus de la ronce hagarde,
Le mont, ce grand témoin, se soulève et regarde;   90
La nuit, les hauts sommets, noyés dans la vapeur,
Les antres froids, ouvrant la bouche avec stupeur,
Les blocs, ces durs profils, les rochers, ces visages
Avec qui l'ombre voit dialoguer les sages,
Guettent le grand secret, muets, le cou tendu;   95
L'œil des montagnes s'ouvre et contemple, éperdu;
On voit s'aventurer dans les profondeurs fauves
La curiosité de ces noirs géants chauves;
Ils scrutent le vrai ciel, de l'Olympe inconnu;
Ils tâchent de saisir quelque chose de nu;   100
Ils sondent l'étendue auguste, chaste, austère,
Irritée, et, parfois surprenant le mystère,
Aperçoivent la Cause au pur rayonnement,
Et l'Énigme sacrée, au loin, sans vêtement,
Montrant sa forme blanche au fond de l'insondable.   105
O nature terrible! ô lien formidable
Du bois qui pousse avec l'idéal contemplé!
Bain de la déité dans le gouffre étoilé!
Farouche nudité de la Diane sombre
Qui, de loin regardée et vue à travers l'ombre,   110
Fait croître au front des rocs les arbres monstrueux!
O forêt!"

Le sylvain avait fermé les yeux;
La flûte que, parmi des mouvements de fièvre,
Il prenait et quittait, importunait sa lèvre;   115

Le faune la jeta sur le sacré sommet;
Sa paupière était close, on eût dit qu'il dormait,
Mais ses cils roux laissaient passer de la lumière.

Il poursuivit:

        "Salut! Chaos! gloire à la Terre!   120
Le chaos est un dieu; son geste est l'élément;
Et lui seul a ce nom sacré: Commencement.
C'est lui qui, bien avant la naissance de l'heure,
Surprit l'aube endormie au fond de sa demeure,
Avant le premier jour et le premier moment;   125
C'est lui qui, formidable, appuya doucement
La gueule de la nuit aux lèvres de l'aurore,
Et c'est de ce baiser qu'on vit l'étoile éclore.
Le chaos est l'époux lascif de l'infini.
Avant le Verbe, il a rugi, sifflé, henni;   130
Les animaux, aînés de tout, sont les ébauches
De sa fécondité comme de ses débauches.
Fussiez-vous dieux, songez en voyant l'animal!
Car il n'est pas le jour, mais il n'est pas le mal.
Toute la force obscure et vague de la terre   135
Est dans la brute, larve auguste et solitaire;
La sibylle au front gris le sait, et les devins
Le savent, ces rôdeurs des sauvages ravins;
Et c'est là ce qui fait que la thessalienne
Prend des touffes de poils aux cuisses de l'hyène,   140
Et qu'Orphée écoutait, hagard, presque jaloux,
Le chant sombre qui sort du hurlement des loups."

—Marsyas! murmura Vulcain, l'envieux louche.
Apollon attentif mit le doigt sur sa bouche.
Le faune ouvrit les yeux, et peut-être entendit;   145
Calme, il prit son genou dans ses deux mains, et dit:

"Et maintenant, ô dieux! écoutez ce mot: L'âme!
Sous l'arbre qui bruit, près du monstre qui brame,
Quelqu'un parle. C'est l'Ame. Elle sort du chaos.
Sans elle, pas de vents, le miasme; pas de flots,   150
L'étang; l'âme, en sortant du chaos, le dissipe;
Car il n'est que l'ébauche et l'âme est le principe.
L'Être est d'abord moitié brute et moitié forêt;
Mais l'Air veut devenir l'Esprit, l'homme apparaît.
L'homme! qu'est que c'est que ce sphinx? Il com-
    mence   155
En sagesse, ô mystère! et finit en démence.
O ciel qu'il a quitté, rends-lui son âge d'or!"

Le faune, interrompant son orageux essor,
Ouvrit d'abord un doigt, puis deux, puis un troi-
    sième,
Comme quelqu'un qui compte en même temps qu'il
    sème,   160
Et cria, sur le haut Olympe vénéré:

"O dieux! l'arbre est sacré, l'animal est sacré,
L'homme est sacré; respect à la terre profonde!
La terre où l'homme crée, invente, bâtit, fonde,
Géant possible, encor caché dans l'embryon,   165
La terre où l'animal erre autour du rayon,
La terre où l'arbre ému prononce des oracles,
Dans l'obscur infini tout rempli de miracles,
Est le prodige, ô dieux! le plus proche de vous;
C'est le globe inconnu qui vous emporte tous,   170
Vous les éblouissants, la grande bande altière,
Qui dans des coupes d'or buvez de la lumière,
Vous qu'une aube précède et qu'une flamme suit,
Vous les dieux, à travers la formidable nuit!"

Le sueur ruisselait sur le front du satyre,   175
Comme l'eau du filet que des mers on retire;
Ses cheveux s'agitaient comme au vent libyen.

Phœbus lui dit:—Veux-tu la lyre?

                                          —Je veux bien,
Dit le faune; et, tranquille, il prit la grande lyre.   180

Alors il se dressa debout dans le délire
Des rêves, des frissons, des aurores, des cieux.
Avec deux profondeurs splendides dans les yeux.
—Il est beau! murmura Vénus épouvantée.

Et Vulcain, s'approchant d'Hercule, dit: Antée.   185
Hercule repoussa du coude ce boiteux.

III

LE SOMBRE

Il ne les voyait pas, quoiqu'il fût devant eux.

Il chanta l'Homme. Il dit cette aventure sombre,
L'homme, le chiffre élu, tête auguste du nombre,
Effacé par sa faute, et, désastreux reflux,   190
Retombé dans la nuit de ce qu'on ne voit plus;
Il dit les premiers temps, le bonheur, l'Atlantide
Comment le parfum pur devint miasme fétide,
Comme l'hymne expira sous le clair firmament,
Comment la liberté devint joug, et comment   195
Le silence se fit sur la terre domptée;
Il ne prononça pas le nom de Promethée,
Mais il avait dans l'œil l'éclair du feu volé;
Il dit l'humanité mise sous le scellé,

Il dit tous les forfaits et toutes les misères,   200
Depuis les rois peu bons jusqu'aux dieux peu sincères.
Tristes hommes; ils ont vu le ciel se fermer.
En vain, pieux, ils ont commencé par s'aimer;
En vain, frères, ils ont tué la Haine infâme,
Le monstre à l'aile onglée, aux sept gueules de
    flamme;   205
Hélas! comme Cadmus, ils ont bravé le sort;
Ils ont semé les dents de la bête; il en sort
Des spectres tournoyant comme la feuille morte,
Qui combattent, l'épée à la main, et qu'emporte
L'évanouissement du vent mystérieux.   210
Ces spectres sont les rois; ces spectres sont les dieux.
Ils renaissent sans fin, ils reviennent sans cesse;
L'antique égalité devient sous eux bassesse;
Dracon donne la main à Busiris; la Mort
Se fait code, et se met aux ordres du plus fort,   215
Et le dernier soupir libre et divin s'exhale
Sous la difformité de la loi colossale.
L'homme se tait, ployé sous cet entassement;
Il se venge; il devient pervers; il vole, il ment;
L'âme inconnue et sombre a des vices d'esclave;   220
Puisqu'on lui met un mont sur elle, elle en sort lave;
Elle brûle et ravage au lieu de féconder.
Et dans le chant du faune on entendait gronder
Tout l'essaim des fléaux furieux qui se lève.
Il dit la guerre; il dit la trompette et le glaive;   225
La mêlée en feu, l'homme égorgé sans remord,
La gloire, et dans la joie affreuse de la mort
Les plis voluptueux des bannières flottantes;
L'aube naît; les soldats s'éveillent sous les tentes;
La nuit, même en plein jour, les suit, planant sur
    eux;   230
L'armée en marche ondule au fond des chemins creux;

La baliste en roulant s'enfonce dans les boues;
L'attelage fumant tire et l'on pousse aux roues;
Cris des chefs, pas confus; les moyeux des charrois
Balafrent les talus des ravins trop étroits. 235
On se rencontre, ô choc hideux! les deux armées
Se heurtent, de la même épouvante enflammées,
Car la rage guerrière est un gouffre d'effroi.
O vaste effarement! chaque bande a son roi.
Perce, épée! ô cognée, abats! massue, assomme! 240
Cheval, foule aux pieds de l'homme, et l'homme et
    l'homme et l'homme!
Hommes, tuez, traînez les chars, roulez les tours;
Maintenant, pourrissez, et voici les vautours!
Des guerres sans fin naît le glaive héréditaire;
L'homme fuit dans les trous, au fond des bois, sous
    terre; 245
Et, soulevant le bloc qui ferme son rocher,
Ecoute s'il entend les rois là-haut marcher;
Il se hérisse; l'ombre aux animaux le mêle;
Il déchoit; plus de femme, il n'a qu'une femelle;
Plus d'enfants, des petits; l'amour qui le séduit 250
Est fils de l'Indigence et de l'Air de la nuit;
Tous ses instincts sacrés à la fange aboutissent;
Les rois, après l'avoir fait taire, l'abrutissent
Si bien que le bâillon est maintenant un mors.
Et sans l'homme pourtant les horizons sont morts; 255
Qu'est la création sans cette initiale?
Seul sur la terre il a la lueur faciale;
Seul il parle; et sans lui tout est décapité.
Et l'on vit poindre aux yeux du faune la clarté
De deux larmes coulant comme à travers la flamme. 260
Il montra tout le gouffre acharné contre l'âme;
Les ténèbres croisant leurs funestes rameaux;
Et la forêt du sort et la meute des maux,

Les hommes se cachant, les dieux suivant leurs pistes.
Et, pendant qu'il chantait toutes ces strophes tristes,   265
Le grand souffle vivant, ce transfigurateur,
Lui mettait sous les pieds la céleste hauteur;
En cercle autour de lui se taisaient les Borées;
Et, comme par un fil invisible tirées,
Les brutes, loups, renards, ours, lions chevelus,   270
Panthères, s'approchaient de lui de plus en plus;
Quelques-unes étaient si près des dieux venues,
Pas à pas, qu'on voyait leurs gueules dans les nues.
Les dieux ne riaient plus; tous ces victorieux,
Tous ces rois, commençaient à prendre au sérieux   275
Cette espèce d'esprit qui sortait d'une bête.

Il reprit:

      "Donc, les dieux et les rois sur le faîte,
L'homme en bas; pour valets aux tyrans, les fléaux.
L'homme ébauché ne sort qu'à demi du chaos,   280
Et jusqu'à la ceinture il plonge dans la brute;
Tout le trahit; parfois, il renonce à la lutte.
Où donc est l'espérance? Elle a lâchement fui.
Toutes les surdités s'entendent contre lui;
Le sol l'alourdit, l'air l'enfièvre, l'eau l'isole;   285
Autour de lui la mer sinistre se désole;
Grâce au hideux complot de tous ces guets-apens,
Les flammes, les éclairs, sont contre lui serpents;
Ainsi que le héros l'aquilon le soufflette;
La peste aide le glaive, et l'élément complète   290
Le despote, et la nuit s'ajoute au conquérant;
Ainsi la Chose vient mordre aussi l'homme, et prend
Assez d'âme pour être une force, complice
De son impénétrable et nocturne supplice;
Et la Matière, hélas! devient Fatalité.   295
Pourtant qu'on prenne garde à ce déshérité!

Dans l'ombre, une heure est là qui s'approche, et fris-
    sonne
Qui sera la terrible et qui sera la bonne,
Qui viendra te sauver, homme, car tu l'attends,
Et changer la figure implacable du temps!   300
Qui connaît le destin? qui sonda le peut-être?
Oui, l'heure énorme vient, qui fera tout renaître,
Vaincra tout, changera le granit en aimant,
Fera pencher l'épaule au morne escarpement,
Et rendra l'impossible aux hommes praticable.   305
Avec ce qui l'opprime, avec ce qui l'accable,
Le genre humain se va forger son point d'appui;
Je regarde le gland qu'on appelle aujourd'hui,
J'y vois le chêne; un feu vit sous la cendre éteinte.
Misérable homme, fait pour la révolte sainte,   310
Ramperas-tu toujours parce que tu rampas?
Qui sait si quelque jour on ne te verra pas,
Fier, suprême, atteler les forces de l'abîme,
Et, dérobant l'éclair à l'Inconnu sublime,
Lier ce char d'un autre à deux chevaux à toi?   315
Oui, peut-être on verra l'homme devenir loi,
Terrasser l'élément sous lui, saisir et tordre
Cette anarchie au point d'en faire jaillir l'ordre,
Le saint ordre de paix, d'amour et d'unité,
Dompter tout ce qui l'a jadis persécuté,   320
Se construire à lui-même une étrange monture
Avec toute la vie et toute la nature,
Seller la croupe en feu des souffles de l'enfer,
Et mettre un frein de flamme à la gueule du fer!
On le verra, vannant la braise dans son crible,   325
Maître et palefrenier d'une bête terrible,
Criant à toute chose: Obéis, germe, nais!
Ajustant sur le bronze et l'acier un harnais
Fait de tous les secrets que l'étude procure,
Prenant aux mains du vent la grande bride obscure,   330

Passer dans la lueur ainsi que les démons,
Et traverser les bois, les fleuves et les monts,
Beau, tenant une torche aux astres allumée,
Sur une hydre d'airain, de foudre et de fumée!
On l'entendra courir dans l'ombre avec le bruit   335
De l'aurore enfonçant les portes de la nuit!
Qui sait si quelque jour, grandissant d'âge en âge,
Il ne jettera pas son dragon à la nage,
Et ne franchira pas les mers, la flamme au front?
Qui sait si, quelque jour, brisant l'antique affront,   340
Il ne lui dira pas: Envole-toi, matière!
S'il ne franchira point la tonnante frontière;
S'il n'arrachera pas de son corps brusquement
La pesanteur, peau vile, immonde vêtement
Que la fange hideuse à la pensée inflige?   345
De sorte qu'on verra tout à coup, ô prodige!
Ce ver de terre ouvrir ses ailes dans les cieux.
Oh! lève-toi, sois grand, homme! va, factieux!
Homme, un orbite d'astre est un anneau de chaîne,
Mais cette chaîne-là, c'est la chaîne sereine,   350
C'est la chaîne d'azur, c'est la chaîne du ciel;
Celle-là, tu t'y dois rattacher, ô mortel,
Afin—car un esprit se meut comme une sphère—
De faire aussi ton cercle autour de la lumière!
Entre dans le grand chœur! va, franchis ce degré,   355
Quitte le joug infâme et prends le joug sacré!
Deviens l'Humanité, triple, homme, enfant et femme!
Transfigure-toi! va! sois de plus en plus l'âme!
Esclave, grain d'un roi, démon, larve d'un dieu,
Prends le rayon, saisis l'aube, usurpe le feu;   360
Torse ailé, front divin, monte au jour, monte au trône
Et dans la sombre nuit jette les pieds du faune!"

IV

L'ÉTOILÉ

Le satyre un moment s'arrêta, respirant
Comme un homme levant son front hors d'un torrent;
Un autre être semblait sous sa face apparaître; 365
Les dieux s'étaient tournés inquiets vers le maître,
Et, pensifs, regardaient Jupiter stupéfait.

Il reprit:

      "Sous le poids hideux qui l'étouffait,
Le réel renaîtra, dompteur du mal immonde. 370
Dieux, vous ne savez pas ce que c'est que le monde;
Dieux, vous avez vaincu, vous n'avez pas compris.
Vous avez au-dessus de vous d'autres esprits,
Qui, dans le feu, la nue, et l'onde et la bruine,
Songent, en attendant votre immense ruine. 375
Mais qu'est-ce que cela me fait à moi qui suis
La prunelle effarée au fond des vastes nuits?
Dieux, il est d'autres sphinx que le vieux sphinx de
    Thèbe.
Sachez ceci, tyrans de l'homme et de l'Érèbe,
Dieux qui versez le sang, dieux dont on voit le fond, 380
Nous nous sommes tous faits bandits sur ce grand mont
Où la terre et ciel semblent en équilibre,
Mais vous pour être rois et moi pour être libre.
Pendant que vous semez haine, fraude et trépas,
Et que vous enjambez tout le crime en trois pas, 385
Moi je songe. Je suis l'œil fixe des cavernes.
Je vais. Olympes bleus et ténébreux Avernes,
Temples, charniers, forêts, cités, aigle, alcyon,
Sont devant mon regard la même vision;
Les dieux, les fléaux, ceux d'à présent, ceux d'ensuite, 390
Traversent ma lueur et sont la même fuite.

Je suis témoin que tout disparaît. Quelqu'un est.
Mais celui-là, jamais l'homme ne le connaît.
L'humanité suppose, ébauche, essaie, approche;
Elle façonne un marbre, elle taille une roche   395
Et fait une statue et dit: Ce sera lui.
L'homme reste devant cette pierre ébloui;
Et tous les à peu près, quels qu'ils soient, ont des
    prêtres.
Soyez les Immortels, faites! broyez les êtres,
Achevez ce vain tas de vivants palpitants,   400
Régnez; quand vous aurez, encore un peu de temps,
Ensanglanté le ciel que la lumière azure,
Quand vous aurez, vainqueurs, comblé votre mesure,
C'est bien, tout sera dit, vous serez remplacés
Par ce noir dieu final que l'homme appelle Assez!   405
Car Delphe et Pise sont comme des chars qui roulent,
Et les choses qu'on crut éternelles s'écroulent
Avant qu'on ait le temps de compter jusqu'à vingt."

Tout en parlant ainsi, le satyre devint
Démesuré; plus grand d'abord que Polyphème,   410
Puis plus grand que Typhon qui hurle et qui blas-
    phème
Et qui heurte ses poings ainsi que des marteaux,
Puis plus grand que Titan, puis plus grand que
    l'Athos;
L'espace immense entra dans cette forme noire;
Et, comme le marin voit croître un promontoire,   415
Les dieux dressés voyaient grandir l'être effrayant;
Sur son front blêmissait un étrange orient;
Sa chevelure était une forêt; des ondes,
Fleuves, lacs, ruisselaient de ses hanches profondes;
Ses deux cornes semblaient le Caucase et l'Atlas;   420
Les foudres l'entouraient avec de sourds éclats;

Sur ses flancs palpitaient des prés et des campagnes,
Et des difformités s'étaient faites montagnes;
Les animaux qu'avaient attirés ses accords,
Daims et tigres, montaient tout le long de son corps; 425
Des avrils tout en fleur verdoyaient sur ses membres;
Le pli de son aisselle abritait des décembres;
Et des peuples errants demandaient leur chemin,
Perdus au carrefour des cinq doigts de sa main.
Des aigles tournoyaient dans sa bouche béante; 430
La lyre, devenue en le touchant géante,
Chantait, pleurait, grondait, tonnait, jetait des cris,
Les ouragans étaient dans les sept cordes pris
Comme des moucherons dans de lugubres toiles;
Sa poitrine terrible était pleine d'étoiles. 435

Il cria:

      "L'avenir, tel que les cieux le font,
C'est l'élargissement dans l'infini sans fond,
C'est l'esprit pénétrant de toutes parts la chose!
On mutile l'effet en limitant la cause; 440
Monde, tout le mal vient de la forme des dieux.
On fait du ténébreux avec le radieux;
Pourquoi mettre au-dessus de l'Etre, des fantômes?
Les clartés, les éthers, ne sont pas des royaumes.
Place au fourmillement éternel des cieux noirs, 445
Des cieux bleus, des midis, des aurores, des soirs!
Place à l'atome saint, qui brûle ou qui ruisselle!
Place au rayonnement de l'âme universelle!
Un roi c'est de la guerre, un dieu c'est de la nuit.
Liberté, vie et foi, sur le dogme détruit! 450
Partout une lumière et partout un génie!
Amour! tout s'entendra, tout étant l'harmonie!
L'azur du ciel sera l'apaisement des loups.
Place à Tout! Je suis Pan; Jupiter! à genoux!"

Alfred de Musset

DÉDICACE

VOICI, mon cher ami, ce que je vous dédie:
    Quelque chose approchant comme une tra-
       gédie,
Un spectacle; en un mot, quatre mains de papier.
J'attendrai là-dessus que le diable m'éveille.
Il est sain de dormir—ignoble de bâiller.   5
J'ai fait trois mille vers: allons, c'est à merveille.
Baste! il faut s'en tenir à sa vocation.
Mais quelle singulière et triste impression
Produit un manuscrit!—Tout à l'heure, à ma table,
Tout ce que j'écrivais me semblait admirable.   10
Maintenant, je ne sais,—je n'ose y regarder.
Au moment du travail, chaque nerf, chaque fibre
Tressaille comme un luth que l'on vient d'accorder.
On n'écrit pas un mot que tout l'être ne vibre.
(Soit dit sans vanité, c'est ce que l'on ressent.)   15
On ne travaille pas,—on écoute,—on attend.
C'est comme un inconnu qui vous parle à voix basse.
On reste quelquefois une nuit sur la place,
Sans faire un mouvement et sans se retourner.
On est comme un enfant dans ses habits de fête,   20
Qui craint de se salir et de se profaner;
Et puis,—et puis,—enfin!—on a mal à la tête.

Quel étrange réveil!—comme on se sent boiteux!
Comme on voit que Vulcain vient de tomber des
    cieux. . . .

Si tout finissait là! voilà le mot terrible.   25
C'est Jésus, couronné d'une flamme invisible,
Venant du Pharisien partager le repas.
Le Pharisien parfois voit luire une auréole,
Sur son hôte divin,—puis, quand elle s'envole,
Il dit au Fils de Dieu: Si tu ne l'étais pas?   30
Je suis le Pharisien, et je dis à mon hôte:
Si ton démon céleste était un imposteur?
Il ne s'agit pas là de reprendre une faute,
De retourner un vers comme un commentateur,
Ni de se remâcher comme un bœuf qui rumine.   35
Il est assez de mains, chercheuses de vermine,
Qui savent éplucher un écrit malheureux,
Comme un pâtre espagnol épluche un chien lépreux,
Mais croire que l'on tient les pommes d'Hespérides
Et presser tendrement un navet sur son cœur!   40
Voilà, mon cher ami, ce qui porte un auteur
A des autodafés—à des infanticides. . . .

Je ne fais pas grand cas, pour moi, de la critique.
Toute mouche qu'elle est, c'est rare qu'elle pique.
On m'a dit l'an passé que j'imitais Byron: 45
Vous qui me connaissez, vous savez bien que non.
Je hais comme la mort l'état de plagiaire;
Mon verre n'est pas grand mais je bois dans mon verre.
C'est bien peu, je le sais, que d'être homme de bien,
Mais toujours est-il vrai que je n'exhume rien.   50

Je ne me suis pas fait écrivain politique,
N'étant pas amoureux de la place publique.
D'ailleurs, il n'entre pas dans mes prétentions
D'être l'homme du siècle et de ses passions:

C'est un triste métier que de suivre la foule 55
Et de vouloir crier plus fort que les meneurs,
Pendant qu'on se raccroche au manteau des traîneurs.
On est toujours à sec, quand le fleuve s'écoule. . . .

Vous me demanderez si j'aime ma patrie.
Oui;—j'aime fort aussi l'Espagne et la Turquie. 60
Je ne hais pas la Perse, et je crois les Hindous
De très honnêtes gens qui boivent comme nous.
Mais je hais les cités, les pavés et les bornes,
Tout ce qui porte l'homme à se mettre en troupeau,
Pour vivre entre deux murs et quatre faces mornes, 65
Le front sous un moellon, les pieds sur un tombeau.
Vous me demanderez si je suis catholique.
Oui;—j'aime fort aussi les dieux Lath et Nésu.
Tartak et Pimpocau me semblent sans réplique;
Que dites-vous encor de Parabavastu? 70
J'aime Bidi,—Khoda me paraît un bon sire;
Et quant à Kichatan, je n'ai rien à lui dire.
C'est un bon petit dieu que le dieu Michapous.
Mais je hais les cagots, les robins et les cuistres,
Qu'ils servent Pimpocau, Mahomet ou Vichnou, 75
Vous pouvez de ma part répondre à leurs ministres
Que je ne sais comment je vais je ne sais où.

Vous me demanderez si j'aime la sagesse.
Oui;—j'aime fort aussi le tabac à fumer.
J'estime le bordeaux, surtout dans sa vieillesse; 80
J'aime tous les vins francs, parce qu'ils font aimer.
Mais je hais les cafards, et la race hypocrite
Des tartufes de mœurs, comédiens insolents,
Qui mettent leurs vertus en mettant leurs gants blancs.
Le diable était bien vieux lorsqu'il se fit ermite. 85
Je le serai si bien, quand ce jour-là viendra,
Que ce sera le jour où l'on m'enterrera.

Vous me demanderez si j'aime la nature.
Oui;—j'aime fort aussi les arts et la peinture.
Le corps de la Vénus me paraît merveilleux.   90
La plus superbe femme est-elle préférable?
Elle parle, il est vrai, mais l'autre est admirable,
Et je suis quelquefois pour les silencieux.
Mais je hais les pleurards, les rêveurs à nacelles,
Les amants de la nuit, des lacs, des cascatelles,   95
Cette engeance sans nom, qui ne peut faire un pas
Sans s'inonder de vers, de pleurs et d'agendas.
La nature, sans doute, est comme on veut la prendre.
Il se peut, après tout, qu'ils sachent la comprendre;
Mais eux certainement, je ne les comprends pas . . .   100

Vous me demanderez si j'aime quelque chose.
Je m'en vais vous répondre à peu près comme Hamlet:
Doutez, Ophélia, de tout ce qui vous plaît,
De la clarté des cieux, du parfum de la rose;
Doutez de la vertu, de la nuit et du jour;   105
Doutez de tout au monde, et jamais de l'amour . . .

Doutez, si vous voulez, de l'être qui vous aime,
D'une femme ou d'un chien,—mais non de l'amour
    même.
L'amour est tout,—l'amour, et la vie au soleil.
Aimer est le grand point, qu'importe la maîtresse?   110
Qu'importe le flacon, pourvu qu'on ait l'ivresse?
Faites-vous de ce monde un songe sans réveil. . . .

LA NUIT DE MAI

LA MUSE

POÈTE, prends ton luth et me donne un baiser;
La fleur de l'églantier sent ses bourgeons éclore.
Le printemps naît ce soir; les vents vont s'em-
    braser,
Et la bergeronnette, en attendant l'aurore,
Aux premiers buissons verts commence à se poser.   5
Poète, prends ton luth et me donne un baiser.

LE POÈTE

Comme il fait noir dans la vallée!
J'ai cru qu'une forme voilée
Flottait là-bas sur la forêt.
Elle sortait de la prairie;   10
Son pied rasait l'herbe fleurie;
C'est une étrange rêverie;
Elle s'efface et disparaît.

LA MUSE

Poète, prends ton luth; la nuit, sur la pelouse,
Balance le zéphyr dans son voile odorant.   15
La rose, vierge encor, se referme jalouse
Sur le frelon nacré qu'elle enivre en mourant.
Ecoute! tout se tait; songe à ta bien-aimée.
Ce soir, sous les tilleuls, à la sombre ramée
Le rayon du couchant laisse un adieu plus doux.   20
Ce soir, tout va fleurir: l'immortelle nature
Se remplit de parfums, d'amour et de murmure,
Comme le lit joyeux de deux jeunes époux.

LE POÈTE

Pourquoi mon cœur bat-il si vite?
Qu'ai-je donc en moi qui s'agite   25
Dont je me sens épouvanté?
Ne frappe-t-on pas à ma porte?
Pourquoi ma lampe à demi morte
M'éblouit-elle de clarté?
Dieu puissant! tout mon corps frissonne.   30
Qui vient? qui m'appelle?—Personne.
Je suis seul; c'est l'heure qui sonne;
O solitude! ô pauvreté!

LA MUSE

Poète, prends ton luth; le vin de la jeunesse
Fermente cette nuit dans les veines de Dieu.   35
Mon sein est inquiet; la volupté l'oppresse,
Et les vents altérés m'ont mis la lèvre en feu.
O paresseux enfant! regarde, je suis belle.
Notre premier baiser, ne t'en souviens-tu pas,
Quand je te vis si pâle au toucher de mon aile,   40
Et que, les yeux en pleurs, tu tombas dans mes bras?
Ah! je t'ai consolé d'une amère souffrance!
Hélas! bien jeune encor, tu te mourais d'amour.
Console-moi ce soir, je me meurs d'espérance;
J'ai besoin de prier pour vivre jusqu'au jour.   45

LE POÈTE

Est-ce toi dont la voix m'appelle,
O ma pauvre Muse! est-ce toi?
O ma fleur! ô mon immortelle!
Seul être pudique et fidèle
Où vive encor l'amour de moi!   50

Oui, te voilà, c'est toi, ma blonde,
C'est toi, ma maîtresse et ma sœur!
Et je sens, dans la nuit profonde,
De ta robe d'or qui m'inonde
Les rayons glisser dans mon cœur.   55

LA MUSE

Poëte, prends ton luth; c'est moi, ton immortelle,
Qui t'ai vu cette nuit triste et silencieux,
Et qui, comme un oiseau que sa couvée appelle,
Pour pleurer avec toi descends du haut des cieux.
Viens, tu souffres, ami. Quelque ennui solitaire   60
Te ronge; quelque chose a gémi dans ton cœur;
Quelque amour t'est venu, comme on en voit sur terre.
Une ombre de plaisir, un semblant de bonheur.
Viens, chantons devant Dieu; chantons dans tes
    pensées,
Dans tes plaisirs perdus, dans tes peines passées;   65
Partons, dans un baiser, pour un monde inconnu.
Eveillons au hasard les échos de ta vie,
Parlons-nous de bonheur, de gloire et de folie,
Et que ce soit un rêve, et le premier venu.
Inventons quelque part des lieux où l'on oublie;   70
Partons, nous sommes seuls, l'univers est à nous.
Voici la verte Écosse et la brune Italie,
Et la Grèce, ma mère, où le miel est si doux,
Argos, et Ptéléon, ville des hécatombes,
Et Messa la divine, agréable aux colombes;   75
Et le front chevelu du Pélion changeant;
Et le bleu Titarèse, et le golfe d'argent
Qui montre dans ses eaux, où le cygne se mire,
La blanche Oloossone à la blanche Camyre.
Dis-moi, quel songe d'or nos chants vont-ils bercer?   80
D'où vont venir les pleurs que nous allons verser?

Ce matin, quand le jour a frappé ta paupière,
Quel séraphin pensif, courbé sur ton chevet,
Secouait des lilas dans sa robe légère,
Et te contait tout bas les amours qu'il rêvait?   85
Chanterons-nous l'espoir, la tristesse ou la joie?
Tremperons-nous de sang les bataillons d'acier?
Suspendrons-nous l'amant sur l'échelle de soie?
Jetterons-nous au vent l'écume du coursier?
Dirons-nous quelle main, dans les lampes sans nombre   90
De la maison céleste, allume nuit et jour
L'huile sainte de vie et d'éternel amour?
Crierons-nous à Tarquin: "Il est temps, voici l'ombre!"
Descendrons-nous cueillir la perle au fond des mers?
Mènerons-nous la chèvre aux ébéniers amers?   95
Monterons-nous le ciel à la Mélancolie?
Suivrons-nous le chasseur sur les monts escarpés?
La biche le regarde; elle pleure et supplie;
Sa bruyère l'attend: ses faons sont nouveau-nés;
Il se baisse, il l'égorge, il jette à la curée   100
Sur les chiens en sueur son cœur encor vivant.
Peindrons-nous une vierge à la joue empourprée,
S'en allant à la messe, un page la suivant,
Et d'un regard distrait, à côté de sa mère,
Sur sa lèvre entr'ouverte oubliant sa prière?   105
Elle écoute en tremblant, dans l'écho du pilier,
Résonner l'éperon d'un hardi cavalier.
Dirons-nous aux héros des vieux temps de la France
De monter tout armés aux créneaux de leurs tours,
Et de ressusciter la naïve romance   110
Que leur gloire oubliée apprit aux troubadours?
Vêtirons-nous de blanc une molle élégie?
L'homme de Waterloo nous dira-t-il sa vie,
Et ce qu'il a fauché du troupeau des humains
Avant que l'envoyé de la nuit éternelle   115
Vînt sur son tertre vert l'abattre d'un coup d'aile,

Et sur son cœur de fer lui croiser les deux mains?
Clouerons-nous au poteau d'une satire altière
Le nom sept fois vendu d'un pâle pamphlétaire,
Qui, poussé par la faim, du fond de son oubli,   120
S'en vient, tout grelottant d'envie et d'impuissance,
Sur le front du génie insulter l'espérance,
Et mordre le laurier que son souffle a sali?
Prends ton luth! prends ton luth! je ne peux plus me
    taire.
Mon aile me soulève au souffle du printemps.   125
Le vent va m'emporter; je vais quitter la terre.
Une larme de toi! Dieu m'écoute; il est temps.

LE POÈTE

S'il ne te faut, ma sœur chérie,
Qu'un baiser d'une lèvre amie
Et qu'une larme de mes yeux,   130
Je te les donnerai sans peine;
De nos amours qu'il te souvienne.
Si tu remontes dans les cieux.
Je ne chante ni l'espérance,
Ni la gloire, ni le bonheur,   135
Hélas! pas même la souffrance.
La bouche garde le silence
Pour écouter parler le cœur.

LA MUSE

Crois-tu donc que je sois comme le vent d'automne,
Qui se nourrit de pleurs jusque sur un tombeau,   140
Et pour qui la douleur n'est qu'une goutte d'eau?
O poète! un baiser, c'est moi qui te le donne.
L'herbe que je voulais arracher de ce lieu,
C'est ton oisiveté; ta douleur est à Dieu.
Quel que soit le souci que ta jeunesse endure,   145
Laisse-la s'élargir cette sainte blessure

Que les noirs séraphins t'ont faite au fond du cœur;
Rien ne nous rend si grands qu'une grande douleur.
Mais, pour en être atteint, ne crois pas, ô poète,
Que ta voix ici-bas doive rester muette.   150
Les plus désespérés sont les chants les plus beaux,
Et j'en sais d'immortels qui sont de purs sanglots.
Lorsque le pélican, lassé d'un long voyage,
Dans les brouillards du soir retourne à ses roseaux,
Ses petits affamés courent sur le rivage   155
En le voyant au loin s'abattre sur les eaux.
Déjà croyant saisir et partager leur proie,
Ils courent à leur père avec des cris de joie
En secouant leurs becs sur leurs goîtres hideux.
Lui, gagnant à pas lents une roche élevée,   160
De son aile pendante abritant sa couvée,
Pêcheur mélancolique, il regarde les cieux.
Le sang coule à longs flots de sa poitrine ouverte;
En vain il a des mers fouillé la profondeur;   165
L'Océan était vide et la plage déserte;
Pour toute nourriture il apporte son cœur.
Sombre et silencieux, étendu sur la pierre,
Partageant à ses fils ses entrailles de père,
Dans son amour sublime il berce sa douleur;
Et, regardant couler sa sanglante mamelle,   170
Sur son festin de mort il s'affaisse et chancelle,
Ivre de volupté, de tendresse et d'horreur.
Mais parfois, au milieu du divin sacrifice,
Fatigué de mourir dans un trop long supplice,
Il craint que ses enfants ne le laissent vivant;   175
Alors il se soulève, ouvre son aile au vent,
Et se frappant le cœur avec un cri sauvage,
Il pousse dans la nuit un si funèbre adieu,
Que les oiseaux des mers désertent le rivage,
Et que le voyageur attardé sur la plage,   180
Sentant passer la mort, se recommande à Dieu.

Poëte, c'est ainsi que font les grands poëtes.
Ils laissent s'égayer ceux qui vivent un temps;
Mais les festins humains qu'ils servent à leurs fêtes
Ressemblent la plupart à ceux des pélicans.   185
Quand ils parlent ainsi d'espérances trompées,
De tristesse et d'oubli, d'amour et de malheur,
Ce n'est pas un concert à dilater le cœur.
Leurs déclamations sont comme des épées;
Elles tracent dans l'air un cercle éblouissant;   190
Mais il y pend toujours quelque goutte de sang.

LE POÈTE

O Muse! spectre insatiable,
Ne m'en demande pas si long.
L'homme n'écrit rien sur le sable
A l'heure où passe l'aquilon.   195
J'ai vu le temps où ma jeunesse
Sur mes lèvres était sans cesse
Prête à chanter comme un oiseau;
Mais j'ai souffert un dur martyre,   200
Et le moins que j'en pourrais dire,
Si je l'essayais sur ma lyre,
La briserait comme un roseau.

LA NUIT D'AOÛT

LA MUSE

DEPUIS que le soleil, dans l'horizon immense,
A franchi le Cancer sur son axe enflammé,
Le bonheur m'a quittée et j'attends en silence
L'heure où m'appellera mon ami bien-aimé.
Hélas! depuis longtemps sa demeure est déserte.   5
Des beaux jours d'autrefois rien n'y semble vivant.

Seule, je viens encor, de mon voile couverte,
Poser mon front brûlant sur sa porte entr'ouverte,
Comme une veuve en pleurs au tombeau d'un enfant.

LE POÈTE

Salut à ma fidèle amie!   10
Salut, ma gloire et mon amour!
La meilleure et la plus chérie
Est celle qu'on trouve au retour.
L'opinion et l'avarice
Viennent un temps de m'emporter.   15
Salut, ma mère et ma nourrice!
Salut, salut, consolatrice!
Ouvre tes bras, je viens chanter.

LA MUSE

Pourquoi, cœur altéré, cœur lassé d'espérance,
T'enfuis-tu si souvent pour revenir si tard?   20
Que t'en vas-tu chercher, sinon quelque hasard,
Et que rapportes-tu, sinon quelque souffrance?
Que fais-tu loin de moi, quand j'attends jusqu'au jour?
Tu suis un pâle éclair dans une nuit profonde.
Il ne te restera de tes plaisirs du monde   25
Qu'un impuissant mépris pour notre honnête amour.
Ton cabinet d'étude est vide quand j'arrive;
Tandis qu'à ce balcon, inquiète et pensive,
Je regarde en rêvant les murs de ton jardin,
Tu te livres dans l'ombre à ton mauvais destin.   30
Quelque fière beauté te retient dans sa chaîne,
Et tu laisses mourir cette pauvre verveine
Dont les derniers rameaux, en des temps plus heureux,
Devaient être arrosés des larmes de tes yeux.
Cette triste verdure est mon vivant symbole,   35
Ami, de ton oubli nous mourrons toutes deux,
Et son parfum léger, comme l'oiseau qui vole,
Avec mon souvenir s'enfuira dans les cieux.

LE POÈTE

Quand j'ai passé par la prairie,   40
J'ai vu, ce soir, dans le sentier,
Une fleur tremblante et flétrie,
Une pâle fleur d'églantier.
Un bourgeon vert à côté d'elle
Se balançait sur l'arbrisseau;   45
J'y vis poindre une fleur nouvelle;
La plus jeune était la plus belle:
L'homme est ainsi, toujours nouveau.

LA MUSE

Hélas! toujours un homme, hélas! toujours des larmes!
Toujours les pieds poudreux et la sueur au front!
Toujours d'affreux combats et de sanglantes armes; 50
Le cœur a beau mentir, la blessure est au fond.
Hélas! par tous pays, toujours la même vie:
Convoiter, regretter, prendre et tendre la main,
Toujours mêmes acteurs et même comédie,
Et, quoi qu'ait inventé l'humaine hypocrisie,   55
Rien de vrai là-dessous que le squelette humain.
Hélas! mon bien-aimé, vous n'êtes plus poète.
Rien ne réveille plus votre lyre muette;
Vous vous noyez le cœur dans un rêve inconstant,
Et vous ne savez pas que l'amour de la femme
Change et dissipe en pleurs les trésors de votre âme 60
Et que Dieu compte plus les larmes que le sang.

LE POÈTE

Quand j'ai traversé la vallée,
Un oiseau chantait sur son nid.
Ses petits, sa chère couvée,   65
Venaient de mourir dans la nuit.

Cependant il chantait l'aurore;
O ma Muse! ne pleurez pas,
A qui perd tout, Dieu reste encore,
Dieu là-haut, l'espoir ici-bas.   70

LA MUSE

Et que trouveras-tu, le jour où la misère
Te ramènera seul au paternel foyer?
Quand tes tremblantes mains essuieront la poussière
De ce pauvre réduit que tu crois oublier,
De quel front viendras-tu, dans ta propre demeure,   75
Chercher un peu de calme et l'hospitalité?
Une voix sera là pour crier à toute heure:
Qu'as-tu fait de ta vie et de ta liberté?
Crois-tu donc qu'on oublie autant qu'on le souhaite?
Crois-tu qu'en te cherchant tu te retrouveras?   80
De ton cœur ou de toi lequel est le poète?
C'est ton cœur, et ton cœur ne te répondra pas.
L'amour l'aura brisé; les passions funestes
L'auront rendu de pierre au contact des méchants;
Tu n'en sentiras plus que d'effroyables restes,   85
Qui remueront encor, comme ceux des serpents.
O ciel! qui t'aidera? que ferai-je moi-même,
Quand celui qui peut tout défendra que je t'aime,
Et quand mes ailes d'or, frémissant malgré moi,
M'emporteront à lui pour me sauver de toi?   90
Pauvre enfant! nos amours n'étaient pas menacées,
Quand dans les bois d'Auteuil, perdu dans tes pensées,
Sous les verts marronniers et les peupliers blancs,
Je t'agaçais le soir en détours nonchalants.
Ah! j'étais jeune alors et nymphe, et les dryades   95
Entr'ouvraient pour me voir l'écorce des bouleaux,
Et les pleurs qui coulaient durant nos promenades
Tombaient, purs comme l'or, dans le cristal des eaux.
Qu'as-tu fait, mon amant, des jours de ta jeunesse?

Qui m'a cueilli mon fruit sur mon arbre enchanté?   100
Hélas! ta joue en fleur plaisait à la déesse
Qui porte dans ses mains la force et la santé.
De tes yeux insensés les larmes l'ont pâlie;
Ainsi que ta beauté tu perdras ta vertu.
Et moi qui t'aimerai comme une unique amie,   105
Quand les dieux irrités m'ôteront ton génie,
Si je tombe des cieux, que me répondras-tu?

LE POÈTE

Puisque l'oiseau des bois voltige et chante encore
Sur la branche où ses œufs sont brisés dans le nid;
Puisque la fleur des champs entr'ouverte à
     l'aurore,   110
Voyant sur la pelouse une autre fleur éclore,
S'incline sans murmure et tombe avec la nuit;

Puisqu'au fond des forêts, sous les toits de verdure,
On entend le bois mort craquer dans le sentier,
Et puisqu'en traversant l'immortelle nature,   115
L'homme n'a su trouver de science qui dure,
Que de marcher toujours et toujours oublier;

Puisque, jusqu'aux rochers, tout se change en
     poussière;
Puisque tout meurt ce soir pour revivre demain;
Puisque c'est un engrais que le meurtre et la
     guerre;   120
Puisque sur une tombe on voit sortir de terre
Le brin d'herbe sacré qui nous donne le pain;

O Muse! que m'importe ou la mort ou la vie?
J'aime, et je veux pâlir; j'aime, et je veux souffrir;
J'aime, et pour un baiser je donne mon génie;   125
J'aime, et je veux sentir sur ma joue amaigrie
Ruisseler une source impossible à tarir.

J'aime, et je veux chanter la joie et la paresse,
Ma folle expérience et mes soucis d'un jour,
Et je veux raconter et répéter sans cesse   130
Qu'après avoir juré de vivre sans maîtresse,
J'ai fait serment de vivre et de mourir d'amour.

Dépouille devant tous l'orgueil qui te dévore,
Cœur gonflé d'amertume et qui t'es cru fermé.
Aime, et tu renaîtras; fais-toi fleur pour éclore;   135
Après avoir souffert, il faut souffrir encore;
Il faut aimer sans cesse, après avoir aimé.

LA NUIT D'OCTOBRE

LE POÈTE

LE mal dont j'ai souffert s'est enfui comme un
    rêve.
  Je n'en puis comparer le lointain souvenir
Qu'à ces brouillards légers que l'aurore soulève
Et qu'avec la rosée on voit s'évanouir.

LA MUSE

Qu'aviez-vous donc, ô mon poète!   5
Et quelle est la peine secrète
Qui de moi vous a séparé?
Hélas! je m'en ressens encore.
Quel est donc ce mal que j'ignore
Et dont j'ai si longtemps pleuré?   10

LE POÈTE

C'était un mal vulgaire et bien connu des hommes;
Mais, lorsque nous avons quelque ennui dans le cœur,
Nous nous imaginons, pauvres fous que nous sommes,
Que personne avant nous n'a senti la douleur.

LA MUSE

Il n'est de vulgaire chagrin   15
Que celui d'une âme vulgaire,
Ami, que ce triste mystère
S'échappe aujourd'hui de ton sein.
Crois-moi, parle avec confiance;
Le sévère Dieu du silence   20
Est un des frères de la Mort;
En se plaignant on se console,
Et quelquefois une parole
Nous a délivrés d'un remord.

LE POÈTE

S'il fallait maintenant parler de ma souffrance,   25
Je ne sais trop quel nom elle devrait porter,
Si c'est amour, folie, orgueil, expérience,
Ni si personne au monde en pourrait profiter.
Je veux bien toutefois t'en raconter l'histoire,
Puisque nous voilà seuls, assis près du foyer.   30
Prends cette lyre, approche, et laisse ma mémoire
Au son de tes accords doucement s'éveiller.

LA MUSE

Avant de me dire ta peine,
O poète! en es-tu guéri?
Songe qu'il t'en faut aujourd'hui   35
Parler sans amour et sans haine.
S'il te souvient que j'ai reçu
Le doux nom de consolatrice,
Ne fais pas de moi la complice
Des passions qui t'ont perdu.   40

LE POÈTE

Je suis si bien guéri de cette maladie,
Que j'en doute parfois lorsque j'y veux songer;
Et quand je pense aux lieux où j'ai risqué ma vie,
J'y crois voir à ma place un visage étranger.
Muse, sois donc sans crainte; au souffle qui t'inspire   45
Nous pouvons sans péril tous deux nous confier.
Il est doux de pleurer, il est doux de sourire
Au souvenir des maux qu'on pourrait oublier.

LA MUSE

Comme une mère vigilante
Au berceau d'un fils bien-aimé,   50
Ainsi je me penche tremblante
Sur ce cœur qui m'était fermé.
Parle, ami,—ma lyre attentive
D'une note faible et plaintive
Suit déjà l'accent de ta voix,   55
Et dans un rayon de lumière,
Comme une vision légère,
Passent les ombres d'autrefois.

LE POÈTE

Jours de travail! seuls jours où j'ai vécu!
    O trois fois chère solitude!   60
Dieu soit loué, j'y suis donc revenu,
    A ce vieux cabinet d'étude!
Pauvre réduit, murs tant de fois déserts,
    Fauteuils poudreux, lampe fidèle,
O mon palais, mon petit univers,   65
    Et toi, Muse, ô jeune immortelle,
Dieu soit loué, nous allons donc chanter!
    Oui, je veux vous ouvrir mon âme.
Vous saurez tout, et je vais vous conter
    Le mal que peut faire une femme;   70

Car c'en est une, ô mes pauvres amis,
    (Hélas! vous le saviez peut-être),
C'est une femme à qui je fus soumis
    Comme le serf l'est à son maître.
Joug détesté! c'est par là que mon cœur   75
    Perdit sa force et sa jeunesse,—
Et cependant, auprès de ma maîtresse,
    J'avais entrevu le bonheur.
Près du ruisseau, quand nous marchions ensemble,
    Le soir, sur le sable argentin,   80
Quand devant nous le blanc spectre du tremble
    De loin nous montrait le chemin;
Je vois encore, aux rayons de la lune,
    Ce beau corps plier dans mes bras . . .
N'en parlons plus—je ne prévoyais pas   85
    Où me conduisait la Fortune.
Sans doute alors la colère des dieux
    Avait besoin d'une victime;
Car elle m'a puni comme d'un crime
    D'avoir essayé d'être heureux.   90

LA MUSE

    L'image d'un doux souvenir
    Vient de s'offrir à ta pensée.
    Sur la trace qu'il a laissée
    Pourquoi crains-tu de revenir?
    Est-ce faire un récit fidèle   95
    Que de renier ses beaux jours?
    Si ta fortune fut cruelle,
    Jeune homme, fais du moins comme elle,
    Souris à tes premiers amours.

LE POÈTE

Non,—c'est à mes malheurs que je prétends sourire.   100
Muse, je te l'ai dit: je veux, sans passion,
Te conter mes ennuis, mes rêves, mon délire,
Et t'en dire le temps, l'heure et l'occasion.
C'était, il m'en souvient, par une nuit d'automne
Triste et froide, à peu près semblable à celle-ci;   105
Le murmure du vent, de son bruit monotone,
Dans mon cerveau lassé berçait mon noir souci.
J'étais à la fenêtre, attendant ma maîtresse;
Et, tout en écoutant dans cette obscurité,
Je me sentais dans l'âme une telle détresse,   110
Qu'il me vint le soupçon d'une infidélité.
La rue où je logeais était sombre et déserte;
Quelques ombres passaient, un falot à la main;
Quand la bise sifflait dans la porte entr'ouverte,
On entendait de loin comme un soupir humain.   115
Je ne sais, à vrai dire, à quel fâcheux présage
Mon esprit inquiet alors s'abandonna.
Je rappelais en vain un reste de courage,
Et me sentis frémir lorsque l'heure sonna.
Elle ne venait pas. Seul, la tête baissée,   120
Je regardai longtemps les murs et le chemin,—
Et je ne t'ai pas dit quelle ardeur insensée
Cette inconstante femme allumait en mon sein;
Je n'aimais qu'elle au monde, et vivre un jour sans elle
Me semblait un destin plus affreux que la mort.   125
Je me souviens pourtant qu'en cette nuit cruelle
Pour briser mon lien je fis un long effort.
Je la nommai cent fois perfide et déloyale,
Je comptai tous les maux qu'elle m'avait causés.
Hélas! au souvenir de sa beauté fatale,   130
Quels maux et quels chagrins n'étaient pas apaisés!
Le jour parut enfin.—Las d'une vaine attente,
Sur le bord du balcon je m'étais assoupi;

Je rouvris la paupière à l'aurore naissante,
Et je laissai flotter mon regard ébloui.   135
Tout à coup, au détour de l'étroite ruelle,
J'entends sur le gravier marcher à petit bruit . . .
Grand Dieu! préservez-moi! je l'aperçois, c'est elle;
Elle entre.—D'où viens-tu? Qu'as-tu fait cette nuit?
Réponds, que me veux-tu? qui t'amène à cette heure?   140
Ce beau corps, jusqu'au jour, où s'est-il étendu?
Tandis qu'à ce balcon, seul, je veille et je pleure
En quel lieu, dans quel lit, à qui souriais-tu?
Perfide! audacieuse! est-il encor possible
Que tu viennes offrir ta bouche à mes baisers?   145
Que demandes-tu donc? par quelle soif horrible
Oses-tu m'attirer dans tes bras épuisés?
Va-t'en, retire-toi, spectre de ma maîtresse!
Rentre dans ton tombeau, si tu t'en es levé;
Laisse-moi pour toujours oublier ma jeunesse,   150
Et, quand je pense à toi, croire que j'ai rêvé!

LA MUSE

Apaise-toi, je t'en conjure;
Tes paroles m'ont fait frémir.
O mon bien-aimé! ta blessure
Est encor prête à se rouvrir.   155
Hélas! elle est donc bien profonde?
Et les misères de ce monde
Sont si lentes à s'effacer!
Oublie, enfant, et de ton âme
Chasse le nom de cette femme,   160
Que je ne veux pas prononcer.

LE POÈTE

Honte à toi qui la première
M'as appris la trahison,
Et d'horreur et de colère
M'as fait perdre la raison!   165

143

Honte à toi, femme à l'œil sombre,
Dont les funestes amours
Ont enseveli dans l'ombre
Mon printemps et mes beaux jours!
C'est ta voix, c'est ton sourire,   170
C'est ton regard corrupteur,
Qui m'ont appris à maudire
Jusqu'au semblant du bonheur;
C'est ta jeunesse et tes charmes
Qui m'ont fait désespérer,   175
Et si je doute des larmes,
C'est que je t'ai vu pleurer.
Honte à toi! j'étais encore
Aussi simple qu'un enfant;
Comme une fleur à l'aurore,   180
Mon cœur s'ouvrait en t'aimant.
Certes, ce cœur sans défense
Put sans peine être abusé;
Mais lui laisser l'innocence
Etait encor plus aisé.   185
Honte à toi! tu fus la mère
De mes premières douleurs,
Et tu fis de ma paupière
Jaillir la source des pleurs!
Elle coule, sois-en sûre,   190
Et rien ne la tarira;
Elle sort d'une blessure
Qui jamais ne guérira;
Mais dans cette source amère
Du moins je me laverai,   195
Et j'y laisserai, j'espère,
Ton souvenir abhorré!

LA MUSE

Poète, c'est assez. Auprès d'une infidèle,
Quand ton illusion n'aurait duré qu'un jour,
N'outrage pas ce jour lorsque tu parles d'elle;   200
Si tu veux être aimé, respecte ton amour.
Si l'effort est trop grand pour la faiblesse humaine
De pardonner les maux qui nous viennent d'autrui,
Epargne-toi du moins le tourment de la haine;
A défaut du pardon, laisse venir l'oubli.   205
Les morts dorment en paix dans le sein de la terre:
Ainsi doivent dormir nos sentiments éteints.
Ces reliques du cœur ont aussi leur poussière;
Sur leurs restes sacrés ne portons pas les mains.
Pourquoi, dans ce récit d'une vive souffrance,   210
Ne veux-tu voir qu'un rêve et qu'un amour trompé?
Est-ce donc sans motif qu'agit la Providence,
Et crois-tu donc distrait le Dieu qui t'a frappé?
Le coup dont tu te plains t'a préservé peut-être,
Enfant; car c'est par là que ton cœur s'est ouvert.   215
L'homme est un apprenti, la douleur est son maître,
Et nul ne se connaît tant qu'il n'a pas souffert.
C'est une dure loi, mais une loi suprême,
Vieille comme le monde et la fatalité,
Qu'il nous faut du malheur recevoir le baptême,   220
Et qu'à ce triste prix tout doit être acheté,
Les moissons pour mûrir ont besoin de rosée;
Pour vivre et pour sentir l'homme a besoin des pleurs;
La joie a pour symbole une plante brisée,
Humide encor de pluie et couverte de fleurs.   225
Ne te disais-tu pas guéri de ta folie?
N'es-tu pas jeune, heureux, partout le bienvenu?
Et ces plaisirs légers qui font aimer la vie,
Si tu n'avais pleuré, quel cas en ferais-tu?
Lorsqu'au déclin du jour, assis sur la bruyère,   230
Avec un vieil ami tu bois en liberté,

Dis-moi, d'aussi bon cœur lèverais-tu ton verre,
Si tu n'avais senti le prix de la gaîté;
Aimerais-tu les fleurs, les prés et la verdure,
Les sonnets de Pétrarque et le chant des oiseaux,   235
Michel-Ange et les arts, Shakspeare et la nature,
Si tu n'y retrouvais quelques anciens sanglots?
Comprendrais-tu des cieux l'ineffable harmonie,
Le silence des nuits, le murmure des flots,
Si quelque part là-bas la fièvre et l'insomnie   240
Ne t'avaient fait songer à l'éternel repos?
N'as-tu pas maintenant une belle maîtresse?
Et, lorsqu'en t'endormant tu lui serres la main,
Le lointain souvenir des maux de ta jeunesse
Ne rend-il pas plus doux son sourire divin?   245
N'allez-vous pas aussi vous promener ensemble
Au fond des bois fleuris, sur le sable argentin?
Et, dans ce vert palais, le blanc spectre du tremble
Ne sait-il plus, le soir, vous montrer le chemin?
Ne vois-tu pas alors, aux rayons de la lune,   250
Plier comme autrefois un beau corps dans tes bras,
Et si dans le sentier tu trouvais la Fortune,
Derrière elle, en chantant, ne marcherais-tu pas?
De quoi te plains-tu donc? L'immortelle espérance
S'est retrempée en toi sous la main du malheur.   255
Pourquoi veux-tu haïr ta jeune expérience,
Et détester un mal qui t'a rendu meilleur?
O mon enfant! plains-la, cette belle infidèle,
Qui fit couler jadis les larmes de tes yeux;
Plains-la! c'est une femme, et Dieu t'a fait, près d'elle, 260
Deviner, en souffrant, le secret des heureux.
Sa tâche fut pénible; elle t'aimait peut-être;
Mais le destin voulait qu'elle brisât ton cœur.
Elle savait la vie, et te l'a fait connaître;
Une autre a recueilli le fruit de ta douleur.   265

146

Plains-la! son triste amour a passé comme un songe;
Elle a vu ta blessure et n'a pu la fermer.
Dans ses larmes, crois-moi, tout n'était pas mensonge.
Quand tout l'aurait été, plains-la! tu sais aimer.

LE POÈTE

Tu dis vrai: la haine est impie,   270
Et c'est un frisson plein d'horreur
Quand cette vipère assoupie
Se déroule dans notre cœur.
Ecoute-moi donc, ô déesse!
Et sois témoin de mon serment: 275
Par les yeux bleus de ma maîtresse,
Et par l'azur du firmament;
Par cette étincelle brillante
Qui de Vénus porte le nom,
Et comme une perle tremblante,   280
Scintille au loin sur l'horizon;
Par la grandeur de la nature,
Par la bonté du Créateur;
Par la clarté tranquille et pure
De l'astre cher au voyageur;   285
Par les herbes de la prairie,
Par les forêts, par les prés verts;
Par la puissance de la vie,
Par la sève de l'univers;
Je te bannis de ma mémoire,   290
Reste d'un amour insensé,
Mystérieuse et sombre histoire
Qui dormiras dans le passé!
Et toi qui, jadis, d'une amie
Portas la forme et le doux nom,   295
L'instant suprême où je t'oublie
Doit être celui du pardon.

147

Pardonnons-nous;—je romps le charme
Qui nous unissait devant Dieu
Avec une dernière larme   300
Reçois un éternel adieu.
—Et maintenant, blonde rêveuse,
Maintenant, Muse, à nos amours!
Dis-moi quelque chanson joyeuse
Comme au premier temps des beaux jours.   305
Déjà la pelouse embaumée
Sent les approches du matin;
Viens éveiller ma bien-aimée,
Et cueillir les fleurs du jardin.
Viens voir la nature immortelle   310
Sortir des voiles du sommeil;
Nous allons renaître avec elle
Au premier rayon du soleil.

SOUVENIR

J'ESPÉRAIS bien pleurer, mais je croyais souffrir
En osant te revoir, place à jamais sacrée,
O la plus chère tombe et la plus ignorée
Où dorme un souvenir!

Que redoutiez-vous donc de cette solitude,   5
Et pourquoi, mes amis, me preniez-vous la main,
Alors qu'une si douce et si vieille habitude
Me montrait ce chemin?

Les voilà, ces coteaux, ces bruyères fleuries,
Et ces pas argentins sur le sable muet,   10
Ces sentiers amoureux, remplis de causeries,
Où son bras m'enlaçait.

Les voilà, ces sapins à la sombre verdure,
Cette gorge profonde aux nonchalants détours,
Ces sauvages amis dont l'antique murmure   15
    A bercé mes beaux jours.

Les voilà, ces buissons où toute ma jeunesse,
Comme un essaim d'oiseaux, chante au bruit de mes
    pas.
Lieux charmants, beau désert où passa ma maîtresse,
    Ne m'attendiez-vous pas?   20

Ah! laissez-les couler, elles me sont bien chères,
Ces larmes que soulève un cœur encor blessé!
Ne les essuyez pas, laissez sur mes paupières
    Ce voile du passé!

Je ne viens point jeter un regret inutile   25
Dans l'écho de ces bois témoins de mon bonheur.
Fière est cette forêt dans sa beauté tranquille,
    Et fier aussi mon cœur.

Que celui-là se livre à des plaintes amères,
Qui s'agenouille et prie au tombeau d'un ami.   30
Tout respire en ces lieux; les fleurs des cimetières
    Ne poussent point ici.

Voyez: la lune monte à travers ces ombrages.
Ton regard tremble encor, belle reine des nuits;
Mais du sombre horizon déjà tu te dégages,   35
    Et tu t'épanouis.

Ainsi de cette terre, humide encor de pluie,
Sortent, sous tes rayons, tous les parfums du jour;
Aussi calme, aussi pur, de mon âme attendrie
    Sort mon ancien amour.   40

Que sont-ils devenus, les chagrins de ma vie?
Tout ce qui m'a fait vieux est bien loin maintenant;
Et rien qu'en regardant cette vallée amie,
   Je redeviens enfant.

O puissance du temps! ô légères années!   45
Vous emportez nos pleurs, nos cris et nos regrets
Mais la pitié vous prend, et sur nos fleurs fanées
   Vous ne marchez jamais.

Tout mon cœur te bénit, bonté consolatrice!
Je n'aurais jamais cru que l'on pût tant souffrir   50
D'une telle blessure, et que sa cicatrice
   Fût si douce à sentir.

Loin de moi les vains mots, les frivoles pensées,
Des vulgaires douleurs linceul accoutumé,
Que viennent étaler sur leurs amours passées   55
   Ceux qui n'ont point aimé!

Dante, pourquoi dis-tu qu'il n'est pire misère
Qu'un souvenir heureux dans les jours de douleur?
Quel chagrin t'a dicté cette parole amère,
   Cette offense au malheur?   60

En est-il donc moins vrai que la lumière existe,
Et faut-il l'oublier du moment qu'il fait nuit?
Est-ce bien toi, grande âme immortellement triste,
   Est-ce toi qui l'as dit?

Non, par ce pur flambeau dont la splendeur m'éclaire, 65
Ce blasphème vanté ne vient pas de ton cœur.
Un souvenir heureux est peut-être sur terre
   Plus vrai que le bonheur.

Eh quoi! l'infortuné qui trouve une étincelle
Dans la cendre brûlante où dorment ses ennuis,   70
Qui saisit cette flamme et qui fixe sur elle
    Ses regards éblouis;

Dans ce passé perdu quand son âme se noie,
Sur ce miroir brisé lorsqu'il rêve en pleurant,
Tu lui dis qu'il se trompe, et que sa faible joie   75
    N'est qu'un affreux tourment!

Et c'est à ta Françoise, à ton ange de gloire,
Que tu pouvais donner ces mots à prononcer,
Elle qui s'interrompt, pour conter son histoire,
    D'un éternel baiser!   80

Qu'est-ce donc, juste Dieu, que la pensée humaine,
Et qui pourra jamais aimer la vérité,
S'il n'est joie ou douleur si juste et si certaine,
    Dont quelqu'un n'ait douté?

Comment vivez-vous donc, étranges créatures?   85
Vous riez, vous chantez, vous marchez à grands pas:
Le ciel et sa beauté, le monde et ses souillures
    Ne vous dérangent pas.

Mais, lorsque par hasard le destin vous ramène
Vers quelque monument d'un amour oublié,   90
Ce caillou vous arrête, et cela vous fait peine
    Qu'il vous heurte le pié.

Et vous criez alors que la vie est un songe;
Vous vous tordez les bras comme en vous réveillant,
Et vous trouvez fâcheux qu'un si joyeux mensonge   95
    Ne dure qu'un instant.

Malheureux! cet instant où votre âme engourdie
A secoué les fers qu'elle traîne ici-bas,
Ce fugitif instant fut toute votre vie;
        Ne le regrettez pas! 100

Regrettez la torpeur qui vous cloue à la terre,
Vos agitations dans la fange et le sang,
Vos nuits sans espérance et vos jours sans lumière:
        C'est là qu'est le néant!

Mais que vous revient-il de vos froides doctrines? 105
Que demandent au ciel ces regrets inconstants
Que vous allez semant sur vos propres ruines,
        A chaque pas du Temps?

Oui, sans doute, tout meurt; ce monde est un grand
    rêve,
Et le peu de bonheur qui nous vient en chemin, 110
Nous n'avons pas plutôt ce roseau dans la main
        Que le vent nous l'enlève.

Oui, les premiers baisers, oui, les premiers serments
Que deux êtres mortels échangèrent sur terre,
Ce fut au pied d'un arbre effeuillé par les vents 115
        Sur un roc en poussière.

Ils prirent à témoin de leur joie éphémère
Un ciel toujours voilé qui change à tout moment,
Et des astres sans nom que leur propre lumière
        Dévore incessamment. 120

Tout mourait autour d'eux, l'oiseau dans le feuillage,
La fleur entre leurs mains, l'insecte sous leurs piés,
La source desséchée où vacillait l'image
        De leurs traits oubliés;

Et, sur tous ces débris joignant leurs mains d'argile,   125
Etourdis des éclairs d'un instant de plaisir,
Ils croyaient échapper à cet Être immobile
      Qui regarde mourir!

—Insensés! dit le sage.—Heureux! dit le poète.
Et quels tristes amours as-tu donc dans le cœur,   130
Si le bruit du torrent te trouble et t'inquiète,
      Si le vent te fait peur?

J'ai vu sous le soleil tomber bien d'autres choses
Que les feuilles des bois et l'écume des eaux,
Bien d'autres s'en aller que le parfum des roses   135
      Et le chant des oiseaux.

Mes yeux ont contemplé des objets plus funèbres
Que Juliette morte au fond de son tombeau,
Plus affreux que le toast à l'ange des ténèbres
      Porté par Roméo.   140

J'ai vu ma seule amie, à jamais la plus chère,
Devenue elle-même un sépulcre blanchi,
Une tombe vivante où flottait la poussière
      De notre mort chéri,

De notre pauvre amour, que, dans la nuit profonde,   145
Nous avions sur nos cœurs si doucement bercé!
C'était plus qu'une vie, hélas! c'était un monde
      Qui s'était effacé!

Oui, jeune et belle encor, plus belle, osait-on dire,
Je l'ai vue, et ses yeux brillaient comme autrefois.   150
Ses lèvres s'entr'ouvraient, et c'était un sourire,
      Et c'était une voix;

Mais non plus cette voix, non plus ce doux langage,
Ces regards adorés dans les miens confondus;
Mon cœur, encore plein d'elle, errait sur son visage,   155
    Et ne la trouvait plus.

Et pourtant j'aurais pu marcher alors vers elle,
Entourer de mes bras ce sein vide et glacé,
Et j'aurais pu crier: "Qu'as-tu fait, infidèle,
    Qu'as-tu fait du passé?"   160

Mais non: il me semblait qu'une femme inconnue
Avait pris par hasard cette voix et ces yeux;
Et je laissai passer cette froide statue
    En regardant les cieux.

Eh bien! ce fut sans doute une horrible misère   165
Que ce riant adieu d'un être inanimé,
Eh bien! qu'importe encore? O nature! ô ma mère!
    En ai-je moins aimé?

La foudre maintenant peut tomber sur ma tête,
Jamais ce souvenir ne peut m'être arraché;   170
Comme le matelot brisé par la tempête,
    Je m'y tiens attaché.

Je ne veux rien savoir, ni si les champs fleurissent,
Ni ce qu'il adviendra du simulacre humain,
Ni si ces vastes cieux éclaireront demain   175
    Ce qu'ils ensevelissent.

Je me dis seulement: "A cette heure, en ce lieu,
Un jour, je fus aimé, j'aimais, elle était belle.
J'enfouis ce trésor dans mon âme immortelle,
    Et je l'emporte à Dieu!"   180

RAPPELLE-TOI

(VERGISS MEIN NICHT)

Paroles faites sur la musique de Mozart

RAPPELLE-TOI, quand l'aurore craintive
    Ouvre au Soleil son palais enchanté;
    Rappelle-toi, lorsque la Nuit pensive
    Passe en rêvant sous son voile argenté;
A l'appel du plaisir lorsque ton sein palpite,   5
Aux doux songes du soir lorsque l'ombre t'invite,
        Ecoute au fond des bois
        Murmurer une voix:
        Rappelle-toi.

Rappelle-toi, lorsque les destinées   10
    M'auront de toi pour jamais séparé,
    Quand le chagrin, l'exil et les années
    Auront flétri ce cœur désespéré;
Songe à mon triste amour, songe à l'adieu suprême!
L'absence ni le temps ne sont rien quand on aime.   15
        Tant que mon cœur battra,
        Toujours il te dira:
        Rappelle-toi.

Rappelle-toi, quand sous la froide terre
    Mon cœur brisé pour toujours dormira;   20
    Rappelle-toi, quand la fleur solitaire
    Sur mon tombeau doucement s'ouvrira.
Je ne te verrai plus; mais mon âme immortelle
Reviendra près de toi comme une sœur fidèle.
        Ecoute, dans la nuit,   25
        Une voix qui gémit:
        Rappelle-toi.

Gérard de Nerval

EL DESDICHADO

JE suis le ténébreux,—le veuf,—l'inconsolé,
Le prince d'Aquitaine à la tour abolie;
Ma seule étoile est morte,—et mon luth constellé
Porte le soleil noir de la Mélancolie.

Dans la nuit du tombeau, toi qui m'as consolé,   5
Rends-moi le Pausilippe et la mer d'Italie,
La fleur qui plaisait tant à mon cœur désolé,
Et la treille où le pampre à la rose s'allie.

Suis-je Amour ou Phébus? . . . Lusignan ou Biron?
Mon front est rouge encor du baiser de la reine;   10
J'ai rêvé dans la grotte où nage la sirène. . . .

Et j'ai deux fois vainqueur traversé l'Achéron:
Modulant tour à tour sur la lyre d'Orphée
Les soupirs de la sainte et les cris de la fée.

ARTÉMIS

LA Treizième revient ... C'est encor la première;
    Et c'est toujours la seule,—ou c'est le seul
       moment;
Car es-tu reine, ô toi! la première ou dernière?
Es-tu roi, toi le seul ou le dernier amant? ...

Aimez qui vous aima du berceau dans la bière;   5
Celle que j'aimai seul m'aime encor tendrement:
C'est la mort—ou la morte. . . . O délice! ô tourment!
La rose qu'elle tient c'est la Rose trémière.

Sainte napolitaine aux mains pleines de feux,
Rose au cœur violet, fleur de sainte Gudule: 10
As-tu trouvé ta croix dans le désert des cieux?

Roses blanches, tombez! vous insultez nos dieux,
Tombez, fantômes blancs, de votre ciel qui brûle:
—La sainte de l'abîme est plus sainte à mes yeux!

DELFICA

LA connais-tu, Dafné, cette ancienne romance,
    Au pied du sycomore, ou sous les lauriers blancs,
    Sous l'olivier, le myrte, ou les saules tremblants,
Cette chanson d'amour qui toujours recommence? ...

Reconnais-tu le Temple au péristyle immense,   5
Et les citrons amers où s'imprimaient tes dents,
Et la grotte, fatale aux hôtes imprudents,
Où du dragon vaincu dort l'antique semence.

Ils reviendront, ces Dieux, que tu pleures toujours!
Le temps va ramener l'ordre des anciens jours;   10
La terre a tressailli d'un souffle prophétique. . . .

Cependant la sybille au visage latin
Est endormie encor sous l'arc de Constantin
—Et rien n'a dérangé le sévère portique.

LE CHRIST AUX OLIVIERS

I

QUAND le Seigneur, levant au ciel ses maigres
                bras,
        Sous les arbres sacrés, comme font les poètes,
Se fut longtemps perdu dans ses douleurs muettes,
Et se jugea trahi par des amis ingrats;

Il se tourna vers ceux qui l'attendaient en bas   5
Rêvant d'être des rois, des sages, des prophètes. . . .
Mais engourdis, perdus dans le sommeil des bêtes,
Et se prit à crier: "Non, Dieu n'existe pas!"

Ils dormaient. "Mes amis, savez-vous la nouvelle?
J'ai touché de mon front à la voûte éternelle;   10
Je suis sanglant, brisé, souffrant pour bien des jours!

"Frères, je vous trompais: Abîme! abîme! abîme!
Le dieu manque à l'autel où je suis la victime. . . .
Dieu n'est pas! Dieu n'est plus!" Mais ils dormaient
        toujours! . . .

II

Il reprit: "Tout est mort! J'ai parcouru les mondes;   15
Et j'ai perdu mon vol dans leurs chemins lactés,

158

Aussi loin que la vie, en ses veines fécondes,
Répand des sables d'or et des flots argentés:

"Partout le sol désert côtoyé par des ondes,
Des tourbillons confus d'océans agités. . . .　　　　20
Un souffle vague émeut les sphères vagabondes,
Mais nul esprit n'existe en ces immensités.

"En cherchant l'œil de Dieu, je n'ai vu qu'une orbite
Vaste, noire et sans fond, d'où la nuit qui l'habite
Rayonne sur le monde et s'épaissit toujours;　　　　25

"Un arc-en-ciel étrange entoure ce puits sombre,
Seuil de l'ancien chaos dont le néant est l'ombre,
Spirale engloutissant les Mondes et les Jours!

III
"Immobile Destin, muette sentinelle,
Froide Nécessité! . . . Hasard qui, t'avançant　　　　30
Parmi les mondes morts sous la neige éternelle,
Refroidis, par degrés, l'univers pâlissant,

"Sais-tu ce que tu fais, puissance originelle,
De tes soleils éteints, l'un l'autre se froissant. . . .
Es-tu sûr de transmettre une haleine immortelle,　　　35
Entre un monde qui meurt et l'autre renaissant? . . .

"O mon père! est-ce toi que je sens en moi-même?
As-tu pouvoir de vivre et de vaincre la mort?
Aurais-tu succombé sous un dernier effort

"De cet ange des nuits que frappa l'anathème? . . .　　40
Car je me sens tout seul à pleurer et souffrir,
Hélas! et, si je meurs, c'est que tout va mourir!"

IV

Nul n'entendait gémir l'éternelle victime,
Livrant au monde en vain tout son cœur épanché;
Mais prêt à défaillir et sans force penché,   45
Il appela le seul—éveillé dans Solyme:

"Judas! lui cria-t-il, tu sais ce qu'on m'estime,
Hâte-toi de me vendre, et finis ce marché:
Je suis souffrant, ami! sur la terre couché. . . .
Viens! ô toi qui, du moins, as la force du crime!"   50

Mais Judas s'en allait, mécontent et pensif,
Se trouvant mal payé, plein d'un remords si vif
Qu'il lisait ses noirceurs sur tous les murs écrites. . . .

Enfin Pilate seul, qui veillait pour César,
Sentant quelque pitié, se tourna par hasard: 55
"Allez chercher ce fou!" dit-il aux satellites.

V

C'était bien lui, ce fou, cet insensé sublime. . . .
Cet Icare oublié qui remontait les cieux,
Ce Phaéton perdu sous la foudre des dieux,
Ce bel Atys meurtri que Cybèle ranime!   60

L'augure interrogeait le flanc de la victime,
La terre s'enivrait de ce sang précieux. . . .
L'univers étourdi penchait sur ses essieux,
Et l'Olympe un instant chancela vers l'abîme.

"Réponds! criait César à Jupiter Ammon,   65
Quel est ce nouveau dieu qu'on impose à la terre?
Et si ce n'est un dieu, c'est au moins un démon. . . ."

Mais l'oracle invoqué pour jamais dut se taire;
Un seul pouvait au monde expliquer ce mystère:
—Celui qui donna l'âme aux enfants du limon.   70

VERS DORÉS

Eh quoi! Tout est sensible.
PYTHAGORE.

HOMME, libre penseur! te crois-tu seul pensant
Dans ce monde où la vie éclate en toute chose?
Des forces que tu tiens ta liberté dispose,
Mais de tous tes conseils l'univers est absent.

Respecte dans la bête un esprit agissant: 5
Chaque fleur est une âme à la Nature éclose;
Un mystère d'amour dans le métal repose;
"Tout est sensible!" Et tout sur ton être est puissant.

Crains, dans le mur aveugle, un regard qui t'épie:
A la matière même un verbe est attaché. . . .   10
Ne la fais pas servir à quelque usage impie!

Souvent dans l'être obscur habite un Dieu caché;
Et comme un œil naissant couvert par ses paupières,
Un pur esprit s'accroît sous l'écorce des pierres!

Théophile Gautier

PAYSAGE

PAS une feuille qui bouge,
  Pas un seul oiseau chantant,
  Au bord de l'horizon rouge
Un éclair intermittent;

D'un côté rares broussailles,   5
Sillons à demi noyés,
Pans grisâtres de murailles,
Saules noueux et ployés;

De l'autre, un champ que termine
Un large fossé plein d'eau,   10
Une vieille qui chemine
Avec un pesant fardeau,

Et puis la route qui plonge
Dans le flanc des coteaux bleus,
Et comme un ruban s'allonge   15
En minces plis onduleux.

SOLEIL COUCHANT

Notre Dame,
Que c'est beau!

VICTOR HUGO.

EN passant sur le pont de la Tournelle, un soir,
Je me suis arrêté quelques instants pour voir
Le soleil se coucher derrière Notre-Dame.
Un nuage splendide à l'horizon de flamme,
Tel qu'un oiseau géant qui va prendre l'essor,   5
D'un bout du ciel à l'autre ouvrait ses ailes d'or,
—Et c'étaient des clartés à baisser la paupière.
Les tours au front orné de dentelles de pierre,
Le drapeau que le vent fouette, les minarets
Qui s'élèvent pareils aux sapins des forêts,   10
Les pignons tailladés que surmontent des anges
Aux corps roides et longs, aux figures étranges,
D'un fond clair ressortaient en noir: l'Archevêché,
Comme au pied de sa mère un jeune enfant couché,
Se dessinait au pied de l'église, dont l'ombre   15
S'allongeait à l'entour mystérieuse et sombre.
—Plus loin, un rayon rouge allumait les carreaux
D'une maison du quai.—L'air était doux; les eaux
Se plaignaient contre l'arche à doux bruit, et la vague
De la vieille cité berçait l'image vague;   20
Et moi, je regardais toujours, ne songeant pas
Que la nuit étoilée arrivait à grands pas.

STANCES

MAINTENANT,—dans la plaine ou bien dans
      la montagne,
    Chêne ou sapin, un arbre est en train de
      pousser,
En France, en Amérique, en Turquie, en Espagne,
Un arbre sous lequel un jour je puis passer.

Maintenant,—sur le seuil d'une pauvre chaumière,   5
Une femme, du pied agitant un berceau,
Sans se douter qu'elle est la parque filandière,
Allonge entre ses doigts l'étoupe d'un fuseau.

Maintenant,—loin du ciel à la splendeur divine,
Comme une taupe aveugle en son étroit couloir,   10
Pour arracher le fer au ventre de la mine,
Sous le sol des vivants plonge un travailleur noir.

Maintenant,—dans un coin du monde que j'ignore,
Il existe une place où le gazon fleurit,
Où le soleil joyeux boit les pleurs de l'aurore,   15
Où l'abeille bourdonne, où l'oiseau chante et rit.

Cet arbre qui soutient tant de nids sur ses branches,
Cet arbre épais et vert, frais et riant à l'œil,
Dans son tronc renversé l'on taillera des planches,
Les planches dont un jour on fera mon cercueil!   20

Cette étoupe qu'on file et qui, tissée en toile,
Donne une aile au vaisseau dans le port engourdi,
A l'orgie une nappe, à la pudeur un voile,
Linceul, revêtira mon cadavre verdi!

Ce fer que le mineur cherche au fond de la terre   25
Aux brumeuses clartés de son pâle fanal,
Hélas! le forgeron quelque jour en doit faire
Le clou qui fermera le couvercle fatal!

A cette même place où mille fois peut-être
J'allai m'asseoir, le cœur plein de rêves charmants,   30
S'entr'ouvrira le gouffre où je dois disparaître,
Pour descendre au séjour des épouvantements!

À ZURBARAN

MOINES de Zurbaran, blancs chartreux qui,
        dans l'ombre,
    Glissez silencieux sur les dalles des morts,
Murmurant des *Pater* et des *Ave* sans nombre,

Quel crime expiez-vous par de si grands remords?
Fantômes tonsurés, bourreaux à face blême,   5
Pour le traîter ainsi, qu'a donc fait votre corps?

Votre corps, modelé par le doigt de Dieu même,
Que Jésus-Christ, son fils, a daigné revêtir,
Vous n'avez pas le droit de lui dire: Anathème!

Je conçois les tourments et la foi du martyr,   10
Les jets de plomb fondu, les bains de poix liquide,
La gueule des lions prête à vous engloutir,

Sur un rouet de fer les boyaux qu'on dévide,
Toutes les cruautés des empereurs romains;
Mais je ne comprends pas ce morne suicide!   15

Pourquoi donc, chaque nuit, pour vous seuls inhumains,
Déchirer votre épaule à coups de discipline,
Jusqu'à ce que le sang ruisselle sur vos reins?

Pourquoi ceindre toujours la couronne d'épine,
Que Jésus sur son front ne mit que pour mourir,   20
Et frapper à plein poing votre maigre poitrine?

Croyez-vous donc que Dieu s'amuse à voir souffrir,
Et que ce meurtre lent, cette froide agonie,
Fasse pour vous le ciel plus facile à s'ouvrir?

Cette tête de mort entre vos doigts jaunie,   25
Pour ne plus en sortir, qu'elle rentre au charnier;
Que votre fosse soit par un autre finie.

L'esprit est immortel, on ne peut le nier;
Mais dire, comme vous, que la chair est infâme,
Statuaire divin, c'est te calomnier!   30

Pourtant quelle énergie et quelle force d'âme
Ils avaient, ces chartreux, sous leur pâle linceul,
Pour vivre, sans amis, sans famille et sans femme,

Tout jeunes, et déjà plus glacés qu'un aïeul,
N'ayant pour horizon qu'un long cloître en arcades,   35
Avec une pensée, en face de Dieu seul!

Tes moines, Lesueur, près de ceux-là sont fades:
Zurbaran de Séville a mieux rendu que toi
Leurs yeux plombés d'extase et leurs têtes malades,

Le vertige divin, l'enivrement de foi   40
Qui les fait rayonner d'une clarté fiévreuse,
Et leur aspect étrange, à vous donner l'effroi.

Comme son dur pinceau les laboure et les creuse!
Aux pleurs du repentir comme il ouvre des lits
Dans les rides sans fond de leur face terreuse!   45

Comme du froc sinistre il allonge les plis;
Comme il sait lui donner les pâleurs du suaire,
Si bien que l'on dirait des morts ensevelis!

Qu'il vous peigne en extase au fond du sanctuaire,
Du cadavre divin baisant les pieds sanglants,   50
Fouettant votre dos bleu comme un fléau bat l'aire,

Vous promenant rêveurs le long des cloîtres blancs,
Par file assis à table au frugal réfectoire,
Toujours il fait de vous des portraits ressemblants.

Deux teintes seulement, clair livide, ombre noire;   55
Deux poses, l'une droite et l'autre à deux genoux,
A l'artiste ont suffi pour peindre votre histoire.

Forme, rayon, couleur, rien n'existe pour vous,
A tout objet réel vous êtes insensibles,
Car le ciel vous enivre et la croix vous rend fous,   60

Et vous vivez muets, inclinés sur vos bibles,
Croyant toujours entendre aux plafonds entr'ouverts
Eclater brusquement les trompettes terribles!

O moines! maintenant, en tapis frais et verts,
Sur les fosses par vous à vous-mêmes creusées,   65
L'herbe s'étend:—Eh bien! que dites-vous aux vers?

Quels rêves faites-vous? quelles sont vos pensées?
Ne regrettez-vous pas d'avoir usé vos jours
Entre ces murs étroits, sous ces voûtes glacées?

Ce que vous avez fait, le feriez-vous toujours?   70

AFFINITÉS SECRÈTES

DANS le fronton d'un temple antique,
   Deux blocs de marbre ont, trois mille ans,
   Sur le fond bleu du ciel attique,
Juxtaposé leurs rêves blancs;

Dans la même nacre figées,   5
Larmes des flots pleurant Vénus,
Deux perles au gouffre plongées
Se sont dit des mots inconnus;

Au frais Généralife écloses,
Sous le jet d'eau toujours en pleurs,   10
Du temps de Boabdil, deux roses
Ensemble ont fait jaser leurs fleurs;

Sur les coupoles de Venise
Deux ramiers blancs aux pieds rosés,
Au nid où l'amour s'éternise,   15
Un soir de mai se sont posés.

Marbre, perle, rose, colombe,
Tout se dissout, tout se détruit;
La perle fond, le marbre tombe,
La fleur se fane et l'oiseau fuit.   20

En se quittant, chaque parcelle
S'en va dans le creuset profond
Grossir la pâte universelle
Faite des formes que Dieu fond.

Par de lentes métamorphoses,   25
Les marbres blancs en blanches chairs,
Les fleurs roses en lèvres roses
Se refont dans des corps divers;

Les ramiers de nouveau roucoulent
Au cœur de deux jeunes amants,   30
Et les perles en dents se moulent
Pour l'écrin des rires charmants.

De là naissent ces sympathies
Aux impérieuses douceurs,   35
Par qui les âmes averties
Partout se reconnaissent sœurs.

Docile à l'appel d'un arome,
D'un rayon ou d'une couleur,
L'atome vole vers l'atome,
Comme l'abeille vers la fleur.   40

L'on se souvient des rêveries
Sur le fronton ou dans la mer,
Des conversations fleuries
Près de la fontaine au flot clair,

Des baisers et des frissons d'ailes   45
Sur les dômes aux boules d'or,
Et les molécules fidèles
Se cherchent et s'aiment encor.

L'amour oublié se réveille,
Le passé vaguement renaît,   50
La fleur sur la bouche vermeille
Se respire et se reconnaît;

Dans la nacre où le rire brille
La perle revoit sa blancheur;
Sur une peau de jeune fille   55
Le marbre ému sent sa fraîcheur;

Le ramier trouve une voix douce,
Echo de son gémissement;
Toute résistance s'émousse,
Et l'inconnu devient l'amant.   60

Vous devant qui je brûle et tremble,
Quel flot, quel fronton, quel rosier,
Quel dôme nous connut ensemble,
Perle ou marbre, fleur ou ramier?

LACENAIRE

POUR contraste, la main coupée
    De Lacenaire l'assassin,
    Dans des baumes puissants trempée,
Posait auprès, sur un coussin.

Curiosité dépravée!   5
J'ai touché, malgré mes dégoûts,
Du supplice encor mal lavée,
Cette chair froide au duvet roux.

Momifiée et toute jaune
Comme la main d'un Pharaon,   10
Elle allonge ses doigts de faune
Crispés par la tentation.

Un prurit d'or et de chair vive
Semble titiller de ses doigts
L'immobilité convulsive,   15
Et les tordre comme autrefois.

Tous les vices avec leurs griffes
Ont, dans les plis de cette peau,
Tracé d'affreux hiéroglyphes,
Lus couramment par le bourreau.   20

On y voit les œuvres mauvaises
Ecrites en fauves sillons,
Et les brûlures des fournaises
Où bouillent les corruptions;

Les débauches dans les Caprées   25
Des tripots et des lupanars,
De vin et de sang diaprées,
Comme l'ennui des vieux Césars!

En même temps molle et féroce,
Sa forme a pour l'observateur   30
Je ne sais quelle grâce atroce,
La grâce du gladiateur!

Criminelle aristocratie,
Par la varlope ou le marteau
Sa pulpe n'est pas endurcie,   35
Car son outil fut un couteau.

Saints calus du travail honnête,
On y cherche en vain votre sceau,
Vrai meurtrier et faux poète,
Il fut le Manfred du ruisseau.   40

BÛCHERS ET TOMBEAUX

LE squelette était invisible
    Au temps heureux de l'Art païen;
    L'homme sous la forme sensible,
Content du beau, ne cherchait rien.

Pas de cadavre sous la tombe,   5
Spectre hideux de l'être cher,
Comme d'un vêtement qui tombe
Se déshabillant de sa chair,

Et, quand la pierre se lézarde,
Parmi les épouvantements,   10
Montrant à l'œil qui s'y hasarde
Une armature d'ossements;

Mais au feu du bûcher ravie
Une pincée entre les doigts,
Résidu léger de la vie,   15
Qu'enserrait l'urne aux flancs étroits,

Ce que le papillon de l'âme
Laisse de poussière après lui,
Et ce qui reste de la flamme
Sur le trépied, quand elle a lui!   20

Entre les fleurs et les acanthes,
Dans le marbre, joyeusement,
Amours, ægipans et bacchantes
Dansaient autour du monument;

Tout au plus un petit génie   25
Du pied éteignait un flambeau;
Et l'Art versait son harmonie
Sur la tristesse du tombeau.

Les tombes étaient attrayantes:
Comme on fait d'un enfant qui dort,   30
D'images douces et riantes
La Vie enveloppait la Mort:

La Mort dissimulait sa face
Aux trous profonds, au nez camard,
Dont la hideur railleuse efface   35
Les chimères du cauchemar.

Le monstre sous la chair splendide
Cachait son fantôme inconnu,
Et l'œil de la vierge candide
Allait au bel éphèbe nu.   40

Seulement pour pousser à boire,
Au banquet de Trimalcion,
Une larve, joujou d'ivoire,
Faisait son apparition;

Des dieux que l'Art toujours révère   45
Trônaient au ciel marmoréen.
Mais l'Olympe cède au Calvaire,
Jupiter au Nazaréen;

Une voix dit: "Pan est mort!"—L'ombre
S'étend.—Comme sur un drap noir,   50
Sur la tristesse immense et sombre
Le blanc squelette se fait voir.

Il signe les pierres funèbres
De son paraphe de fémurs,
Pend son chapelet de vertèbres   55
Dans les charniers, le long des murs;

Des cercueils lève le couvercle
Avec ses bras aux os pointus,
Dessine ses côtes en cercle
Et rit de son large rictus.   60

Il pousse à la danse macabre
L'empereur, le pape et le roi,
Et de son cheval qui se cabre
Jette bas le preux plein d'effroi.

Il entre chez la courtisane   65
Et fait des mines au miroir;
Du malade il boit la tisane,
De l'avare ouvre le tiroir;

Piquant l'attelage qui rue
Avec un os pour aiguillon,   70
Du laboureur à la charrue
Termine en fosse le sillon;

Et, parmi la foule priée,
Hôte inattendu, sous le banc,
Vole à la pâle mariée   75
Sa jarretière de ruban.

A chaque pas grossit la bande;
Le jeune au vieux donne la main;
L'irrésistible sarabande
Met en branle le genre humain.   80

Le spectre en tête se déhanche,
Dansant et jouant du rebec,
Et sur fond noir, en couleur blanche,
Holbein l'esquisse d'un trait sec.

Quand le siècle devient frivole, 85
Il suit la mode: en tonnelet
Retrousse son linceul et vole,
Comme un Cupidon de ballet,

Au tombeau-sofa des marquises
Qui reposent, lasses d'amour, 90
En des attitudes exquises,
Dans les chapelles Pompadour.

Mais voile-toi, masque sans joues,
Comédien que le ver mord,
Depuis assez longtemps tu joues 95
Le mélodrame de la Mort.

Reviens, reviens, bel Art antique,
De ton paros étincelant
Couvrir ce squelette gothique;
Dévore-le, bûcher brûlant! 100

Si nous sommes une statue
Sculptée à l'image de Dieu,
Quand cette image est abattue,
Jetons-en les débris au feu.

Toi, forme immortelle, remonte 105
Dans la flamme aux sources du Beau,
Sans que ton argile ait la honte
Et les misères du tombeau!

CARMEN

CARMEN est maigre,—un trait de bistre
    Cerne son œil de gitana.
    Ses cheveux sont d'un noir sinistre,
Sa peau, le diable la tanna.

Les femmes disent qu'elle est laide,   5
Mais tous les hommes en sont fous:
Et l'archevêque de Tolède
Chante la messe à ses genoux;

Car sur sa nuque d'ambre fauve
Se tord un énorme chignon   10
Qui, dénoué, fait dans l'alcôve
Une mante à son corps mignon.

Et, parmi sa pâleur, éclate
Une bouche aux rires vainqueurs;
Piment rouge, fleur écarlate,   15
Qui prend sa pourpre au sang des cœurs.

Ainsi faite, la moricaude
Bat les plus altières beautés,
Et de ses yeux la lueur chaude
Rend la flamme aux satiétés.   20

Elle a, dans sa laideur piquante,
Un grain de sel de cette mer
D'où jaillit, nue et provocante,
L'âcre Vénus du gouffre amer.

TRISTESSE EN MER

LES mouettes volent et jouent;
    Et les blancs coursiers de la mer,
    Cabrés sur les vagues, secouent
Leurs crins échevelés dans l'air.

Le jour tombe; une fine pluie   5
Eteint les fournaises du soir,
Et le steam-boat crachant la suie
Rabat son long panache noir.

Plus pâle que le ciel livide
Je vais au pays du charbon,   10
Du brouillard et du suicide;
—Pour se tuer le temps est bon.

Mon désir avide se noie
Dans le gouffre amer qui blanchit;
Le vaisseau danse, l'eau tournoie,   15
Le vent de plus en plus fraîchit.

Oh! je me sens l'âme navrée;
L'Océan gonfle, en soupirant,
Sa poitrine désespérée,
Comme un ami qui me comprend.   20

Allons! peines d'amour perdues,
Espoirs lassés, illusions
Du socle idéal descendues,
Un saut dans les moites sillons!

A la mer, souffrances passées,   25
Qui revenez toujours, pressant
Vos blessures cicatrisées
Pour leur faire pleurer du sang!

A la mer, spectre de mes rêves,
Regrets aux mortelles pâleurs   30
Dans un cœur rouge ayant sept glaives,
Comme la Mère des douleurs!

Chaque fantôme plonge et lutte
Quelques instants avec le flot,
Qui sur lui ferme sa volute   35
Et l'engloutit dans un sanglot.

Lest de l'âme, pesant bagage,
Trésors misérables et chers,
Sombrez, et dans votre naufrage
Je vais vous suivre au fond des mers!   40

Bleuâtre, enflé, méconnaissable,
Bercé par le flot qui bruit,
Sur l'humide oreiller du sable
Je dormirai bien cette nuit!

. . . Mais une femme dans sa mante   45
Sur le pont assise à l'écart,
Une femme jeune et charmante
Lève vers moi son long regard.

Dans ce regard, à ma détresse
La Sympathie aux bras ouverts   50
Parle et sourit, sœur ou maîtresse.
Salut, yeux bleus! bonsoir, flots verts!

Les mouettes volent et jouent;
Et les blancs coursiers de la mer,
Cabrés sur les vagues, secouent   55
Leurs crins échevelés dans l'air.

L'ART

OUI, l'œuvre sort plus belle
D'une forme au travail
        Rebelle,
Vers, marbre, onyx, émail.

Point de contraintes fausses!   5
Mais que pour marcher droit
    Tu chausses,
Muse, un cothurne étroit.

Fi du rhythme commode,
Comme un soulier trop grand,   10
    Du mode
Que tout pied quitte et prend!

Statuaire, repousse
L'argile que pétrit   15
    Le pouce
Quand flotte ailleurs l'esprit;

Lutte avec le carrare,
Avec le paros dur
    Et rare,
Gardiens du contour pur;   20

179

Emprunte à Syracuse
Son bronze où fermement
   S'accuse
Le trait fier et charmant;

D'une main délicate   25
Poursuis dans un filon
   D'agate
Le profil d'Apollon.

Peintre, fuis l'aquarelle,
Et fixe la couleur   30
   Trop frêle
Au four de l'émailleur;

Fais les sirènes bleues,
Tordant de cent façons
   Leurs queues,   35
Les monstres des blasons;

Dans son nimbe trilobe
La Vierge et son Jésus,
   Le globe
Avec la croix dessus.   40

Tout passe.—L'art robuste
Seul a l'éternité.
   Le buste
Survit à la cité,

Et la médaille austère   45
Que trouve un laboureur
   Sous terre
Révèle un empereur.

Les dieux eux-mêmes meurent,
Mais les vers souverains   50
    Demeurent
Plus forts que les airains.

Sculpte, lime, cisèle;
Que ton rêve flottant
    Se scelle   55
Dans le bloc résistant!

Leconte de Lisle

VÉNUS DE MILO

MARBRE sacré, vêtu de force et de génie,
    Déesse irrésistible au port victorieux,
    Pure comme un éclair et comme une har-
    monie,
O Vénus, ô beauté, blanche mère des Dieux!

Tu n'es pas Aphrodite, au bercement de l'onde,   5
Sur ta conque d'azur posant un pied neigeux,
Tandis qu'autour de toi, vision rose et blonde,
Volent les Rires d'or avec l'essaim des Jeux.

Tu n'es pas Kythérée, en ta pose assouplie,
Parfumant de baisers l'Adônis bienheureux,   10
Et n'ayant pour témoins sur le rameau qui plie
Que colombes d'albâtre et ramiers amoureux.

Et tu n'es pas la Muse aux lèvres éloquentes,
La pudique Vénus, ni la molle Astarté
Qui, le front couronné de roses et d'acanthes,   15
Sur un lit de lotos se meurt de volupté.

Non! les Rires, les Jeux, les Grâces enlacées,
Rougissantes d'amour, ne t'accompagnent pas.
Ton cortège est formé d'étoiles cadencées,
Et les globes en chœur s'enchaînent sur tes pas.   20

Du bonheur impassible ô symbole adorable,
Calme comme la mer en sa sérénité,
Nul sanglot n'a brisé ton sein inaltérable,
Jamais les pleurs humains n'ont terni ta beauté.

Salut! A ton aspect le cœur se précipite.   25
Un flot marmoréen inonde tes pieds blancs;
Tu marches, fière et nue, et le monde palpite,
Et le monde est à toi, Déesse aux larges flancs!

Iles, séjour des Dieux! Hellas, mère sacrée!
Oh! que ne suis-je né dans le saint Archipel   30
Aux siècles glorieux où la Terre inspirée
Voyait le Ciel descendre à son premier appel!

Si mon berceau, flottant sur la Thétis antique,
Ne fut point caressé de son tiède cristal;
Si je n'ai point prié sous le fronton attique,   35
Beauté victorieuse, à ton autel natal;

Allume dans mon sein la sublime étincelle,
N'enferme point ma gloire au tombeau soucieux;
Et fais que ma pensée en rythmes d'or ruisselle,
Comme un divin métal au moule harmonieux.   40

MIDI

MIDI, roi des étés, épandu sur la plaine,
    Tombe en nappes d'argent des hauteurs du
        ciel bleu.
Tout se tait. L'air flamboie et brûle sans haleme;
La terre est assoupie en sa robe de feu.

L'étendue est immense, et les champs n'ont point
    d'ombre,   5
Et la source est tarie où buvaient les troupeaux;
La lointaine forêt, dont la lisière est sombre,
Dort là-bas, immobile, en un pesant repos.

Seuls, les grands blés mûris, tels qu'une mer dorée
Se déroulent au loin, dédaigneux du sommeil;   10
Pacifiques enfants de la terre sacrée,
Ils épuisent sans peur la coupe du soleil.

Parfois, comme un soupir de leur âme brûlante,
Du sein des épis lourds qui murmurent entre eux,
Une ondulation majestueuse et lente   15
S'éveille, et va mourir à l'horizon poudreux.

Non loin, quelques bœufs blancs, couchés parmi les
    herbes
Bavent avec lenteur sur leurs fanons épais,
Et suivent de leurs yeux languissants et superbes
Le songe intérieur qu'ils n'achèvent jamais.   20

Homme, si, le cœur plein de joie ou d'amertume,
Tu passais vers midi dans les champs radieux,
Fuis! la nature est vide et le soleil consume:
Rien n'est vivant ici, rien n'est triste ou joyeux.

Mais si, désabusé des larmes et du rire,   25
Altéré de l'oubli de ce monde agité,
Tu veux, ne sachant plus pardonner ou maudire,
Goûter une suprême et morne volupté,

Viens! Le soleil te parle en paroles sublimes;
Dans sa flamme implacable absorbe-toi sans fin;   30
Et retourne à pas lents vers les cités infimes,
Le cœur trempé sept fois dans le néant divin.

L'ALBATROS

DANS l'immense largeur du Capricorne au Pôle
Le vent beugle, rugit, siffle, râle et miaule,
Et bondit à travers l'Atlantique tout blanc
De bave furieuse. Il se rue, éraflant
L'eau bleue qu'il pourchasse et dissipe en buées;   5
Il mord, déchire, arrache et tranche les nuées
Par tronçons convulsifs où saigne un brusque éclair;
Il saisit, enveloppe et culbute dans l'air
Un tournoiement confus d'aigres cris et de plumes
Qu'il secoue et qu'il traîne aux crêtes des écumes,   10
Et, martelant le front massif des cachalots,
Mêle à ses hurlements leurs monstrueux sanglots.
Seul, le Roi de l'espace et des mers sans rivages
Vole contre l'assaut des rafales sauvages.
D'un trait puissant et sûr, sans hâte ni retard,   15
L'œil dardé par delà le livide brouillard,
De ses ailes de fer rigidement tendues
Il fend le tourbillon des rauques étendues,
Et, tranquille au milieu de l'épouvantement,
Vient, passe, et disparaît majestueusement.   20

LE RÊVE DU JAGUAR

SOUS les noirs acajous, les lianes en fleur,
Dans l'air lourd, immobile et saturé de mouches,
Pendent, et, s'enroulant en bas parmi les souches,
Bercent le perroquet splendide et querelleur,
L'araignée au dos jaune et les singes farouches.   5

185

C'est là que le tueur de bœufs et de chevaux,
Le long des vieux troncs morts à l'écorce moussue,
Sinistre et fatigué, revient à pas égaux.
Il va, frottant ses reins musculeux qu'il bossue;
Et, du mufle béant par la soif alourdi,   10
Un souffle rauque et bref, d'une brusque secousse,
Trouble les grands lézards, chauds des feux de midi,
Dont la fuite étincelle à travers l'herbe rousse.
En un creux du bois sombre interdit au soleil
Il s'affaisse, allongé sur quelque roche plate;   15
D'un large coup de langue il se lustre la patte;
Il cligne ses yeux d'or hébétés de sommeil;
Et, dans l'illusion de ses forces inertes,
Faisant mouvoir sa queue et frissonner ses flancs,
Il rêve qu'au milieu des plantations vertes,   20
Il enfonce d'un bond ses ongles ruisselants
Dans la chair des taureaux effarés et beuglants.

LE SOMMEIL DU CONDOR

PAR delà l'escalier des roides Cordillères,
     Par delà les brouillards hantés des aigles noirs,
     Plus haut que les sommets creusés en entonnoirs
Où bout le flux sanglant des laves familières,
L'envergure pendante et rouge par endroits,   5
Le vaste Oiseau, tout plein d'une morne indolence,
Regarde l'Amérique et l'espace en silence,
Et le sombre soleil qui meurt dans ses yeux froids.
La nuit roule de l'Est, où les pampas sauvages
Sous les monts étagés s'élargissent sans fin;   10
Elle endort le Chili, les villes, les rivages,
Et la mer Pacifique et l'horizon divin;

Du continent muet elle s'est emparée:
Des sables aux coteaux, des gorges aux versants,
De cime en cime, elle enfle, en tourbillons croissants,   15
Le lourd débordement de sa haute marée.
Lui, comme un spectre, seul, au front du pic altier,
Baigné d'une lueur qui saigne sur la neige,
Il attend cette mer sinistre qui l'assiège:
Elle arrive, déferle, et le couvre en entier.   20
Dans l'abîme sans fond la Croix australe allume
Sur les côtes du ciel son phare constellé.
Il râle de plaisir, il agite sa plume,
Il érige son cou musculeux et pelé,
Il s'enlève en fouettant l'âpre neige des Andes,   25
Dans un cri rauque il monte où n'atteint pas le vent,
Et, loin du globe noir, loin de l'astre vivant,
Il dort dans l'air glacé, les ailes toutes grandes.

LA VÉRANDAH

AU tintement de l'eau dans les porphyres roux
   Les rosiers de l'Iran mêlent leurs frais mur-
     mures,
Et les ramiers rêveurs leurs roucoulements doux.
Tandis que l'oiseau grêle et le frelon jaloux,
Sifflant et bourdonnant, mordent les figues mûres,   5
Les rosiers de l'Iran mêlent leurs frais murmures
Au tintement de l'eau dans les porphyres roux.

Sous les treillis d'argent de la vérandah close,
Dans l'air tiède, embaumé de l'odeur des jasmins,
Où la splendeur du jour darde une flèche rose,   10
La Persane royale, immobile, repose,

Derrière son col brun croisant ses belles mains,
Dans l'air tiède, embaumé de l'odeur des jasmins,
Sous les treillis d'argent de la vérandah close.

Jusqu'aux lèvres que l'ambre arrondi baise encor,   15
Du cristal d'où s'échappe une vapeur subtile
Qui monte en tourbillons légers et prend l'essor,
Sur les coussins de soie écarlate, aux fleurs d'or,
La branche du hûka rôde comme un reptile
Du cristal d'où s'échappe une vapeur subtile   20
Jusqu'aux lèvres que l'ambre arrondi baise encor.

Deux rayons noirs, chargés d'une muette ivresse,
Sortent de ses longs yeux entr'ouverts à demi;
Un songe l'enveloppe, un souffle la caresse;
Et parce que l'effluve invincible l'oppresse,   25
Parce que son beau sein qui se gonfle a frémi,
Sortent de ses longs yeux entr'ouverts à demi
Deux rayons noirs, chargés d'une muette ivresse.

Et l'eau vive s'endort dans les porphyres roux,
Les rosiers de l'Iran ont cessé leurs murmures,   30
Et les ramiers rêveurs leurs roucoulements doux.
Tout se tait. L'oiseau grêle et le frelon jaloux
Ne se querellent plus autour des figues mûres.
Les rosiers de l'Iran ont cessé leurs murmures,
Et l'eau vive s'endort dans les porphyres roux.   35

LE FRAIS MATIN DORAIT

L E frais matin dorait de sa clarté première
La cime des bambous et des gérofliers.
Oh! les mille chansons des oiseaux familiers
Palpitant dans l'air rose et buvant la lumière!

Comme lui tu brillais, ô ma douce lumière,   5
Et tu chantais comme eux vers les cieux familiers !
A l'ombre des letchis et des gérofliers,
C'était toi que mon cœur contemplait la première.

Telle, au Jardin céleste, à l'aurore première,
La jeune Ève, sous les divins gérofliers,   10
Toute pareille encore aux anges familiers,
De ses yeux innocents répandait la lumière.

Harmonie et parfum, charme, grâce, lumière,
Toi vers qui s'envolaient mes songes familiers,
Rayon d'or effleurant les hauts gérofliers,   15
O lys, qui m'as versé mon ivresse première !

La Vierge aux pâles mains t'a prise la première,
Chère âme ! Et j'ai vécu loin des gérofliers,
Loin des sentiers charmants à tes pas familiers,
Et loin du ciel natal où fleurit ta lumière.   20

Des siècles ont passé, dans l'ombre ou la lumière,
Et je revois toujours mes astres familiers,
Les beaux yeux qu'autrefois, sous nos gérofliers,
Le frais matin dorait de sa clarté première !

LES ELFES

COURONNÉS de thym et de marjolaine,
Les Elfes joyeux dansent sur la plaine.

Du sentier des bois aux daims familier,
Sur un noir cheval, sort un chevalier.

Son éperon d'or brille en la nuit brune;   5
Et, quand il traverse un rayon de lune,
On voit resplendir, d'un reflet changeant,
Sur sa chevelure un casque d'argent.

Couronnés de thym et de marjolaine,
Les Elfes joyeux dansent sur la plaine.   10

Ils l'entourent tous d'un essaim léger
Qui dans l'air muet semble voltiger.
—Hardi chevalier, par la nuit sereine,
Où vas-tu si tard? dit la jeune Reine.
De mauvais esprits hantent les forêts;   15
Viens danser plutôt sur les gazons frais.—

Couronnés de thym et de marjolaine,
Les Elfes joyeux dansent sur la plaine.

—Non! ma fiancée aux yeux clairs et doux
M'attend, et demain nous serons époux.   20
Laissez-moi passer, Elfes des prairies,
Qui foulez en rond les mousses fleuries;
Ne m'attardez pas loin de mon amour,
Car voici déjà les lueurs du jour.—

Couronnés de thym et de marjolaine,   25
Les Elfes joyeux dansent sur la plaine.

—Reste, chevalier. Je te donnerai
L'opale magique et l'anneau doré,
Et, ce qui vaut mieux que gloire et fortune,
Ma robe filée au clair de la lune.   30
—Non! dit-il.—Va donc!—et de son doigt blanc
Elle touche au cœur le guerrier tremblant.

Couronnés de thym et de marjolaine,
Les Elfes joyeux dansent sur la plaine.

Et sous l'éperon le noir cheval part.   35
Il court, il bondit et va sans retard;
Mais le chevalier frissonne et se penche;
Il voit sur la route une forme blanche
Qui marche sans bruit et lui tend les bras:
—Elfe, esprit, démon, ne m'arrête pas!—   40

Couronnés de thym et de marjolaine,
Les Elfes joyeux dansent sur la plaine,

—Ne m'arrête pas, fantôme odieux!
Je vais épouser ma belle aux doux yeux.
—O mon cher époux, la tombe éternelle   45
Sera notre lit de noce, dit-elle.
Je suis morte!—Et lui, la voyant ainsi,
D'angoisse et d'amour tombe mort aussi.

Couronnés de thym et de marjolaine,
Les Elfes joyeux dansent sur la plaine.   50

LE CŒUR DE HIALMAR

UNE nuit claire, un vent glacé. La neige est
rouge.
Mille braves sont là qui dorment sans tom-
beaux
L'épée au poing, les yeux hagards. Pas un ne bouge.
Au-dessus tourne et crie un vol de noirs corbeaux.

La lune froide verse au loin sa pâle flamme.   5
Hialmar se soulève entre les morts sanglants,
Appuyé des deux mains au tronçon de sa lame.
La pourpre du combat ruisselle de ses flancs.

—Holà! Quelqu'un a-t-il encore un peu d'haleine,
Parmi tant de joyeux et robustes garçons   10
Qui, ce matin, riaient et chantaient à voix pleine
Comme des merles dans l'épaisseur des buissons?

Tous sont muets. Mon casque est rompu, mon armure
Est trouée, et la hache a fait sauter ses clous.
Mes yeux saignent. J'entends un immense murmure   15
Pareil aux hurlements de la mer ou des loups.

Viens par ici, Corbeau, mon brave mangeur d'hommes!
Ouvre-moi la poitrine avec ton bec de fer.
Tu nous retrouveras demain tels que nous sommes.
Porte mon cœur tout chaud à la fille d'Ylmer.   20

Dans Upsal, où les Jarls boivent la bonne bière,
Et chantent, en heurtant les cruches d'or, en chœur,
A tire-d'aile vole, ô rôdeur de bruyère!
Cherche ma fiancée et porte-lui mon cœur.

Au sommet de la tour que hantent les corneilles   25
Tu la verras debout, blanche, aux longs cheveux noirs.
Deux anneaux d'argent fin lui pendent aux oreilles,
Et ses yeux sont plus clairs que l'astre des beaux soirs.

Va, sombre messager, dis-lui bien que je l'aime,
Et que voici mon cœur. Elle reconnaîtra   30
Qu'il est rouge et solide et non tremblant et blême;
Et la fille d'Ylmer, Corbeau, te sourira!

Moi, je meurs. Mon esprit coule par vingt blessures.
J'ai fait mon temps. Buvez, ô loups, mon sang vermeil.
Jeune, brave, riant, libre et sans flétrissures,   35
Je vais m'asseoir parmi les Dieux, dans le soleil!

ÉPIPHANIE

ELLE passe, tranquille, en un rêve divin,
 Sur le bord du plus frais de tes lacs, ô Norvège!
 Le sang rose et subtil qui dore son col fin
Est doux comme un rayon de l'aube sur la neige.

Au murmure indécis du frêne et du bouleau,   5
Dans l'étincellement et le charme de l'heure,
Elle va, reflétée au pâle azur de l'eau
Qu'un vol silencieux de papillons effleure.

Quand un souffle furtif glisse en ses cheveux blonds,
Une cendre ineffable inonde son épaule;   10
Et, de leur transparence argentant leurs cils longs,
Ses yeux ont la couleur des belles nuits du Pôle.

Purs d'ombre et de désir, n'ayant rien espéré
Du monde périssable où rien d'ailé ne reste,
Jamais ils n'ont souri, jamais ils n'ont pleuré,   15
Ces yeux calmes ouverts sur l'horizon céleste.

Et le Gardien pensif du mystique oranger
Des balcons de l'Aurore éternelle se penche,
Et regarde passer ce fantôme léger
Dans les plis de sa robe immortellement blanche.   20

LE VENT FROID DE LA NUIT

LE vent froid de la nuit souffle à travers les
       branches
Et casse par moments les rameaux desséchés;
La neige, sur la plaine où les morts sont couchés,
Comme un suaire étend au loin ses nappes blanches.

En ligne noire, au bord de l'étroit horizon,   5
Un long vol de corbeaux passe en rasant la terre,
Et quelques chiens, creusant un tertre solitaire,
Entre-choquent les os dans le rude gazon.

J'entends gémir les morts sous les herbes froissées.
O pâles habitants de la nuit sans réveil,   10
Quel amer souvenir, troublant votre sommeil,
S'échappe en lourds sanglots de vos lèvres glacées?

Oubliez, oubliez! Vos cœurs sont consumés;
De sang et de chaleur vos artères sont vides.
O morts, morts bienheureux, en proie aux vers avides, 15
Souvenez-vous plutôt de la vie, et dormez!

Ah! dans vos lits profonds quand je pourrai descendre,
Comme un forçat vieilli qui voit tomber ses fers,
Que j'aimerai sentir, libre des maux soufferts,
Ce qui fut moi rentrer dans la commune cendre!   20

Mais, ô songe! Les morts se taisent dans leur nuit.
C'est le vent, c'est l'effort des chiens à leur pâture,
C'est ton morne soupir, implacable nature!
C'est mon cœur ulcéré qui pleure et qui gémit.

Tais-toi. Le ciel est sourd, la terre te dédaigne. 25
A quoi bon tant de pleurs si tu ne peux guérir ?
Sois comme un loup blessé qui se tait pour mourir,
Et qui mord le couteau, de sa gueule qui saigne.

Encore une torture, encore un battement.
Puis, rien. La terre s'ouvre, un peu de chair y tombe. 30
Et l'herbe de l'oubli, cachant bientôt la tombe,
Sur tant de vanité croît éternellement.

LA DERNIÈRE VISION

UN long silence pend de l'immobile nue.
  La neige, bossuant ses plis amoncelés,
  Linceul rigide, étreint les océans gelés.
La face de la terre est absolument nue.

Point de villes, dont l'âge a rompu les étais, 5
Qui s'effondrent par blocs confus que mord le lierre.
Des lieux où tournoyait l'active fourmilière
Pas un débris qui parle et qui dise: J'étais !

Ni sonnantes forêts, ni mers des vents battues.
Vraiment, la race humaine et tous les animaux 10
Du sinistre anathème ont épuisé les maux.
Les temps sont accomplis: les choses se sont tues.

Comme, du faîte plat d'un grand sépulcre ancien,
La lampe dont blêmit la lueur vagabonde,
Plein d'ennui, palpitant sur le désert du monde, 15
Le soleil qui se meurt regarde et ne voit rien.

Un monstre insatiable a dévoré la vie.
Astres resplendissants des cieux, soyez témoins!
C'est à vous de frémir, car ici-bas, du moins,
L'affreux spectre, la goule horrible est assouvie.   20

Vertu, douleur, pensée, espérance, remords,
Amour qui traversais l'univers d'un coup d'aile,
Qu'êtes-vous devenus? L'âme qu'a-t-on fait d'elle?
Qu'a-t-on fait de l'esprit silencieux des morts?

Tout! Tout a disparu, sans échos et sans traces,   25
Avec le souvenir du monde jeune et beau.
Les siècles ont scellé dans le même tombeau
L'illusion divine et la rumeur des races.

O Soleil! vieil ami des antiques chanteurs,
Père des bois, des blés, des fleurs et des rosées,   30
Eteins donc brusquement tes flammes épuisées,
Comme un feu de berger perdu sur les hauteurs.

Que tardes-tu? La terre est desséchée et morte:
Fais comme elle, va, meurs! Pourquoi survivre encor?
Les globes détachés de ta ceinture d'or   35
Volent, poussière éparse, au vent qui les emporte.

Et, d'heure en heure aussi, vous vous engloutirez,
O tourbillonnements d'étoiles éperdues,
Dans l'incommensurable effroi des étendues,
Dans les gouffres muets et noirs des cieux sacrés!   40

Et ce sera la Nuit aveugle, la grande Ombre
Informe, dans son vide et sa stérilité,
L'abîme pacifique où gît la vanité
De ce qui fut le temps et l'espace et le nombre.

Charles Baudelaire

AU LECTEUR

LA sottise, l'erreur, le péché, la lésine,
    Occupent nos esprits et travaillent nos corps,
    Et nous alimentons nos aimables remords,
Comme les mendiants nourrissent leur vermine.

Nos péchés sont têtus, nos repentirs sont lâches;   5
Nous nous faisons payer grassement nos aveux,
Et nous rentrons gaiement dans le chemin bourbeux,
Croyant par de vils pleurs laver toutes nos taches.

Sur l'oreiller du mal c'est Satan Trismégiste
Qui berce longuement notre esprit enchanté,   10
Et le riche métal de notre volonté
Est tout vaporisé par ce savant chimiste.

C'est le Diable qui tient les fils qui nous remuent!
Aux objets répugnants nous trouvons des appas;
Chaque jour vers l'Enfer nous descendons d'un pas,   15
Sans horreur, à travers des ténèbres qui puent.

Ainsi qu'un débauché pauvre qui baise et mange
Le sein martyrisé d'une antique catin,
Nous volons au passage un plaisir clandestin
Que nous pressons bien fort comme une vieille orange.   20

Serré, fourmillant, comme un million d'helminthes,
Dans nos cerveaux ribote un peuple de Démons,
Et, quand nous respirons, la Mort dans nos poumons
Descend, fleuve invisible, avec de sourdes plaintes.

Si le viol, le poison, le poignard, l'incendie,   25
N'ont pas encor brodé de leurs plaisants dessins
Le canevas banal de nos piteux destins,
C'est que notre âme, hélas! n'est pas assez hardie.

Mais parmi les chacals, les panthères, les lices,
Les singes, les scorpions, les vautours, les serpents,   30
Les monstres glapissants, hurlants, grognants, ram-
        pants,
Dans la ménagerie infâme de nos vices,

Il en est un plus laid, plus méchant, plus immonde!
Quoiqu'il ne pousse ni grands gestes ni grands cris,
Il ferait volontiers de la terre un débris   35
Et dans un bâillement avalerait le monde;

C'est l'Ennui!—l'œil chargé d'un pleur involontaire,
Il rêve d'échafauds en fumant son houka.
Tu le connais, lecteur, ce monstre délicat,
—Hypocrite lecteur,—mon semblable,—mon frère!   40

BÉNÉDICTION

LORSQUE, par un décret des puissances sup-
        rêmes,
    Le Poète apparaît en ce monde ennuyé,
Sa mère épouvantée et pleine de blasphèmes
Crispe ses poings vers Dieu, qui la prend en pitié:

—"Ah! que n'ai-je mis bas tout un nœud de vipères,   5
Plutôt que de nourrir cette dérision!
Maudite soit la nuit aux plaisirs éphémères
Où mon ventre a conçu mon expiation!

Puisque tu m'as choisie entre toutes les femmes
Pour être le dégoût de mon triste mari,   10
Et que je ne puis pas rejeter dans les flammes,
Comme un billet d'amour, ce monstre rabougri,

Je ferai rejaillir ta haine qui m'accable
Sur l'instrument maudit de tes méchancetés,
Et je tordrai si bien cet arbre misérable,   15
Qu'il ne pourra pousser ses boutons empestés!"

Elle ravale ainsi l'écume de sa haine,
Et, ne comprenant pas les desseins éternels,
Elle-même prépare au fond de la Géhenne
Les bûchers consacrés aux crimes maternels.   20

Pourtant, sous la tutelle invisible d'un Ange,
L'Enfant déshérité s'enivre de soleil,
Et dans tout ce qu'il boit et dans tout ce qu'il mange
Retrouve l'ambroisie et le nectar vermeil.

Il joue avec le vent, cause avec le nuage,   25
Et s'enivre en chantant du chemin de la croix;
Et l'Esprit qui le suit dans son pélerinage
Pleure de le voir gai comme un oiseau des bois.

Tous ceux qu'il veut aimer l'observent avec crainte,
Ou bien s'enhardissant de sa tranquillité,   30
Cherchent à qui saura lui tirer une plainte,
Et font sur lui l'essai de leur férocité.

Dans le pain et le vin destinés à sa bouche
Ils mêlent de la cendre avec d'impurs crachats;
Avec hypocrisie ils jettent ce qu'il touche,   35
Et s'accusent d'avoir mis leurs pieds dans ses pas.

Sa femme va criant sur les places publiques:
—"Puisqu'il me trouve assez belle pour m'adorer,
Je ferai le métier des idoles antiques,
Et comme elles je veux me faire redorer;   40

Et je me soûlerai de nard, d'encens, de myrrhe,
De génuflexions, de viandes et de vins,
Pour savoir si je puis dans un cœur qui m'admire
Usurper en riant les hommages divins!

Et, quand je m'ennuierai de ces farces impies,   45
Je poserai sur lui ma frêle et forte main;
Et mes ongles, pareils aux ongles des harpies
Sauront jusqu'à son cœur se frayer un chemin.

Comme un tout jeune oiseau qui tremble et qui palpite,
J'arracherai ce cœur tout rouge de son sein,   50
Et, pour rassasier ma bête favorite,
Je le lui jetterai par terre avec dédain!"

Vers le Ciel, où son œil voit un trône splendide,
Le Poète serein lève ses bras pieux,
Et les vastes éclairs de son esprit lucide   55
Lui dérobent l'aspect des peuples furieux:

"Soyez béni, mon Dieu, qui donnez la souffrance
Comme un divin remède à nos impuretés,
Et comme la meilleure et la plus pure essence
Qui prépare les forts aux saintes voluptés!   60

Je sais que vous gardez une place au Poète
Dans les rangs bienheureux des saintes Légions,
Et que vous l'invitez à l'éternelle fête
Des Trônes, des Vertus, des Dominations.

Je sais que la douleur est la noblesse unique   65
Où ne mordront jamais la terre et les enfers,
Et qu'il faut pour tresser ma couronne mystique
Imposer tous les temps et tous les univers.

Mais les bijoux perdus de l'antique Palmyre,
Les métaux inconnus, les perles de la mer,   70
Par votre main montés, ne pourraient pas suffire
A ce beau diadème éblouissant et clair;

Car il ne sera fait que de pure lumière,
Puisée au foyer saint des rayons primitifs,
Et dont les yeux mortels, dans leur splendeur entière,   75
Ne sont que des miroirs obscurcis et plaintifs!"

L'ALBATROS

SOUVENT, pour s'amuser, les hommes d'équipage
Prennent des albatros, vastes oiseaux des mers,
Qui suivent, indolents compagnons de voyage,
Le navire glissant sur les gouffres amers.

A peine les ont-ils déposés sur les planches,   5
Que ces rois de l'azur, maladroits et honteux,
Laissent piteusement leurs grandes ailes blanches
Comme des avirons traîner à côté d'eux.

Ce voyageur ailé, comme il est gauche et veule!
Lui, naguère si beau, qu'il est comique et laid!   10
L'un agace son bec avec un brûle-gueule,
L'autre mime, en boitant, l'infirme qui volait!

Le Poëte est semblable au prince des nuées
Qui hante la tempête et se rit de l'archer;
Exilé sur le sol au milieu des huées,   15
Ses ailes de géant l'empêchent de marcher.

CORRESPONDANCES

LA Nature est un temple où de vivants piliers
Laissent parfois sortir de confuses paroles;
L'homme y passe à travers des forêts de sym-
    boles
Qui l'observent avec des regards familiers.

Comme de longs échos qui de loin se confondent   5
Dans une ténébreuse et profonde unité,
Vaste comme la nuit et comme la clarté,
Les parfums, les couleurs et les sons se répondent.

Il est des parfums frais comme des chairs d'enfants,
Doux comme les hautbois, verts comme les prairies,   10
—Et d'autres, corrompus, riches et triomphants,

Ayant l'expansion des choses infinies,
Comme l'ambre, le musc, le benjoin et l'encens,
Qui chantent les transports de l'esprit et des sens.

HYMNE À LA BEAUTÉ

VIENS-TU du ciel profond ou sors-tu de l'abîme,
O Beauté? Ton regard, infernal et divin,
Verse confusément le bienfait et le crime,
Et l'on peut pour cela te comparer au vin.

Tu contiens dans ton œil le couchant et l'aurore;   5
Tu répands des parfums comme un soir orageux;
Tes baisers sont un philtre et ta bouche une amphore
Qui font le héros lâche et l'enfant courageux.

Sors-tu du gouffre noir ou descends-tu des astres?
Le Destin charmé suit tes jupons comme un chien;   10
Tu sèmes au hasard la joie et les désastres,
Et tu gouvernes tout et ne réponds de rien.

Tu marches sur des morts, Beauté, dont tu te moques;
De tes bijoux l'Horreur n'est pas le moins charmant,
Et le Meurtre, parmi tes plus chères breloques,   15
Sur ton ventre orgueilleux danse amoureusement.

L'éphémère ébloui vole vers toi, chandelle,
Crépite, flambe et dit: Bénissons ce flambeau!
L'amoureux pantelant incliné sur sa belle
A l'air d'un moribond caressant son tombeau.   20

Que tu viennes du ciel ou de l'enfer, qu'importe,
O Beauté! monstre énorme, effrayant, ingénu!
Si ton œil, ton souris, ton pied, m'ouvrent la porte
D'un Infini que j'aime et n'ai jamais connu?

De Satan ou de Dieu, qu'importe? Ange ou Sirène,   25
Qu'importe, si tu rends,—fée aux yeux de velours,
Rhythme, parfum, lueur, ô mon unique reine!—
L'univers moins hideux et les instants moins lourds?

PARFUM EXOTIQUE

QUAND, les deux yeux fermés, en un soir chaud
    d'automne,
    Je respire l'odeur de ton sein chaleureux,
Je vois se dérouler des rivages heureux
Qu'éblouissent les feux d'un soleil monotone;

Une île paresseuse où la nature donne   5
Des arbres singuliers et des fruits savoureux;
Des hommes dont le corps est mince et vigoureux,
Et des femmes dont l'œil par sa franchise étonne.

Guidé par ton odeur vers de charmants climats,
Je vois un port rempli de voiles et de mâts   10
Encor tout fatigués par la vague marine,

Pendant que le parfum des verts tamariniers,
Qui circule dans l'air et m'enfle la narine,
Se mêle dans mon âme au chant des mariniers.

LE BALCON

MÈRE des souvenirs, maîtresse des maîtresses,
    O toi, tous mes plaisirs! ô toi, tous mes de-
    voirs!
Tu te rappelleras la beauté des caresses,
La douceur du foyer et le charme des soirs,
Mère des souvenirs, maîtresse des maîtresses!   5

Les soirs illuminés par l'ardeur du charbon,
Et les soirs au balcon, voilés de vapeurs roses.

Que ton sein m'était doux! que ton cœur m'était bon!
Nous avons dit souvent d'impérissables choses
Les soirs illuminés par l'ardeur du charbon.   10

Que les soleils sont beaux dans les chaudes soirées!
Que l'espace est profond! que le cœur est puissant!
En me penchant vers toi, reine des adorées,
Je croyais respirer le parfum de ton sang.
Que les soleils sont beaux dans les chaudes soirées!   15

La nuit s'épaississait ainsi qu'une cloison,
Et mes yeux dans le noir devinaient tes prunelles,
Et je buvais ton souffle, ô douceur! ô poison!
Et tes pieds s'endormaient dans mes mains fraternelles.
La nuit s'épaississait ainsi qu'une cloison.   20

Je sais l'art d'évoquer les minutes heureuses,
Et revis mon passé blotti dans tes genoux.
Car à quoi bon chercher tes beautés langoureuses
Ailleurs qu'en ton cher corps et qu'en ton cœur si doux?
Je sais l'art d'évoquer les minutes heureuses!   25

Ces serments, ces parfums, ces baisers infinis,
Renaîtront-ils d'un gouffre interdit à nos sondes,
Comme montent au ciel les soleils rajeunis
Après s'être lavés au fond des mers profondes?
—O serments! ô parfums! ô baisers infinis!   30

HARMONIE DU SOIR

VOICI venir les temps où vibrant sur sa tige
Chaque fleur s'évapore ainsi qu'un encensoir;
Les sons et les parfums tournent dans l'air du
    soir;
Valse mélancolique et langoureux vertige!

Chaque fleur s'évapore ainsi qu'un encensoir;   5
Le violon frémit comme un cœur qu'on afflige;
Valse mélancolique et langoureux vertige!
Le ciel est triste et beau comme un grand reposoir.

Le violon frémit comme un cœur qu'on afflige,
Un cœur tendre, qui hait le néant vaste et noir!   10
Le ciel est triste et beau comme un grand reposoir;
Le soleil s'est noyé dans son sang qui se fige.

Un cœur tendre, qui hait le néant vaste et noir,
Du passé lumineux recueille tout vestige!
Le soleil s'est noyé dans son sang qui se fige.   15
Ton souvenir en moi luit comme un ostensoir!

L'INVITATION AU VOYAGE

MON enfant, ma sœur,
    Songe à la douceur
    D'aller là-bas vivre ensemble!
  Aimer à loisir,
  Aimer et mourir   5
Au pays qui te ressemble!
    Les soleils mouillés
    De ces ciels brouillés
Pour mon esprit ont les charmes
    Si mystérieux   10
    De tes traîtres yeux,
Brillant à travers leurs larmes.

Là, tout n'est qu'ordre et beauté,
Luxe, calme et volupté.

Des meubles luisants,   15
    Polis par les ans,
Décoreraient notre chambre;
    Les plus rares fleurs
    Mêlant leurs odeurs
Aux vagues senteurs de l'ambre.   20
    Les riches plafonds,
    Les miroirs profonds,
La splendeur orientale,
    Tout y parlerait
    A l'âme en secret   25
Sa douce langue natale.

Là, tout n'est qu'ordre et beauté,
Luxe, calme et volupté.

    Vois sur ces canaux
    Dormir ces vaisseaux   30
Dont l'humeur est vagabonde;
    C'est pour assouvir
    Ton moindre désir
Qu'ils viennent du bout du monde
    —Les soleils couchants   35
    Revêtent les champs,
Les canaux, la ville entière,
    D'hyacinthe et d'or;
    Le monde s'endort
Dans une chaude lumière.   40

Là, tout n'est qu'ordre et beauté,
Luxe, calme et volupté.

L'IRRÉPARABLE

I

POUVONS-NOUS étouffer le vieux, le long Re-
 mords,
  Qui vit, s'agite et se tortille,
Et se nourrit de nous comme le ver des morts,
  Comme du chêne la chenille?
Pouvons-nous étouffer l'implacable Remords?   5

Dans quel philtre, dans quel vin, dans quelle tisane,
  Noierons-nous ce vieil ennemi,
Destructeur et gourmand comme la courtisane,
  Patient comme la fourmi?
Dans quel philtre?—dans quel vin?—dans quelle
  tisane?   10

Dis-le, belle sorcière, oh! dis, si tu le sais,
  A cet esprit comblé d'angoisse
Et pareil au mourant qu'écrasent les blessés,
  Que le sabot du cheval froisse,
Dis-le, belle sorcière, oh! dis, si tu le sais,   15

A cet agonisant que le loup déjà flaire
  Et que surveille le corbeau,
A ce soldat brisé! s'il faut qu'il désespère
  D'avoir sa croix et son tombeau;
Ce pauvre agonisant que déjà le loup flaire!   20

Peut-on illuminer un ciel bourbeux et noir?
  Peut-on déchirer des ténèbres
Plus denses que la poix, sans matin et sans soir,
  Sans astres, sans éclairs funèbres?
Peut-on illuminer un ciel bourbeux et noir?   25

L'Espérance qui brille aux carreaux de l'Auberge
    Est soufflée, est morte à jamais!
Sans lune et sans rayons, trouver où l'on héberge
    Les martyrs d'un chemin mauvais!
Le Diable a tout éteint aux carreaux de l'Auberge!   30

Adorable sorcière, aimes-tu les damnés?
    Dis, connais-tu l'irrémissible?
Connais-tu le Remords, aux traits empoisonnés,
    A qui notre cœur sert de cible?
Adorable sorcière, aimes-tu les damnés?   35

L'Irréparable ronge avec sa dent maudite
    Notre âme, piteux monument,
Et souvent il attaque, ainsi que le termite,
    Par la base le bâtiment.
L'Irréparable ronge avec sa dent maudite!   40

II

—J'ai vu parfois, au fond d'un théâtre banal
    Qu'enflammait l'orchestre sonore,
Une fée allumer dans un ciel infernal
    Une miraculeuse aurore;
J'ai vu parfois au fond d'un théâtre banal   45

Un être, qui n'était que lumière, or et gaze,
    Terrasser l'énorme Satan;
Mais mon cœur, que jamais ne visite l'extase,
    Est un théâtre où l'on attend
Toujours, toujours en vain, l'Être aux ailes de gaze!   50

CAUSERIE

VOUS êtes un beau ciel d'automne, clair et rose!
    Mais la tristesse en moi monte comme la mer,
    Et laisse, en refluant, sur ma lèvre morose
Le souvenir cuisant de son limon amer.

—Ta main se glisse en vain sur mon sein qui se pâme;   5
Ce qu'elle cherche, amie, est un lieu saccagé
Par la griffe et la dent féroce de la femme.
Ne cherchez plus mon cœur; les bêtes l'ont mangé.

Mon cœur est un palais flétri par la cohue;
On s'y soûle, on s'y tue, on s'y prend aux cheveux!   10
—Un parfum nage autour de votre gorge nue!...

O Beauté, dur fléau des âmes, tu le veux!
Avec tes yeux de feu, brillants comme des fêtes,
Calcine ces lambeaux qu'ont épargnés les bêtes!

CHANT D'AUTOMNE

I

BIENTÔT nous plongerons dans les froides ténè-
            bres;
    Adieu, vive clarté de nos étés trop courts!
J'entends déjà tomber avec des chocs funèbres
Le bois retentissant sur le pavé des cours.

Tout l'hiver va rentrer dans mon être: colère,   5
Haine, frissons, horreur, labeur dur et forcé,
Et, comme le soleil dans son enfer polaire,
Mon cœur ne sera plus qu'un bloc rouge et glacé.

J'écoute en frémissant chaque bûche qui tombe;
L'échafaud qu'on bâtit n'a pas d'écho plus sourd.   10
Mon esprit est pareil à la tour qui succombe
Sous les coups du bélier infatigable et lourd.

Il me semble, bercé par ce choc monotone,
Qu'on cloue en grande hâte un cercueil quelque part.
Pour qui?—C'était hier l'été; voici l'automne!   15
Ce bruit mystérieux sonne comme un départ.

II

J'aime de vos longs yeux la lumière verdâtre,
Douce beauté, mais tout aujourd'hui m'est amer,
Et rien, ni votre amour, ni le boudoir, ni l'âtre,
Ne me vaut le soleil rayonnant sur la mer.   20

Et pourtant aimez-moi, tendre cœur! soyez mère,
Même pour un ingrat, même pour un méchant;
Amante ou sœur, soyez la douceur éphémère
D'un glorieux automne ou d'un soleil couchant.

Courte tâche! La tombe attend; elle est avide!   25
Ah! laissez-moi, mon front posé sur vos genoux,
Goûter, en regrettant l'été blanc et torride,
De l'arrière-saison le rayon jaune et doux!

LA MUSIQUE

LA musique souvent me prend comme une mer!
    Vers ma pâle étoile,
Sous un plafond de brume ou dans un vaste
    éther,
Je mets à la voile;

La poitrine en avant et les poumons gonflés 5
  Comme de la toile,
J'escalade le dos des flots amoncelés
  Que la nuit me voile;

Je sens vibrer en moi toutes les passions
  D'un vaisseau qui souffre; 10
Le bon vent, la tempête et ses convulsions

  Sur l'immense gouffre
Me bercent. D'autres fois, calme plat, grand miroir
  De mon désespoir!

LE TONNEAU DE LA HAINE

LA Haine est le tonneau des pâles Danaïdes;
  La Vengeance éperdue aux bras rouges et forts
  A beau précipiter dans ses ténèbres vides
De grands seaux pleins du sang et des larmes des morts,

Le Démon fait des trous secrets à ces abîmes, 5
Par où fuiraient mille ans de sueurs et d'efforts,
Quand même elle saurait ranimer ses victimes,
Et pour les pressurer ressusciter leurs corps.

La Haine est un ivrogne au fond d'une taverne,
Qui sent toujours la soif naître de la liqueur 10
Et se multiplier comme l'hydre de Lerne.

—Mais les buveurs heureux connaissent leur vainqueur,
Et la Haine est vouée à ce sort lamentable
De ne pouvoir jamais s'endormir sous la table.

LA CLOCHE FÊLÉE

IL est amer et doux, pendant les nuits d'hiver,
D'écouter, près du feu qui palpite et qui fume
Les souvenirs lointains lentement s'élever
Au bruit des carillons qui chantent dans la brume.

Bienheureuse la cloche au gosier vigoureux   5
Qui, malgré sa vieillesse, alerte et bien portante,
Jette fidèlement son cri religieux,
Ainsi qu'un vieux soldat qui veille sous la tente!

Moi, mon âme est fêlée, et lorsqu'en ses ennuis
Elle veut de ses chants peupler l'air froid des nuits,   10
Il arrive souvent que sa voix affaiblie

Semble le râle épais d'un blessé qu'on oublie
Au bord d'un lac de sang, sous un grand tas de morts,
Et qui meurt, sans bouger, dans d'immenses efforts.

LE CYGNE

I

ANDROMAQUE, je pense à vous! Ce petit
     fleuve,
    Pauvre et triste miroir où jadis resplendit
L'immense majesté de vos douleurs de veuve,
Ce Simoïs menteur qui par vos pleurs grandit,

A fécondé soudain ma mémoire fertile,   5
Comme je traversais le nouveau Carrousel.
Le vieux Paris n'est plus (la forme d'une ville
Change plus vite, hélas! que le cœur d'un mortel);

Je ne vois qu'en esprit tout ce camp de baraques,
Ces tas de chapiteaux ébauchés et de fûts,　　　　10
Les herbes, les gros blocs verdis par l'eau des flaques,
Et, brillant aux carreaux, le bric-à-brac confus.

Là s'étalait jadis une ménagerie;
Là je vis, un matin, à l'heure où sous les cieux
Froids et clairs le Travail s'éveille, où la voirie　　15
Pousse un sombre ouragan dans l'air silencieux,

Un cygne qui s'était évadé de sa cage,
Et, de ses pieds palmés frottant le pavé sec,
Sur le sol raboteux traînait son blanc plumage.
Près d'un ruisseau sans eau la bête ouvrant le bec　　20

Baignait nerveusement ses ailes dans la poudre,
Et disait, le cœur plein de son beau lac natal:
"Eau, quand donc pleuvras-tu? quand tonneras-tu,
　　foudre?"
Je vois ce malheureux, mythe étrange et fatal,

Vers le ciel quelquefois, comme l'homme d'Ovide,　　25
Vers le ciel ironique et cruellement bleu,
Sur son cou convulsif tendant sa tête avide,
Comme s'il adressait des reproches à Dieu!

II

Paris change! mais rien dans ma mélancolie
N'a bougé! palais neufs, échafaudages, blocs,　　30
Vieux faubourgs, tout pour moi devient allégorie,
Et mes chers souvenirs sont plus lourds que des rocs.

Aussi devant ce Louvre une image m'opprime:
Je pense à mon grand cygne, avec ses gestes fous,
Comme les exilés, ridicule et sublime,
Et rongé d'un désir sans trêve! et puis à vous,　　35

Andromaque, des bras d'un grand époux tombée,
Vil bétail, sous la main du superbe Pyrrhus,
Auprès d'un tombeau vide en extase courbée;
Veuve d'Hector, hélas! et femme d'Hélénus!   40

Je pense à la négresse, amaigrie et phtisique,
Piétinant dans la boue, et cherchant, l'œil hagard,
Les cocotiers absents de la superbe Afrique
Derrière la muraille immense du brouillard;

A quiconque a perdu ce qui ne se retrouve   45
Jamais, jamais! à ceux qui s'abreuvent de pleurs
Et tettent la Douleur comme une bonne louve!
Aux maigres orphelins séchant comme des fleurs!

Ainsi dans la forêt où mon esprit s'exile
Un vieux Souvenir sonne à plein souffle du cor!   50
Je pense aux matelots oubliés dans une île,
Aux captifs, aux vaincus! . . . à bien d'autres encor!

LES AVEUGLES

CONTEMPLE-LES, mon âme; ils sont vraiment
        affreux!
   Pareils aux mannequins; vaguement ridicules;
Terribles, singuliers comme les somnambules;
Dardant on ne sait où leurs globes ténébreux.

Leurs yeux, d'où la divine étincelle est partie,   5
Comme s'ils regardaient au loin, restent levés
Au ciel; on ne les voit jamais vers les pavés
Pencher rêveusement leur tête appesantie.

Ils traversent ainsi le noir illimité,
Ce frère du silence éternel. O cité!   10
Pendant qu'autour de nous tu chantes, ris et beugles,

Eprise du plaisir jusqu'à l'atrocité,
Vois! je me traîne aussi! mais, plus qu'eux hébété,
Je dis: Que cherchent-ils au Ciel, tous ces aveugles?

RECUEILLEMENT

SOIS sage, ô ma Douleur, et tiens-toi plus tran-
    quille.
  Tu réclamais le Soir; il descend; le voici:
Une atmosphère obscure enveloppe la ville,
Aux uns portant la paix, aux autres le souci.

Pendant que des mortels la multitude vile,   5
Sous le fouet du Plaisir, ce bourreau sans merci,
Va cueillir des remords dans la fête servile,
Ma Douleur, donne-moi la main; viens par ici,

Loin d'eux. Vois se pencher les défuntes Années,
Sur les balcons du ciel, en robes surannées;   10
Surgir du fond des eaux le Regret souriant;

Le Soleil moribond s'endormir sous une arche,
Et, comme un long linceul traînant à l'Orient,
Entends, ma chère, entends la douce Nuit qui marche.

LE VOYAGE

I

POUR l'enfant, amoureux de cartes et d'estampes,
L'univers est égal à son vaste appétit.
Ah! que le monde est grand à la clarté des
    lampes!
Aux yeux du souvenir que le monde est petit!

Un matin nous partons, le cerveau plein de flamme,   5
Le cœur gros de rancune et de désirs amers,
Et nous allons, suivant le rythme de la lame
Berçant notre infini sur le fini des mers:

Les uns, joyeux de fuir une patrie infâme;
D'autres, l'horreur de leurs berceaux, et quelques-uns,   10
Astrologues noyés dans les yeux d'une femme,
La Circé tyrannique aux dangereux parfums.

Pour n'être pas changés en bêtes, ils s'enivrent
D'espace et de lumière et de cieux embrasés;
La glace qui les mord, les soleils qui les cuivrent,   15
Effacent lentement la marque des baisers.

Mais les vrais voyageurs sont ceux-là seuls qui partent
Pour partir; cœurs légers, semblables aux ballons,
De leur fatalité jamais ils ne s'écartent,
Et, sans savoir pourquoi, disent toujours: Allons!   20

Ceux-là dont les désirs ont la forme des nues,
Et qui rêvent, ainsi qu'un conscrit le canon,
De vastes voluptés, changeantes, inconnues,
Et dont l'esprit humain n'a jamais su le nom!

II

Nous imitons, horreur! la toupie et la boule   25
Dans leur valse et leurs bonds; même dans nos som-
    meils
La Curiosité nous tourmente et nous roule,
Comme un Ange cruel qui fouette des soleils.

Singulière fortune où le but se déplace,
Et, n'étant nulle part, peut être n'importe où!   30
Où l'Homme, dont jamais l'espérance n'est lasse,
Pour trouver le repos court toujours comme un fou!

Notre âme est un trois-mâts cherchant son Icarie;
Une voix retentit sur le pont: "Ouvre l'œil!"
Une voix de la hune, ardente et folle, crie: 35
"Amour...gloire...bonheur!" Enfer! c'est un écueil!

Chaque îlot signalé par l'homme de vigie
Est un Eldorado promis par le Destin;
L'Imagination qui dresse son orgie
Ne trouve qu'un récif aux clartés du matin.   40

O le pauvre amoureux des pays chimériques!
Faut-il le mettre aux fers, le jeter à la mer,
Ce matelot ivrogne, inventeur d'Amériques
Dont le mirage rend le gouffre plus amer?

Tel le vieux vagabond, piétinant dans la boue,   45
Rêve, le nez en l'air, de brillants paradis;
Son œil ensorcelé découvre une Capoue
Partout où la chandelle illumine un taudis.

III

Etonnants voyageurs! quelles nobles histoires
Nous lisons dans vos yeux profonds comme les mers!   50
Montrez-nous les écrins de vos riches mémoires,
Ces bijoux merveilleux, faits d'astres et d'éthers.

Nous voulons voyager sans vapeur et sans voile!
Faites, pour égayer l'ennui de nos prisons,
Passer sur nos esprits, tendus comme une toile,   55
Vos souvenirs avec leurs cadres d'horizons.

Dites, qu'avez-vous vu?

IV

"Nous avons vu des **astres**
Et des flots; nous avons vu des sables aussi;
Et, malgré bien des chocs et d'imprévus désastres,
Nous nous sommes souvent ennuyés, comme ici.   60

La gloire du soleil sur la mer violette,
La gloire des cités dans le soleil couchant,
Allumaient dans nos cœurs une ardeur inquiète
De plonger dans un ciel au reflet alléchant.

Les plus riches cités, les plus grands paysages,   65
Jamais ne contenaient l'attrait mystérieux
De ceux que le hasard fait avec les nuages.
Et toujours le désir nous rendait soucieux!

—La jouissance ajoute au désir de la force.
Désir, vieil arbre à qui le plaisir sert d'engrais,   70
Cependant que grossit et durcit ton écorce,
Tes branches veulent voir le soleil de plus près!

Grandiras-tu toujours, grand arbre plus vivace
Que le cyprès?—Pourtant nous avons, avec soin,
Cueilli quelques croquis pour votre album vorace,   75
Frères qui trouvez beau tout ce qui vient de loin!

Nous avons salué des idoles à trompe;
Des trônes constellés de joyaux lumineux;
Des palais ouvragés dont la féerique pompe
Serait pour vos banquiers un rêve ruineux;   80

Des costumes qui sont pour les yeux une ivresse;
Des femmes dont les dents et les ongles sont teints,
Et des jongleurs savants que le serpent caresse.''

                              V

Et puis, et puis encore?

                              VI
                    "O cerveaux enfantins!

Pour ne pas oublier la chose capitale,   85
Nous avons vu partout, et sans l'avoir cherché,
Du haut jusques en bas de l'échelle fatale,
Le spectacle ennuyeux de l'immortel péché:

La femme, esclave vile, orgueilleuse et stupide,
Sans rire s'adorant et s'aimant sans dégoût;   90
L'homme, tyran goulu, paillard, dur et cupide,
Esclave de l'esclave et ruisseau dans l'égoût;

Le bourreau qui jouit, le martyr qui sanglote;
La fête qu'assaisonne et parfume le sang;
Le poison du pouvoir énervant le despote,   95
Et le peuple amoureux du fouet abrutissant;

Plusieurs religions semblables à la nôtre,
Toutes escaladant le ciel; la Sainteté,
Comme en un lit de plume un délicat se vautre,
Dans les clous et le crin cherchant la volupté;　　　　100

L'Humanité bavarde, ivre de son génie,
Et, folle maintenant comme elle était jadis,
Criant à Dieu, dans sa furibonde agonie:
"O mon semblable, ô mon maître, je te maudis!"

Et les moins sots, hardis amants de la Démence,　　　105
Fuyant le grand troupeau parqué par le Destin,
Et se réfugiant dans l'opium immense!
—Tel est du globe entier l'éternel bulletin."

VII

Amer savoir, celui qu'on tire du voyage!
Le monde, monotone et petit, aujourd'hui,　　　　110
Hier, demain, toujours, nous fait voir notre image:
Une oasis d'horreur dans un désert d'ennui!

Faut-il partir? rester? Si tu peux rester, reste;
Pars, s'il le faut. L'un court, et l'autre se tapit
Pour tromper l'ennemi vigilant et funeste,　　　　115
Le Temps! Il est, hélas! des coureurs sans répit,

Comme le Juif errant et comme les apôtres,
A qui rien ne suffit, ni wagon ni vaisseau,
Pour fuir ce rétiaire infâme; il en est d'autres
Qui savent le tuer sans quitter leur berceau.　　　　120

Lorsque enfin il mettra le pied sur notre échine,
Nous pourrons espérer et crier: En avant!
De même qu'autrefois nous partions pour la Chine,
Les yeux fixés au large et les cheveux au vent,

Nous nous embarquerons sur la mer des Ténèbres   125
Avec le cœur joyeux d'un jeune passager.
Entendez-vous ces voix, charmantes et funèbres,
Qui chantent: "Par ici! vous qui voulez manger

Le Lotus parfumé! c'est ici qu'on vendange
Les fruits miraculeux dont votre cœur a faim;   130
Venez vous enivrer de la douceur étrange
De cette après-midi qui n'a jamais de fin!"

A l'accent familier nous devinons le spectre;
Nos Pylades là-bas tendent leurs bras vers nous.
"Pour rafraîchir ton cœur nage vers ton Électre!"   135
Dit celle dont jadis nous baisions les genoux.

VIII

O Mort, vieux capitaine, il est temps! levons l'ancre!
Ce pays nous ennuie, ô Mort! Appareillons!
Si le ciel et la mer sont noirs comme de l'encre,
Nos cœurs que tu connais sont remplis de rayons!   140

Verse-nous ton poison pour qu'il nous réconforte!
Nous voulons, tant ce feu nous brûle le cerveau,
Plonger au fond du gouffre, Enfer ou Ciel, qu'im-
    porte?
Au fond de l'Inconnu pour trouver du *nouveau*!

Stéphane Mallarmé

APPARITION

LA lune s'attristait. Des séraphins en pleurs
    Rêvant, l'archet aux doigts, dans le calme des
      fleurs
Vaporeuses, tiraient de mourantes violes
De blancs sanglots glissant sur l'azur des corolles.
—C'était le jour béni de ton premier baiser.   5
Ma songerie aimant à me martyriser
S'enivrait savamment du parfum de tristesse
Que même sans regret et sans déboire laisse
La cueillaison d'un Rêve au cœur qui l'a cueilli.
J'errais donc, l'œil rivé sur le pavé vieilli   10
Quand avec du soleil aux cheveux, dans la rue
Et dans le soir, tu m'es en riant apparue
Et j'ai cru voir la fée au chapeau de clarté
Qui jadis sur mes beaux sommeils d'enfant gâté
Passait, laissant toujours de ses mains mal fermées   15
Neiger de blancs bouquets d'étoiles parfumées.

RENOUVEAU

LE printemps maladif a chassé tristement
      L'hiver, saison de l'art serein, l'hiver lucide,
      Et dans mon être à qui le sang morne préside
L'impuissance s'étire en un long bâillement.

Des crépuscules blancs tiédissent sous mon crâne   5
Qu'un cercle de fer serre ainsi qu'un vieux tombeau
Et, triste, j'erre après un rêve vague et beau,
Par les champs où la sève immense se pavane

Puis je tombe énervé de parfums d'arbres, las,
Et creusant de ma face une fosse à mon rêve,   10
Mordant la terre chaude où poussent les lilas,

J'attends, en m'abîmant que mon ennui s'élève . . .
—Cependant l'Azur rit sur la haie et l'éveil
De tant d'oiseaux en fleur gazouillant au soleil.

BRISE MARINE

LA chair est triste, hélas! et j'ai lu tous les livres.
      Fuir! là-bas fuir! Je sens que des oiseaux sont
            ivres
D'être parmi l'écume inconnue et les cieux!

Rien, ni les vieux jardins reflétés par les yeux
Ne retiendra ce cœur qui dans la mer se trempe   5
O nuits! ni la clarté déserte de ma lampe
Sur le vide papier que la blancheur défend
Et ni la jeune femme allaitant son enfant.

Je partirai! Steamer balançant ta mâture,
Lève l'ancre pour une exotique nature!   10

Un Ennui, désolé par les cruels espoirs,
Croit encore à l'adieu suprême des mouchoirs!
Et, peut-être, les mâts, invitant les orages
Sont-ils de ceux qu'un vent penche sur les naufrages
Perdus, sans mâts, sans mâts, ni fertiles îlots. . . .   15
Mais, ô mon cœur, entends le chant des matelots!

SONNET

"SUR les bois oubliés quand passe l'hiver sombre
  Tu te plains, ô captif solitaire du seuil,
  Que ce sépulcre à deux qui fera notre orgueil
Hélas! du manque seul des lourds bouquets s'encombre.

Sans écouter Minuit qui jeta son vain nombre,   5
Une veille t'exalte à ne pas fermer l'œil
Avant que dans les bras de l'ancien fauteuil
Le suprême tison n'ait éclairé mon Ombre.

Qui veut souvent avoir la Visite ne doit
Par trop de fleurs charger la pierre que mon doigt   10
Soulève avec l'ennui d'une force défunte.

Ame au si clair foyer tremblante de m'asseoir,
Pour revivre il suffit qu'à tes lèvres j'emprunte
Le souffle de mon nom murmuré tout un soir."

225

TOAST FUNÈBRE

O DE notre bonheur, toi, le fatal emblème!

    Salut de la démence et libation blême,
Ne crois pas qu'au magique espoir du corridor
J'offre ma coupe vide où souffre un monstre d'or!
Ton apparition ne va pas me suffire: 5
Car je t'ai mis, moi-même, en un lieu de porphyre.
Le rite est pour les mains d'éteindre le flambeau
Contre le fer épais des portes du tombeau:
Et l'on ignore mal, élu pour notre fête
Très simple de chanter l'absence du poète,   10
Que ce beau monument l'enferme tout entier.
Si ce n'est que la gloire ardente du métier,
Jusqu'à l'heure commune et vile de la cendre,
Par le carreau qu'allume un soir fier d'y descendre,
Retourne vers les feux du pur soleil mortel!   15

Magnifique, total et solitaire, tel
Tremble de s'exhaler le faux orgueil des hommes.
Cette foule hagarde! elle annonce: Nous sommes
La triste opacité de nos spectres futurs.
Mais le blason des deuils épars sur de vains murs   20
J'ai méprisé l'horreur lucide d'une larme,
Quand, sourd même à mon vers sacré qui ne l'alarme
Quelqu'un de ces passants, fier, aveugle et muet,
Hôte de son linceul vague, se transmuait
En le vierge héros de l'attente posthume.   25
Vaste gouffre apporté dans l'amas de la brume
Par l'irascible vent des mots qu'il n'a pas dits,
Le néant à cet Homme aboli de jadis:
"Souvenirs d'horizons, qu'est-ce, ô toi, que la Terre?"
Hurle ce songe; et, voix dont la clarté s'altère   30
L'espace a pour jouet le cri: "Je ne sais pas!"

Le Maître, par un œil profond, a, sur ses pas,
Apaisé de l'éden l'inquiète merveille
Dont le frisson final, dans sa voix seule, éveille
Pour la Rose et le Lys le mystère d'un nom. 35
Est-il de ce destin rien qui demeure, non ?
O vous tous, oubliez une croyance sombre.
Le splendide génie éternel n'a pas d'ombre.
Moi, de votre désir soucieux, je veux voir,
A qui s'évanouit, hier, dans le devoir 40
Idéal que nous font les jardins de cet astre,
Survivre pour l'honneur du tranquille désastre
Une agitation solennelle par l'air
De paroles, pourpre ivre et grand calice clair,
Que, pluie et diamant, le regard diaphane 45
Resté là sur ces fleurs dont nulle ne se fane,
Isole parmi l'heure et le rayon du jour !
C'est de nos vrais bosquets déjà tout le séjour,
Où le poète pur a pour geste humble et large
De l'interdire au rêve, ennemi de sa charge : 50
Afin que le matin de son repos altier,
Quand la mort ancienne est comme pour Gautier
De n'ouvrir pas les yeux sacrés et de se taire,
Surgisse, de l'allée ornement tributaire,
Le sépulcre solide où gît tout ce qui nuit, 55
Et l'avare silence et la massive nuit.

VICTORIEUSEMENT FUI

VICTORIEUSEMENT fui le suicide beau
Tison de gloire, sang par écume, or, tempête !
O rire si là-bas une pourpre s'apprête
A ne tendre royal que mon absent tombeau.

Quoi! de tout cet éclat pas même le lambeau 5
S'attarde, il est minuit, à l'ombre qui nous fête
Excepté qu'un trésor présomptueux de tête
Verse son caressé nonchaloir sans flambeau,

La tienne si toujours le délice! la tienne
Oui seule qui du ciel évanoui retienne 10
Un peu de puéril triomphe en t'en coiffant

Avec clarté quand sur les coussins tu la poses
Comme un casque guerrier d'impératrice enfant
Dont pour te figurer il tomberait des roses.

LE TOMBEAU D'EDGAR POE

TEL qu'en Lui-même enfin l'éternité le change,
Le poète suscite avec un glaive nu
Son siècle épouvanté de n'avoir pas connu
Que la mort triomphait dans cette voix étrange!

Eux, comme un vil sursaut d'hydre oyant jadis l'ange 5
Donner un sens plus pur aux mots de la tribu
Proclamèrent très haut le sortilège bu
Dans le flot sans honneur de quelque noir mélange

Du sol et de la nue hostiles, ô grief!
Si notre idée avec ne sculpte un bas-relief 10
Dont la tombe de Poe éblouissante s'orne

Calme bloc ici-bas chu d'un désastre obscur
Que ce granit du moins montre à jamais sa borne
Aux noirs vols du Blasphème épars dans le futur.

TOUTE L'ÂME

TOUTE l'âme résumée
Quand lente nous l'expirons
Dans plusieurs ronds de fumée
Abolis en autres ronds

Atteste quelque cigare   5
Brûlant savamment pour peu
Que la cendre se sépare
De son clair baiser de feu

Ainsi le chœur des romances
A la lèvre vole-t-il   10
Exclus-en si tu commences
Le réel parce que vil

Le sens trop précis rature
Ta vague littérature.

O SI CHÈRE

O SI chère de loin et proche et blanche, si
Délicieusement toi, Mary, que je songe
A quelque baume rare émané par mensonge
Sur aucun bouquetier de cristal obscurci

Le sais-tu, oui! pour moi voici des ans, voici   5
Toujours que ton sourire éblouissant prolonge
La même rose avec son bel été qui plonge
Dans autrefois et puis dans le futur aussi.

Mon cœur qui dans les nuits parfois cherche à s'en-
    tendre
Ou de quel dernier mot t'appeler le plus tendre   10
S'exalte en celui rien que chuchoté de sœur

N'était, très grand trésor et tête si petite,
Que tu m'enseignes bien toute une autre douceur
Tout bas par le baiser seul dans tes cheveux dite.

Paul Verlaine

NEVERMORE

SOUVENIR, souvenir, que me veux-tu? L'au-
      tomne
  Faisait voler la grive à travers l'air atone,
Et le soleil dardait un rayon monotone
Sur le bois jaunissant où la bise détone.

Nous étions seul à seule et marchions en rêvant,   5
Elle et moi, les cheveux et la pensée au vent.
Soudain, tournant vers moi son regard émouvant:
"Quel fut ton plus beau jour?" fit sa voix d'or vivant,

Sa voix douce et sonore, au frais timbre angélique.
Un sourire discret lui donna la réplique,   10
Et je baisai sa main blanche, dévotement.

—Ah! les premières fleurs, qu'elles sont parfumées!
Et qu'il bruit avec un murmure charmant
Le premier "oui" qui sort de lèvres bien-aimées.

MON RÊVE FAMILIER

JE fais souvent ce rêve étrange et pénétrant
  D'une femme inconnue, et que j'aime, et qui
    m'aime,
Et qui n'est, chaque fois, ni tout à fait la même
Ni tout à fait une autre, et m'aime et me comprend.

Car elle me comprend, et mon cœur, transparent   5
Pour elle seule, hélas! cesse d'être un problème
Pour elle seule, et les moiteurs de mon front blême,
Elle seule les sait rafraîchir, en pleurant.

Est-elle brune, blonde ou rousse?—Je l'ignore.
Son nom? Je me souviens qu'il est doux et sonore   10
Comme ceux des aimés que la Vie exila.

Son regard est pareil au regard des statues,
Et pour sa voix, lointaine, et calme, et grave, elle a
L'inflexion des voix chères qui se sont tues.

SOLEILS COUCHANTS

UNE aube affaiblie
    Verse par les champs
    La mélancolie
Des soleils couchants.
La mélancolie   5
Berce de doux chants
Mon cœur qui s'oublie
Aux soleils couchants.

Et d'étranges rêves,
Comme des soleils   10
Couchants sur les grèves,
Fantômes vermeils,
Défilent sans trêves,
Défilent, pareils
A de grands soleils   15
Couchants sur les grèves.

PROMENADE SENTIMENTALE

LE couchant dardait ses rayons suprêmes
    Et le vent berçait les nénuphars blêmes;
    Les grands nénuphars entre les roseaux
Tristement luisaient sur les calmes eaux.
Moi j'errais tout seul, promenant ma plaie   5
Au long de l'étang, parmi la saulaie
Où la brume vague évoquait un grand
Fantôme laiteux se désespérant,
Et pleurant avec la voix des sarcelles
Qui se rappelaient en battant des ailes   10
Parmi la saulaie où j'errais tout seul
Promenant ma plaie; et l'épais linceul
Des ténèbres vint noyer les suprêmes
Rayons du couchant dans ses ondes blêmes
Et les nénuphars, parmi les roseaux,   15
Les grands nénuphars sur les calmes eaux.

CHANSON D'AUTOMNE

LES sanglots longs
   Des violons
     De l'automne
Blessent mon cœur
D'une langueur   5
   Monotone.

Tout suffocant
Et blême, quand
   Sonne l'heure
Je me souviens   10
Des jours anciens
   Et je pleure.

Et je m'en vais
Au vent mauvais
   Qui m'emporte   15
Deçà, delà,
Pareil à la
   Feuille morte.

CLAIR DE LUNE

VOTRE âme est un paysage choisi
Que vont charmant masques et bergamasques
Jouant du luth et dansant et quasi
Tristes sous leurs déguisements fantasques.

Tout en chantant sur le mode mineur   5
L'amour vainqueur et la vie opportune,
Ils n'ont pas l'air de croire à leur bonheur
Et leur chanson se mêle au clair de lune.

Au calme clair de lune triste et beau,
Qui fait rêver les oiseaux dans les arbres   10
Et sangloter d'extase les jets d'eau,
Les grands jets d'eau sveltes parmi les marbres.

À CLYMÈNE

MYSTIQUES barcarolles,
   Romances sans paroles,
   Chère, puisque tes yeux,
   Couleur des cieux,

Puisque ta voix, étrange   5
Vision qui dérange
Et trouble l'horizon
   De ma raison,

Puisque l'arome insigne
De ta pâleur de cygne,   10
Et puisque la candeur
   De ton odeur,

Ah! puisque tout ton être,
Musique qui pénètre,
Nimbes d'anges défunts,   15
   Tons et parfums,

235

A, sur d'almes cadences,
En ses correspondances
Induit mon cœur subtil,
　　Ainsi soit-il!　　　　　　　　　　　20

COLLOQUE SENTIMENTAL

DANS le vieux parc solitaire et glacé,
　　Deux formes ont tout à l'heure passé.

Leurs yeux sont morts et leurs lèvres sont molles,
Et l'on entend à peine leurs paroles.

Dans le vieux parc solitaire et glacé,　　　　　　5
Deux spectres ont évoqué le passé.

—Te souvient-il de notre extase ancienne?
—Pourquoi voulez-vous donc qu'il m'en souvienne?

—Ton cœur bat-il toujours à mon seul nom?
Toujours vois-tu mon âme en rêve?—Non.　　　10

—Ah! les beaux jours de bonheur indicible
Où nous joignions nos bouches!—C'est possible.

—Qu'il était bleu, le ciel, et grand, l'espoir!
—L'espoir a fui, vaincu, vers le ciel noir.

Tels ils marchaient dans les avoines folles,　　　15
Et la nuit seule entendit leurs paroles.

IL PLEURE DANS MON CŒUR

IL pleure dans mon cœur
  Comme il pleut sur la ville,
  Quelle est cette langueur
Qui pénètre mon cœur?

O bruit doux de la pluie   5
Par terre et sur les toits!
Pour un cœur qui s'ennuie
O le chant de la pluie!

Il pleure sans raison
Dans ce cœur qui s'écœure,   10
Quoi! nulle trahison?
Ce deuil est sans raison.

C'est bien la pire peine
De ne savoir pourquoi,
Sans amour et sans haine,   15
Mon cœur a tant de peine.

O TRISTE, TRISTE

O TRISTE, triste était mon âme
  A cause, à cause d'une femme.

Je ne me suis pas consolé
Bien que mon cœur s'en soit allé,

Bien que mon cœur, bien que mon âme   5
Eussent fui loin de cette femme.

Je ne me suis pas consolé,
Bien que mon cœur s'en soit allé.

Et mon cœur, mon cœur trop sensible
Dit à mon âme: Est-il possible,　　　　　　　10

Est-il possible,—le fût-il—
Ce fier exil, ce triste exil?

Mon âme dit à mon cœur: Sais-je
Moi-même, que nous veut ce piège

D'être présents bien qu'exilés,　　　　　　　15
Encore que loin en allés?

DANS L'INTERMINABLE

DANS l'interminable
Ennui de la plaine
La neige incertaine
Luit comme du sable.

Le ciel est de cuivre　　　　　　　5
Sans lueur aucune
On croirait voir vivre
Et mourir la lune.

Comme des nuées
Flottent gris les chênes　　　　　　　10
Des forêts prochaines
Parmi les buées.

238

Le ciel est de cuivre
Sans lueur aucune
On croirait voir vivre   15
Et mourir la lune.

Corneille poussive
Et vous, les loups maigres,
Par ces bises aigres
Quoi donc vous arrive?   20

Dans l'interminable
Ennui de ta plaine
La neige incertaine
Luit comme du sable.

WALCOURT

Briques et tuiles,
O les charmants
Petits asiles
Pour les amants!

Houblons et vignes,   5
Feuilles et fleurs,
Tentes insignes
Des francs buveurs!

Guingettes claires,
Bières, clameurs,   10
Servantes chères
A tous fumeurs!

239

Gares prochaines,
Gais chemins grands . . .
Quelles aubaines   15
Bons juifs errants!

GREEN

VOICI des fruits, des fleurs, des feuilles et des
    branches,
  Et puis voici mon cœur, qui ne bat que pour
    vous.
Ne le déchirez pas avec vos deux mains blanches,
Et qu'à vos yeux si beaux l'humble présent soit doux.

J'arrive tout couvert encore de rosée
Que le vent du matin vient glacer à mon front.   5
Souffrez que ma fatigue, à vos pieds reposée,
Rêve des chers instants qui la délasseront.

Sur votre jeune sein laissez rouler ma tête
Toute sonore encor de vos derniers baisers;   10
Laissez-la s'apaiser de la bonne tempête,
Et que je dorme un peu puisque vous reposez.

MON DIEU M'A DIT

MON Dieu m'a dit: "Mon fils, il faut m'aimer.
    Tu vois
  Mon flanc percé, mon cœur qui rayonne et
    qui saigne,

240

Et mes pieds offensés que Madeleine baigne
De larmes, et mes bras douloureux sous le poids

De tes péchés, et mes mains! Et tu vois la croix,
Tu vois les clous, le fiel, l'éponge, et tout t'enseigne   5
A n'aimer, en ce monde amer où la chair règne,
Que ma Chair et mon Sang, ma parole et ma voix.

Ne t'ai-je pas aimé jusqu'à la mort moi-même,
O mon frère en mon Père, ô mon fils en l'Esprit,
Et n'ai-je pas souffert, comme c'était écrit?   10

N'ai-je pas sangloté ton angoisse suprême
Et n'ai-je pas sué la sueur de tes nuits,
Lamentable ami qui me cherches où je suis?"

LE CIEL EST, PAR–DESSUS LE TOIT

LE ciel est, par-dessus le toit,
    Si bleu, si calme!
Un arbre, par-dessus le toit,
    Berce sa palme.

La cloche dans le ciel qu'on voit   5
    Doucement tinte.
Un oiseau sur l'arbre qu'on voit
    Chante sa plainte.

Mon Dieu, mon Dieu, la vie est là,
    Simple et tranquille.   10
Cette paisible rumeur-là
    Vient de la ville.

—Qu'as-tu fait, ô toi que voilà
Pleurant sans cesse,
Dis, qu'as-tu fait, toi que voilà,   15
De ta jeunesse?

JE NE SAIS POURQUOI

JE ne sais pourquoi
Mon esprit amer
D'une aile inquiète et folle vole sur la mer.
Tout ce qui m'est cher,
D'une aile d'effroi   5
Mon amour le couve au ras des flots. Pourquoi, pour-
quoi?

Mouette à l'essor mélancolique,
Elle suit la vague, ma pensée,
A tous les vents du ciel balancée,
Et biaisant quand la marée oblique,   10
Mouette à l'essor mélancolique.

Ivre de soleil
Et de liberté,
Un instinct la guide à travers cette immensité.
La brise d'été   15
Sur le flot vermeil
Doucement la porte en un tiède demi-sommeil.

Parfois si tristement elle crie
Qu'elle alarme au lointain le pilote,
Puis au gré du vent se livre et flotte   20
Et plonge, et l'aile toute meurtrie
Revole, et puis si tristement crie!

242

Je ne sais pourquoi
Mon esprit amer
D'une aile inquiète et folle vole sur la mer.   25
Tout ce qui m'est cher,
D'une aile d'effroi
Mon amour le couve au ras des flots. Pourquoi, pour-
quoi?

C'EST LA FÊTE DU BLÉ

C'EST la fête du blé, c'est la fête du pain
Aux chers lieux d'autrefois revus après ces
choses!
Tout bruit, la nature et l'homme, dans un bain
De lumière si blanc que les ombres sont roses.

L'or des pailles s'effondre au vol siffleur des faux   5
Dont l'éclair plonge, et va luire, et se réverbère.
La plaine, tout au loin couverte de travaux,
Change de face à chaque instant, gaie et sévère.

Tout halète, tout n'est qu'effort et mouvement
Sous le soleil, tranquille auteur des moissons mûres,   10
Et qui travaille encore imperturbablement
A gonfler, à sucrer là-bas les grappes sures.

Travaille, vieux soleil, pour le pain et le vin,
Nourris l'homme du lait de la terre, et lui donne
L'honnête verre où rit un peu d'oubli divin.   15
Moissonneurs, vendangeurs là-bas! votre heure est
bonne!

Car sur la fleur des pains et sur la fleur des vins,
Fruit de la force humaine en tous lieux répartie,
Dieu moissonne, et vendange, et dispose à ses fins
La Chair et le Sang pour le calice et l'hostie!   20

ART POÉTIQUE

DE la musique avant toute chose,
    Et pour cela préfère l'Impair
    Plus vague et plus soluble dans l'air,
Sans rien en lui qui pèse ou qui pose.

Il faut aussi que tu n'ailles point   5
Choisir tes mots sans quelque méprise:
Rien de plus cher que la chanson grise
Où l'Indécis au Précis se joint.

C'est des beaux yeux derrière des voiles,
C'est le grand jour tremblant de midi,   10
C'est par un ciel d'automne attiédi,
Le bleu fouillis des claires étoiles!

Car nous voulons la Nuance encor,
Pas la Couleur, rien que la nuance!
Oh! la nuance seule fiance   15
Le rêve au rêve et la flûte au cor!

Fuis du plus loin la Pointe assassine,
L'Esprit cruel et le Rire impur,
Qui font pleurer les yeux de l'Azur,
Et tout cet ail de basse cuisine!   20

Prends l'éloquence et tords-lui son cou!
Tu feras bien, en train d'énergie,
De rendre un peu la Rime assagie,
Si l'on n'y veille, elle ira jusqu'où?

Oh! qui dira les torts de la Rime?   25
Quel enfant sourd ou quel nègre fou
Nous a forgé ce bijou d'un sou
Qui sonne creux et faux sous la lime?

De la musique encore et toujours!
Que ton vers soit la chose envolée   30
Qu'on sent qui fuit d'une âme en allée
Vers d'autres cieux à d'autres amours.

Que ton vers soit la bonne aventure
Eparse au vent crispé du matin
Qui va fleurant la menthe et le thym. . . . 35
Et tout le reste est littérature.

MAINS

CE ne sont pas des mains d'altesse,
  De beau prélat quelque peu saint,
  Pourtant une délicatesse
Y laisse son galbe succinct.

Ce ne sont pas des mains d'artiste,   5
De poète, proprement dit,
Mais quelque chose comme triste
En fait comme un groupe en petit;

Car les mains ont leur caractère,
C'est tout un monde en mouvement   10
Où le pouce et l'auriculaire
Donnent les pôles de l'aimant.

Les météores de la tête
Comme les tempêtes du cœur,
Tout s'y répète et s'y reflète   15
Par un don logique et vainqueur.

Ce ne sont pas non plus les palmes
D'un rural ou d'un faubourien;
Encor leurs grandes lignes calmes
Disent: "Travail qui ne doit rien."   20

Elles sont maigres, longues, grises,
Phalange large, ongle carré.
Tels en ont aux vitraux d'églises
Les saints sous le rinceau doré,

Ou tels quelques vieux militaires   25
Déshabitués des combats
Se rappellent leurs longues guerres
Qu'ils narrent entre haut et bas.

Ce soir elles ont, ces mains sèches,
Sous leurs rares poils hérissés,
Des airs spécialement rêches,   30
Comme en proie à d'âpres pensers.

Le noir souci qui les agace,
Leur quasi-songe aigre les font
Faire une sinistre grimace   35
A leur façon, mains qu'elles sont.

J'ai peur à les voir sur la table
Préméditer là, sous mes yeux,
Quelque chose de redoutable,
D'inflexible et de furieux.   40

La main droite est bien à ma droite,
L'autre à ma gauche, je suis seul.
Les linges dans la chambre étroite
Prennent des aspects de linceul.

Dehors le vent hurle sans trêve,   45
Le soir descend insidieux. . . .
Ah! si ce sont des mains de rêve,
Tant mieux,—ou tant pis,—ou tant mieux.

Jules Laforgue

MÉDITATION GRISÂTRE

SOUS le ciel pluvieux noyé de brumes sales,
  Devant l'Océan blême, assis sur un îlot,
  Seul, loin de tout, je songe, au clapotis du flot,
Dans le concert hurlant des mourantes rafales.

Crinière échevelée, ainsi que des cavales,   5
Les vagues se tordant arrivent au galop
Et croulent à mes pieds avec de longs sanglots
Qu'emporte la tourmente aux haleines brutales.

Partout le grand ciel gris, le brouillard et la mer,
Rien que l'affolement des vents balayant l'air.   10
Plus d'heures, plus d'humains, et solitaire, morne,

Je reste là, perdu dans l'horizon lointain
Et songe que l'espace est sans borne, sans borne,
Et que le Temps n'aura jamais . . . jamais de fin.

LE SOIR DE CARNAVAL

PARIS chahute au gaz. L'horloge comme un glas
  Sonne une heure. Chantez! dansez! la vie est
      brève,
Tout est vain,—et, là-haut, voyez, la lune rêve
Aussi froide qu'au temps où l'homme n'était pas.

Ah! quel destin banal! Tout miroite et puis passe,   5
Nous leurrant d'infini par le Vrai, par l'Amour;
Et nous irons ainsi, jusqu'à ce qu'à son tour
La terre crève aux cieux, sans laisser nulle trace.

Où réveiller l'écho de tous ces cris, ces pleurs,
Ces fanfares d'orgueil que l'histoire nous nomme,   10
Babylone, Memphis, Bénarès, Thèbes, Rome,
Ruines où le vent sème aujourd'hui des fleurs?

Et moi, combien de jours me reste-t-il à vivre?
Et je me jette à terre, et je crie et frémis,
Devant les siècles d'or pour jamais endormis   15
Dans le néant sans cœur dont nul Dieu ne délivre!

Et voici que j'entends, dans la paix de la nuit,
Un pas sonore, un chant mélancolique et bête
D'ouvrier ivre-mort qui revient de la fête
Et regagne au hasard quelque ignoble réduit.   20

Oh! la vie est trop triste, incurablement triste!
Aux fêtes d'ici-bas j'ai toujours sangloté:
"Vanité, vanité, tout n'est que vanité!"
—Puis je songeais: où sont les cendres du Psalmiste!

COMPLAINTE

De Lord Pierrot

AU clair de la lune,
    Mon ami Pierrot,
    Filons, en costume,
Présider là-haut!

Ma cervelle est morte. 5
Que le Christ l'emporte!
Béons à la Lune,
La bouche en zéro.

Inconscient, descendez en nous par réflexes;
Brouillez les cartes, les dictionnaires, les sexes. 10

Tournons d'abord sur nous-même, comme un fakir!
(Agiter le pauvre être avant de s'en servir.)

J'ai le cœur chaste et vrai comme une bonne lampe;
Oui, je suis en taille-douce, comme une estampe.

Vénus, énorme comme le Régent, 15
Déjà se pâme à l'horizon des grèves;
Et c'est l'heure, ô gens nés casés, bonnes gens,
De s'étourdir en longs trilles de rêves!
Corybanthe, aux quatre vents tous les draps!
Disloque tes pudeurs, à bas les lignes! 20
En costume blanc, je ferai le cygne,
Après nous le Déluge, ô ma Léda!
Jusqu'à ce que tournent tes yeux vitreux
Que tu grelottes en rires affreux,
Hop! enlevons sur les horizons fades 25
Les menuets de nos pantalonnades!
Tiens! l'Univers
Est à l'envers . . .

—Tout cela vous honore,
Lord Pierrot, mais encore? 30

—Ah! qu'une, d'elle-même, un beau soir sût venir,
Ne voyant que boire à mes lèvres, ou mourir!

Je serais, savez-vous, la plus noble conquête
Que femme, au plus ravi du Rêve, eût jamais faite!

D'ici là, qu'il me soit permis   35
De vivre de vieux compromis.

Où commence, où finit l'humaine
Ou la divine dignité?

Jonglons avec les entités,
Pierrot s'agite et Tout le mène!   40
Laissez faire, laisser passer;
Laissez passer, et laissez faire
Le semblable, c'est le contraire,

Et l'univers c'est pas assez!
Et je me sens, ayant pour cible   45
Adopté la vie impossible,
De moins en moins localisé!

—Tout cela vous honore,
Lord Pierrot, mais encore?

—Il faisait, ah! si chaud, si sec.   50
Voici qu'il pleut, qu'il pleut, bergères!
Les pauvres Vénus bocagères
Ont la roupie à leur nez grec!

—Oh! de moins en moins drôle;
Pierrot sait mal son rôle?   55

—J'ai le cœur triste comme un lampion forain . . .
Bah! j'irai passer la nuit dans le premier train;

Sûr d'aller, ma vie entière,
Malheureux comme les pierres. (*Bis.*)

PIERROTS

C'EST, sur un cou qui, raide, émerge
D'une fraise empesée *idem*
Une face imberbe au cold-cream,
Un air d'hydrocéphale asperge.

Les yeux sont noyés de l'opium   5
De l'indulgence universelle,
La bouche clownesque ensorcèle
Comme un singulier géranium.

Bouche qui va du trou sans bonde
Glacialement désopilé,   10
Au transcendental en-allé
Du souris vain de la Joconde.

Campant leur cône enfariné
Sur le noir serre-tête en soie,
Ils font rire leur patte d'oie   15
Et froncent en trèfle leur nez.

Ils ont comme chaton de bague
Le scarabée égyptien,
A leur boutonnière fait bien
Le pissenlit des terrains vagues.   20

Ils vont, se sustentant d'azur,
Et parfois aussi de légumes,
De riz plus blanc que leur costume,
De mandarines et d'œufs durs.

Ils sont de la secte du Blême,   25
Ils n'ont rien à voir avec Dieu,
Et sifflent: "Tout est pour le mieux
Dans la meilleur' des mi-carêmes!"

DIMANCHES

BREF, j'allais me donner d'un "Je vous aime"
Quand je m'avisai non sans peine
Que d'abord je ne me possédais pas bien moi-
   même.

(Mon Moi, c'est Galathée aveuglant Pygmalion!
Impossible de modifier cette situation.)   5

Ainsi donc, pauvre, pâle et piètre individu
Qui ne croit à son Moi qu'à ses moments perdus,
Je vis s'effacer ma fiancée
Emportée par le cours des choses,
Telle l'épine voit s'effeuiller,   10
Sous prétexte de soir sa meilleure rose.

Or, cette nuit anniversaire, toutes les Walkyries du vent
Sont revenues beugler par les fentes de ma porte:
Væ soli!
Mais, ah! qu'importe?   15
Il fallait m'en étourdir avant!
Trop tard! ma petite folie est morte!
Qu'importe *Væ soli!*
Je ne retrouverai plus ma petite folie.

Le grand vent bâillonné,   20
S'endimanche enfin le ciel du matin.
Et alors, eh! allez donc, carillonnez,
Toutes cloches des bons dimanches!
Et passez layettes et collerettes et robes blanches
Dans un frou-frou de lavandes et de thym   25
Vers l'encens et les brioches!
Tout pour la famille, quoi! *Væ soli!* C'est certain.

La jeune demoiselle à l'ivoirin paroissien
Modestement rentre au logis.
On le voit, son petit corps bien reblanchi   30
Sait qu'il appartient
A un tout autre passé que le mien!

Mon corps, ô ma sœur, a bien mal à sa belle âme . . .
Oh! voilà que ton piano
Me recommence, si natal maintenant!   35
Et ton cœur qui s'ignore s'y ânonne
En ritournelles de bastringues à tout venant,
Et ta pauvre chair s'y fait mal! . . .
A moi, Walkyries!
Walkyries des hypocondries et des tueries!   40

Ah, que je te les tordrais avec plaisir,
Ce corps bijou, ce cœur à ténor,
Et te dirais leur fait, et puis encore
La manière de s'en servir
De s'en servir à deux.   45
Si tu voulais seulement m'approfondir ensuite un peu!

Non, non! C'est sucer la chair d'un cœur élu,
Adorer d'incurables organes
S'entrevoir avant que les tissus se fanent
En monomanes, en reclus!   50

Et ce n'est pas sa chair qui me serait tout.
Et je ne serais pas qu'un grand cœur pour elle,
Mais quoi s'en aller faire les fous
Dans des histoires fraternelles!
L'âme et la chair, la chair et l'âme,   55
C'est l'esprit édénique et fier
D'être un peu l'Homme avec la Femme.

En attendant, oh! garde-toi des coups de tête,
Oh! file ton rouet et prie et reste honnête.

—Allons, dernier des poètes,   60
Toujours enfermé tu te rendras malade!
Vois, il fait beau temps, tout le monde est dehors,
Va donc acheter deux sous d'ellébore,
Ça te fera une petite promenade.

L'HIVER QUI VIENT

BLOCUS sentimental! Messageries du Levant!...
    Oh, tombée de la pluie! Oh! tombée de la nuit,
    Oh! le vent!...
La Toussaint, la Noël et la Nouvelle Année,
Oh, dans les bruines, toutes mes cheminées!...   5
D'usines....

On ne peut plus s'asseoir, tous les bancs sont mouillés;
Crois-moi, c'est bien fini jusqu'à l'année prochaine,
Tous les bancs sont mouillés, tant les bois sont rouillés,
Et tant les cors ont fait ton ton, ont fait ton taine!...   10
Ah! nuées accourues des côtes de la Manche,
Vous nous avez gâté notre dernier dimanche.

Il bruine;
Dans la forêt mouillée, les toiles d'araignées
Ploient sous les gouttes d'eau, et c'est leur ruine.   15

Soleils plénipotentiaires des travaux en blonds Pactoles
Des spectacles agricoles,
Où êtes-vous ensevelis?
Ce soir un soleil fichu gît au haut du coteau,
Gît sur le flanc, dans les genêts, sur son manteau.   20
Un soleil blanc comme un crachat d'estaminet
Sur une litière de jaunes genêts,
De jaunes genêts d'automne.
Et les cors lui sonnent!
Qu'il revienne . . .   25
Qu'il revienne à lui!
Taïaut! Taïaut! et hallali!
O triste antienne, as-tu fini! . . .
Et font les fous! . . .
Et il gît là, comme une glande arrachée dans un cou,   30
Et il frissonne, sans personne! . . .

Allons, allons, et hallali!
C'est l'Hiver bien connu qui s'amène;
Oh! les tournants des grandes routes,
Et sans petit Chaperon Rouge qui chemine! . . .   35
Oh! leurs ornières des chars de l'autre mois,
Montant en don quichottesques rails
Vers les patrouilles des nuées en déroute
Que le vent malmène vers les transatlantiques bercails!
Accélérons, accélérons, c'est la saison bien connue, cette
     fois
Et le vent, cette nuit, il en a fait de belles!   40
O dégâts, ô nids, ô modestes jardinets!
Mon cœur et mon sommeil: ô échos des cognées! . . .

Tous ces rameaux avaient encor leurs feuilles vertes,
Les sous-bois ne sont plus qu'un fumier de feuilles
     mortes;   45

Feuilles, folioles, qu'un bon vent vous emporte
Vers les étangs par ribambelles,
Ou pour le feu du garde-chasse,
Ou les sommiers des ambulances
Pour les soldats loin de la France.   50

C'est la saison, c'est la saison, la rouille envahit les
    masses,
La rouille ronge en leurs spleens kilométriques
Les fils télégraphiques des grandes routes où nul ne
    passe.

Les cors, les cors, les cors—mélancoliques! . . .
Mélancoliques! . . .   55
S'en vont, changeant de ton,
Changeant de ton et de musique,
Ton ton, ton taine, ton ton! . . .
Les cors, les cors, les cors! . . .
S'en sont allés au vent du Nord.   60

Je ne puis quitter ce ton: que d'échos! . . .
C'est la saison, c'est la saison, adieu vendanges! . . .
Voici venir les pluies d'une patience d'ange,
Adieu vendanges, et adieu tous les paniers,
Tous les paniers Watteau des bourrées sous les maron-
    niers.   65
C'est la toux dans les dortoirs du lycée qui rentre,
C'est la tisane sans le foyer,
La phtisie pulmonaire attristant le quartier,
Et toute la misère des grands centres.

Mais, lainages, caoutchoucs, pharmacie, rêve,   70
Rideaux écartés du haut des balcons des grèves
Devant l'océan de toitures des faubourgs,
Lampes, estampes, thé, petits-fours,
Serez-vous pas mes seules amours! . . .

257

(Oh! et puis, est-ce que tu connais, outre les pianos,   75
Le sobre et vespéral mystère hebdomadaire
Des statistiques sanitaires
Dans les journaux?)

Non, non! c'est la saison et la planète falote!
Que l'autan, que l'autan   80
Effiloche les savates que le Temps se tricote!
C'est la saison, oh déchirements! c'est la saison!
Tous les ans, tous les ans,
J'essaierai en chœur d'en donner la note.

Arthur Rimbaud

SENSATION

PAR les soirs bleus d'été, j'irai dans les sentiers,
    Picoté par les blés, fouler l'herbe menue:
    Rêveur, j'en sentirai la fraîcheur à mes pieds.
Je laisserai le vent baigner ma tête nue.

Je ne parlerai pas, je ne penserai rien: 5
Mais l'amour infini me montera dans l'âme,
Et j'irai loin, bien loin, comme un bohémien,
Par la Nature,—heureux comme avec une femme.

ROMAN

I

ON n'est pas sérieux, quand on a dix-sept ans.
    —Un beau soir, foin des bocks et de la
        limonade,
Des cafés tapageurs aux lustres éclatants!
—On va sous les tilleuls verts de la promenade.

Les tilleuls sentent bon dans les bons soirs de juin!   5
L'air est parfois si doux, qu'on ferme la paupière;
Le vent chargé de bruits,—la ville n'est pas loin,—
A des parfums de vigne et des parfums de bière. . . .

II

—Voilà qu'on aperçoit un tout petit chiffon
D'azur sombre, encadré d'une petite branche,   10
Piqué d'une mauvaise étoile, qui se fond
Avec de doux frissons, petite et toute blanche. . . .

Nuit de juin! Dix-sept ans!—On se laisse griser.
La sève est du champagne et vous monte à la tête. . . .
On divague; on se sent aux lèvres un baiser   15
Qui palpite là comme une petite bête. . . .

III

Le cœur fou Robinsonne à travers les romans,
—Lorsque, dans la clarté d'un pâle réverbère,
Passe une demoiselle aux petits airs charmants,
Sous l'ombre du faux-col effrayant de son père. . . .   20

Et, comme elle vous trouve immensément naïf,
Tout en faisant trotter ses petites bottines,
Elle se tourne, alerte et d'un mouvement vif. . . .
—Sur vos lèvres alors meurent les cavatines. . . .

IV

Vous êtes amoureux. Loué jusqu'au mois d'août.   25
Vous êtes amoureux.—Vos sonnets La font rire.
Tous vos amis s'en vont, vous êtes mauvais goût.
—Puis l'adorée, un soir, a daigné vous écrire! . . .

—Ce soir-là, . . .—vous rentrez aux cafés éclatants,
Vous demandez des bocks ou de la limonade. . . .   30
—On n'est pas sérieux, quand on a dix-sept ans
Et qu'on a des tilleuls verts sur la promenade.

MA BOHÈME

JE m'en allais, les poings dans mes poches crevées;
 Mon paletot aussi devenait idéal;
 J'allais sous le ciel, Muse! et j'étais ton féal;
Oh! là là! que d'amours splendides j'ai rêvées!

Mon unique culotte avait un large trou.   5
—Petit Poucet rêveur, j'égrenais dans ma course
Des rimes. Mon auberge était à la Grande-Ourse.
—Mes étoiles au ciel avaient un doux frou-frou.

Et je les écoutais, assis au bord des routes,
Ces bons soirs de septembre où je sentais des gouttes   10
De rosée à mon front, comme un vin de vigueur;

Où, rimant au milieu des ombres fantastiques,
Comme des lyres, je tirais les élastiques
De mes souliers blessés, un pied près de mon cœur!

LES POÈTES DE SEPT ANS

ET la Mère, fermant le livre du devoir,
 S'en allait satisfaite et très fière, sans voir,
 Dans les yeux bleus et sous le front plein
   d'éminences,
L'âme de son enfant livrée aux répugnances.

Tout le jour il suait d'obéissance; très   5
Intelligent; pourtant des tics noirs, quelques traits
Semblaient prouver en lui d'âcres hypocrisies!
Dans l'ombre des couloirs aux tentures moisies,

261

En passant il tirait la langue, les deux poings
A l'aine, et dans ses yeux fermés voyait des points.　10
Une porte s'ouvrait sur le soir: à la lampe
On le voyait, là-haut, qui râlait sur la rampe,
Sous un golfe de jour pendant du toit. L'été
Surtout, vaincu, stupide, il était entêté
A se renfermer dans la fraîcheur des latrines:　15
Il pensait là, tranquille et livrant ses narines.

Quand, lavé des odeurs du jour, le jardinet
Derrière la maison, en hiver, s'illunait,
Gisant au pied d'un mur, enterré dans la marne
Et pour des visions écrasant son œil darne,　20
Il écoutait grouiller les galeux espaliers.
Pitié! Ces enfants seuls étaient ses familiers
Qui, chétifs, fronts nus, œil déteignant sur la joue,
Cachant de maigres doigts jaunes et noirs de boue
Sous des habits puant la foire et tout vieillots,　25
Conversaient avec la douceur des idiots!
Et si, l'ayant surpris à des pitiés immondes,
Sa mère s'effrayait; les tendresses, profondes,
De l'enfant se jetaient sur cet étonnement.
C'était bon. Elle avait le bleu regard,—qui ment!　30

A sept ans, il faisait des romans sur la vie
Du grand désert, où luit la Liberté ravie,
Forêts, soleils, rives, savanes!—Il s'aida t
De journaux illustrés où, rouge, il regardait
Des Espagnoles rire et des Italiennes.　35
Quand venait, l'œil brun, folle, en robes d'indiennes,
—Huit ans,—la fille des ouvriers d'à côté,
La petite brutale, et qu'elle avait sauté,
Dans un coin, sur son dos, en secouant ses tresses,
Et qu'il était sous elle, il lui mordait les fesses,　40

Car elle ne portait jamais de pantalons;
—Et, par elle meurtri des poings et des talons,
Remportait les saveurs de sa peau dans sa chambre.

Il craignait les blafards dimanches de décembre,
Où, pommadé, sur un guéridon d'acajou,   45
Il lisait une Bible à la tranche vert-chou;
Des rêves l'oppressaient chaque nuit dans l'alcôve.
Il n'aimait pas Dieu; mais les hommes, qu'au soir
  fauve,
Noirs, en blouse, il voyait rentrer dans le faubourg
Où les crieurs, en trois roulements de tambour, 50
Font autour des édits rire et gronder les foules.
—Il rêvait la prairie amoureuse, où des houles
Lumineuses, parfums sains, pubescences d'or,
Font leur remuement calme et prennent leur essor!

Et comme il savourait surtout les sombres choses, 55
Quand, dans la chambre nue aux persiennes closes,
Haute et bleue, âcrement prise d'humidité,
Il lisait son roman sans cesse médité,
Plein de lourds ciels ocreux et de forêts noyées,
De fleurs de chair aux bois sidérals déployées, 60
Vertige, écroulements, déroutes et pitié!
—Tandis que se faisait la rumeur du quartier,
En bas,—seul, et couché sur des pièces de toile
Écrue, et pressentant violemment la voile!

QU'EST-CE POUR NOUS

QU'EST-CE pour nous, mon cœur, que les
  nappes de sang
Et de braise, et mille meurtres, et les longs
  cris
De rage, sanglots de tout enfer renversant
Tout ordre; et l'Aquilon encor sur les débris;

Et toute vengeance? Rien!... —Mais si, toute encor,   5
Nous la voulons! Industriels, princes, sénats:
Périssez! Puissance, justice, histoire: à bas!
Ça nous est dû. Le sang! le sang! la flamme d'or!

Tout à la guerre, à la vengeance, à la terreur,
Mon esprit! Tournons dans la morsure: Ah! passez,   10
Républiques de ce monde! Des empereurs,
Des régiments, des colons, des peuples, assez!

Qui remuerait les tourbillons de feu furieux,
Que nous et ceux que nous nous imaginons frères?
A nous, romanesques amis: ça va nous plaire.   15
Jamais nous ne travaillerons, ô flots de feux!

Europe, Asie, Amérique, disparaissez.
Notre marche vengeresse a tout occupé,
Cités et campagnes!—Nous serons écrasés!
Les volcans sauteront! Et l'Océan frappé....   20

Oh! mes amis!—Mon cœur, c'est sûr, ils sont des
      frères:
Noirs inconnus, si nous allions! Allons! allons!
O malheur! je me sens frémir, la vieille terre,
Sur moi de plus en plus à vous! la terre fond.

    Ce n'est rien: j'y suis; j'y suis toujours.   25

BATEAU IVRE

COMME je descendais des Fleuves impassibles,
   Je ne me sentis plus guidé par les haleurs:
   Des Peaux-Rouges criards les avaient pris pour
     cibles,
Les ayant cloués nus aux poteaux de couleurs.

J'étais insoucieux de tous les équipages,   5
Porteur de blés flamands ou de cotons anglais.
Quand avec mes haleurs ont fini ces tapages,
Les Fleuves m'ont laissé descendre où je voulais.

Dans les clapotements furieux des marées,
Moi, l'autre hiver, plus sourd que les cerveaux d'enfants, 10
Je courus! Et les Péninsules démarrées
N'ont pas subi tohu-bohus plus triomphants.

La tempête a béni mes éveils maritimes.
Plus léger qu'un bouchon j'ai dansé sur les flots
Qu'on appelle rouleurs éternels de victimes,   15
Dix nuits, sans regretter l'œil niais des falots!

Plus douce qu'aux enfants la chair des pommes sures,
L'eau verte pénétra ma coque de sapin
Et des taches de vins bleus et des vomissures
Me lava; dispersant gouvernail et grappin.   20

Et dès lors, je me suis baigné dans le Poème
De la Mer, infusé d'astres, et lactescent,
Dévorant les azurs verts; où, flottaison blême
Et ravie, un noyé pensif parfois descend;

Où, teignant tout à coup les bleuités, délires   25
Et rythmes lents sous les rutilements du jour,
Plus fortes que l'alcool, plus vastes que nos lyres,
Fermentent les rousseurs amères de l'amour!

Je sais les cieux crevant en éclairs, et les trombes
Et les ressacs et les courants: je sais le soir,   30
L'Aube exaltée ainsi qu'un peuple de colombes,
Et j'ai vu quelquefois ce que l'homme a cru voir!

J'ai vu le soleil bas, taché d'horreurs mystiques,
Illuminant de longs figements violets,
Pareils à des acteurs de drames très-antiques   35
Les flots roulant au loin leurs frissons de volets!

J'ai rêvé la nuit verte aux neiges éblouies,
Baiser montant aux yeux des mers avec lenteurs,
La circulation des sèves inouïes,
Et l'éveil jaune et bleu des phosphores chanteurs!   40

J'ai suivi, des mois pleins, pareille aux vacheries
Hystériques, la houle à l'assaut des récifs,
Sans songer que les pieds lumineux des Maries
Pussent forcer le mufle aux Océans poussifs!

J'ai heurté, savez-vous, d'incroyables Florides   45
Mêlant aux fleurs des yeux de panthères aux peaux
D'hommes! Des arcs-en-ciel tendus comme des brides
Sous l'horizon des mers, à de glauques troupeaux!

J'ai vu fermenter les marais énormes, nasses
Où pourrit dans les joncs tout un Léviathan!   50
Des écroulements d'eaux au milieu des bonaces,
Et les lointains vers les gouffres cataractant!

Glaciers, soleils d'argent, flots nacreux, cieux de braises!
Echouages hideux au fond des golfes bruns
Où les serpents géants dévorés des punaises   55
Choient, des arbres tordus, avec de noirs parfums!

J'aurais voulu montrer aux enfants ces dorades
Du flot bleu, ces poissons d'or, ces poissons chantants.
—Des écumes de fleurs ont bercé mes dérades
Et d'ineffables vents m'ont ailé par instants.   60

Parfois, martyr lassé des pôles et des zones,
La mer dont le sanglot faisait mon roulis doux
Montait vers moi ses fleurs d'ombre aux ventouses
    jaunes
Et je restais, ainsi qu'une femme à genoux. . . .

Presqu'île, ballotant sur mes bords les querelles   65
Et les fientes d'oiseaux clabaudeurs aux yeux blonds.
Et je voguais, lorsqu'à travers mes liens frêles
Des noyés descendaient dormir, à reculons! . . .

Or moi, bateau perdu sous les cheveux des anses,
Jeté par l'ouragan dans l'éther sans oiseau,   70
Moi dont les Monitors et les voiliers des Hanses
N'auraient pas repêché la carcasse ivre d'eau;

Libre, fumant, monté de brumes violettes,
Moi qui trouais le ciel rougeoyant comme un mur
Qui porte, confiture exquise aux bons poètes,   75
Des lichens de soleil et des morves d'azur;

Qui courais, taché de lunules électriques,
Planche folle, escorté des hippocampes noirs,
Quand les juillets faisaient crouler à coups de triques
Les cieux ultramarins aux ardents entonnoirs;   80

Moi qui tremblais, sentant geindre à cinquante lieues
Le rut des Béhémots et les Maelstroms épais,
Fileur éternel des immobilités bleues,
Je regrette l'Europe aux anciens parapets!

J'ai vu des archipels sidéraux! et des îles   85
Dont les cieux délirants sont ouverts au vogueur:
—Est-ce en ces nuits sans fonds que tu dors et t'exiles,
Million d'oiseaux d'or, ô future Vigueur?—

Mais, vrai, j'ai trop pleuré! Les Aubes sont navrantes.
Toute lune est atroce et tout soleil amer: 90
L'âcre amour m'a gonflé de torpeurs enivrantes.
O que ma quille éclate! O que j'aille à la mer!

Si je désire une eau d'Europe, c'est la flache
Noire et froide où vers le crépuscule embaumé
Un enfant accroupi plein de tristesses, lâche   95
Un bateau frêle comme un papillon de mai.

Je ne puis plus, baigné de vos langueurs, ô lames,
Enlever leur sillage aux porteurs de cotons,
Ni traverser l'orgueil des drapeaux et des flammes,
Ni nager sous les yeux horribles des pontons.   100

VOYELLES

A NOIR, E blanc, I rouge, U vert, O bleu: voyelles,
Je dirai quelque jour vos naissances latentes:
A, noir corset velu des mouches éclatantes
Qui bombinent autour des puanteurs cruelles,

Golfes d'ombre; E, candeurs des vapeurs et des tentes, 5
Lances des glaciers fiers, rois blancs, frissons d'ombelles;
I, pourpres, sang craché, rire des lèvres belles
Dans la colère ou les ivresses pénitentes;

U, cycles, vibrements divins des mers virides,
Paix des pâtis semés d'animaux, paix des rides   10
Que l'alchimie imprime aux grands fronts studieux;

O, suprême Clairon plein des strideurs étranges,
Silences traversés des Mondes et des Anges:
—O l'Omega, rayon violet de Ses Yeux!

L'ÉTERNITÉ

ELLE est retrouvée.
   Quoi?—L'Eternité.
   C'est la mer allée
Avec le soleil.

Ame sentinelle,   5
Murmurons l'aveu
De la nuit si nulle
Et du jour en feu.

Des humains suffrages,
Des communs élans   10
Là tu te dégages
Et voles selon.

Puisque de vous seules,
Braises de satin,
Le Devoir s'exhale   15
Sans qu'on dise: enfin.

Là pas d'espérance,
Nul orietur.
Science avec patience,
Le supplice est sûr.   20

Elle est retrouvée.
Quoi?—L'Eternité.
C'est la mer allée
Avec le soleil.

Ô SAISONS, Ô CHÂTEAUX

O SAISONS, ô châteaux,
Quelle âme est sans défauts?

O saisons, ô châteaux,

J'ai fait la magique étude
Du bonheur, que nul n'élude.   5

O vive lui, chaque fois
Que chante le coq gaulois.

Mais je n'aurai plus d'envie,
Il s'est chargé de ma vie.

Ce charme! il prit âme et corps,   10
Et dispersa tous efforts,

Que comprendre à ma parole?
Il fait qu'elle fuie et vole!

O saisons, ô châteaux!

270

MÉMOIRE

I

L'EAU claire; comme le sel des larmes d'enfance,
  L'assaut au soleil des blancheurs des corps de
      femme;
la soie, en foule et de lys pur, des oriflammes
sous les murs dont quelque pucelle eut la défense;

l'ébat des anges;—Non . . . le courant d'or en marche,   5
meut ses bras, noirs, et lourds, et frais surtout, d'herbe.
      Elle
sombre, ayant le Ciel bleu pour ciel-de-lit, appelle
pour rideaux l'ombre de la colline et de l'arche.

II

Eh! l'humide carreau tend ses bouillons limpides!
L'eau meuble d'or pâle et sans fond les couches prêtes.   10
Les robes vertes et déteintes des fillettes
font les saules, d'où sautent les oiseaux sans brides.

Plus pure qu'un louis, jaune et chaude paupière
le souci d'eau—ta foi conjugale, ô l'Épouse!—
au midi prompt, de son terne miroir, jalouse   15
au ciel gris de chaleur la Sphère rose et chère.

III

Madame se tient trop debout dans la prairie
prochaine où neigent les fils du travail; l'ombrelle
aux doigts; foulent l'ombelle; trop fière pour elle;
des enfants lisant dans la verdure fleurie   20

leur livre de maroquin rouge! Hélas, Lui, comme
mille anges blancs qui se séparent sur la route,
s'éloigne par-delà la montagne! Elle, toute
froide, et noire, court! après le départ de l'homme!

IV

Regret des bras épais et jeunes d'herbe pure!   25
Or des lunes d'avril au cœur du saint lit! Joie
des chantiers riverains à l'abandon, en proie
aux soirs d'août qui faisaient germer ces pourritures!

Qu'elle pleure à présent sous les remparts! l'haleine
des peupliers d'en haut est pour la seule brise.   30
Puis, c'est la nappe, sans reflets, sans source, grise:
un vieux, dragueur, dans sa barque immobile, peine.

V

Jouet de cet œil d'eau morne, je n'y puis prendre,
ô canot immobile! oh! bras trop courts! ni l'une
ni l'autre fleur: ni la jaune qui m'importune,   35
là; ni la bleue, amie à l'eau couleur de cendre.

Ah! la poudre des saules qu'une aile secoue!
Les roses des roseaux dès longtemps dévorées!
Mon canot, toujours fixe; et sa chaîne tirée
Au fond de cet œil d'eau sans bords,—à quelle boue?   40

NOTES

ALPHONSE DE LAMARTINE was of noble Burgundian
birth (his father narrowly escaped the Revolutionary guillo-
tine) and was brought up in the country. In 1810 he made
his first visit to Italy, where he was to spend much time in
the 1820s as a diplomat. In 1816 he fell in love with Mme
Charles, a woman some years older than himself, whose death
in the following year greatly grieved him. He married an
English heiress in 1820. After a voyage to the Near East in
the early 1830s, during which his dearly-loved daughter Julia
died, Lamartine devoted himself to politics as a humanitarian
and liberal. He played an important rôle in the 1848 Revolution in France, but after Napoleon III's *coup d'état* of 1851,
putting an end to the Second Republic for which Lamartine
had worked so hard, he retired from public life. Main poetical
works: *Méditations Poétiques*, 1820; *Nouvelles Méditations Poétiques*,
1823; *Harmonies Poétiques et Religieuses*, 1830; *Jocelyn* (an epic),
1836; *La Chute d'un Ange* (an epic fragment), 1838; *Les Recueille-
ments*, 1839; isolated later poems include *La Vigne et La Maison*,
written in 1857. Bibliography: H. Guillemin, *Lamartine, l'homme
et l'œuvre*; G. Lanson, *Méditations Poétiques* (critical edition).
p. 1. Le Lac (the tenth *Méditation*). This, perhaps the most
famous of all Lamartine's works, was written in 1817 when
Lamartine had been vainly expecting Mme Charles to join
him. Revisiting the scene, he recalls incidents of their love,
and notably a trip on the Lac du Bourget at Aix-les-Bains.
Lamartine treats the age-old theme of the passage of time with
a personal urgency and directness long absent from French
poetry. Notice how the natural scenery is interwoven with the
emotion; but contrast this poem with such poems as Baudelaire's *Harmonie du Soir*, where the emotion is so closely
interwoven with the scene as to be indistinguishable from
it; an analogy would be between a mixture, in which

the elements are still separable though closely joined, and a compound, in which the elements are fused. **l. 3.** *l'océan des âges* is a good example of the lack of originality of Lamartine's imagery, though the effect of his poetry is not generally achieved by imagery or by originality of epithet. Thus any original imagery or epithets stand out by contrast. **l. 5.** *O lac!* Apostrophe, rhetorical question and periphrase are found frequently in Lamartine's poetry; but often, as in this apostrophe to the lake, we feel that he is not merely using a hackneyed figure of speech, and in this instance he really feels the lake to be a living creature. **l. 13.** A similar scene occurs in Rousseau's novel *La Nouvelle Héloïse*. Lamartine's poetry is full of literary reminiscence. **l. 21.** The change in rhythm introduced by the change in verse-form gives added emphasis to this invocation. **l. 41.** *Hé quoi!* is pure eighteenth-century apostrophe. **l. 44** shows that not all Lamartine's verse is melodious. **ll. 49-52.** cf. Hugo's *Tristesse d'Olympio* and Vigny's *La Maison du Berger*. **l. 53.** *Qu'il soit . . .* Such sustained periods are one of the special hallmarks of much French Romantic poetry. **p. 3. L'Isolement** (the first *Méditation*). Written shortly after Mme Charles' death when Lamartine had withdrawn in his sorrow to Milly, this poem, in addition to being an anguished expression of sorrow and hope of future meeting after death, prefigures other forms of the Romantics' feeling of isolation. **l. 1.** Wild mountain scenery suits the grandiose nature of this meditation. **l. 2.** *Au coucher du soleil.* A favourite time of day for poets of this generation. **l. 4** rather suggests "padding". **l. 9.** *bois sombres* were favourites of Chateaubriand. **l. 11.** *le char vaporeux*, etc., is a pompous and stilted periphrase for the moon rising in the clouds. Moonlight is another period hall-mark. **ll. 13, 14.** Religion is added to nature-feeling to sustain and complete the solemn note. **l. 22.** *l'aquilon* is *style noble* for the north wind. **ll. 29-36.** The pathos, self-pity and self-delusion of these lines is typical of the period as of the poet; it is found in varying degrees in Hugo, Vigny and Musset. Lamartine himself once stated: *Le sublime lasse; le beau trompe; seul le pathétique est infaillible.* **p. 5. Le Vallon** (the fifth *Méditation*) was written in 1819 for a friend. The note of sustained melancholy is not uncommon for the time, but the association of mood and scene is undoubtedly touching. The scene is quite closely observed. **l. 25.** An excellent example, amongst many, of Lamartine's ability to coin a memorable sentiment. **ll. 35, 36.** Here is, for once, an image both exact and evocative. **ll. 37-52**; cf. ll. 22-35 of *La Maison du Berger* of Vigny. **l. 55.** Pythagoras' remark referred to really meant that it was better to hear the echo of a storm than the storm itself. Lamartine interprets this statement through his own admiration for the storms and gloomy scenes of Ossian. **l. 59.** We recognise, in this rather less banal periphrase, the moon. **l. 61.** *Dieu, pour le concevoir*, etc. Lamartine in this period of fervour and spirituality associates God not only with his love of nature, but also with his love of women, in a way reminiscent of the poetry of Petrarch. **p. 8. L'Occident** (from the second book of *Harmonies*). This poem, written probably in Italy in the 1820s, shows us a Lamartine more pantheist, i.e. one seeing God forming part of nature, than deist, i.e. one seeing God as standing outside His creation. **l. 1.** *s'apaisait* . . . In spite of the pessimism of this poem, there is here, as in many of the *Harmonies*, a serenity and an acceptance of life which contrast happily with much of the facile melancholy of his earlier work. **ll. 1-12.** cf. Hugo's and Gautier's poems on sunsets. **p. 9. L'Infini dans les Cieux** (from the *Harmonies*). This extract is from a poem written in Italy in 1828, and an excellent example of vague feeling for vastness and grandeur. **p. 11. Milly** (from the *Harmonies*). Written in Italy in 1827, this poem expresses Lamartine's nostalgia for the family estate in the country close to Mâcon, where he had spent much of his childhood. By a process of idealisation frequent both with him and many other people, Lamartine liked Milly better from a distance. **l. 1.** The dramatic opening is very effective. **ll. 5-14.** The conciseness of this enumeration gives vigour to this evocation of Milly, and the physical and moral picture of life there leads up to the dramatic question of ll. 15-16. **l. 17.** Notice how the change of tone is indicated by the change in rhyme-scheme. **l. 30.** *poussière*, spray, as *poudre* in l. 42. **l. 55.** For the Cumaean sibyl, see the notes on Nerval's *Delfica*, ll. 7 and 12. **l. 56.** *l'Élysée*, the Elysian fields, to which Aeneas led

Virgil in the underworld. **l. 153.** *Thèbe,* Thebes in Egypt; Palmyra is in Syria. **l. 169** is a reference to the part played by Lamartine's father in defending the Tuileries against the Revolutionaries in 1792. **l. 176.** *Vêtissait* should be *vêtait.* **l. 197.** *génisse* is *style noble* for *vache.* **l. 242.** Lamartine was, in fact, obliged to sell Milly in 1858. **l. 261.** *les mauves,* mallow. **l. 262.** *parvis,* paving. **l. 264.** *Philomèle,* a poetic word for nightingale. **ll. 305 et seq.** refer to the Resurrection, **l. 317.** *pleins de charmes,* a flat and colourless description. **p. 21. La Vigne et la Maison.** After Lamartine had long since stopped writing much poetry (although still producing a good deal of prose in an endeavour to keep pace with his debts), he was seized while at Milly in the autumn of 1857 by an inspiration to write this poem. In it he at last comes to terms with life by realising that living is not a matter of solitary communion with nature or even of an attempt to relive the past by revisiting the scene of former happiness, but of human affection, particularly maternal and family affection. There is the suggestion at the end of the poem of hope of reunion with loved ones. Notice how, as in the previous poem, Lamartine has produced his best poetry after a period of idealisation; this, as has been pointed out in the Introduction, may lead to falsity of fact, but does not necessarily imply insincerity. The dialogue form of the poem gives added drama by confronting the ageing poet with his ageless soul, but the rôles allotted to each part are rather loosely defined, and towards the end of the poem Lamartine seems to abandon the fiction of a dialogue. The culmination of the poem, the eulogy of the family would seem to belong more appropriately to the poet and his soul rather than to the poet's soul alone. The admirable general simplicity and delicacy and exactness of much of the detail show that Lamartine, more than in much of his other poetry, is seeing the vine and the house vividly in his mind's eye. Notice how, throughout the poem, Lamartine avoids monotony by changes of metre. The stanza-forms are also varied. **l. 11.** A periphrase for hair which, however, being neither too complicated nor merely *style noble,* does not jar as much as the pompous pseudo-classical periphrase *le char vaporeux de la reine des ombres,* and even has a certain suggestive as well as a dignified quality. **l. 18.** *nouer*, to set. **l. 26.** *remontant*, restringing. **ll. 29-34.** The serenity of such lines is to be contrasted with the exaggerated melancholy of Lamartine when younger. **ll. 175, 177.** *montagne, montagnes.* A poor rhyme, for words should not rhyme with themselves, nor should singulars rhyme with plurals. **l. 200.** *fiancées*, Lamartine's adored and adoring sisters. **l. 206.** *vieillard morne.* Lamartine's father was rather an austere man. **ll. 230, 231.** V. remarks on Fourier, p. xxvii.

ALFRED DE VIGNY was of country nobility ruined by the Revolution. Brought up in Paris, he served as an officer from 1816 to 1827, and his *Servitude et Grandeur Militaires*, often embittered in tone, reveal the glories and hardships of military life. In the 1820s he frequented the younger generation of poets, particularly those grouped round Hugo, and played an active part in the theatrical and critical activity of the time. His translation of *Othello* in 1829 (in which he shocked the diehards by the use of such a homely word as *mouchoir* in a tragedy) and his original play, *Chatterton*, in 1835 were important events in the history of the Romantic theatre. He was for a time deeply in love with an actress, Marie Dorval, and suffered deeply when she left him. Vigny's marriage was not a happy one, his political ambitions were unsuccessful, and his last years were full of great physical suffering bravely borne. Main poetical works: *Poèmes*, 1822, enlarged as *Poèmes antiques et modernes*, 1826; *Les Destinées*, 1864, a posthumous publication, contained many hitherto unpublished poems. *Bibliography:* P.-G. Castex, *Vigny, l'homme et l'œuvre*; E. Lauvrière, *Alfred de Vigny, sa vie, son œuvre*; V. L. Saulnier, *Les Destinées* (critical edition). **p. 32. Moïse.** Written in 1822, this poem appeared in *Poèmes antiques et modernes* in 1826, in the section entitled *Livre Mystique*. For Vigny, the sub-title denoted a poem in which a philosophic thought is illustrated in epic or dramatic form. *Moïse*, in spite of continual borrowing from the Old Testament, is merely a convenient symbol for Vigny's expression of the isolation of the man of genius. It was one of Vigny's favourite poems. **ll. 1-5.** The opening sets an appropriately solemn and grandiose scene as the Hebrews wait outside the Promised Land. **l. 6.** *Nébo*, a mountain east of the Dead Sea. **ll. 11, 13, 16.** These are the names of tribes of Israel. **l. 20.** *lentisque*, the mastic tree; a touch of local colour. **l. 28.** *l'aquilon*, a *mot noble* for the north wind. **l. 30.** *érables*, maple trees. **l. 32.** Moses is going up Mount Sinaï. **l. 41.** The Levites are priests. **ll. 49, 50.** These lines, with variations, recur throughout the rest of the poem as a fatal and pitiful refrain. **l. 56.** The book is the Pentateuch. **l. 59.** Horeb is a mountain in the Sinaï Desert. **l. 65.** Perhaps a reference to the fact that Moses had taken with him the bones of Joseph. **ll. 66, 68, 71.** Moses, in attributing God-like powers to himself, reveals Vigny's high conception of the rôle of the man of genius. **l. 82.** *le fleuve aux grandes eaux* is presumably the Red Sea. **ll. 91, 96** are allusions to certain verses of Exodus. **p. 36.** **Le Cor** (from *Poèmes antiques et modernes*, the section entitled *Livre Moderne*). Written in the Pyrenees in 1825, *Le Cor* repre-sents the common attraction of the time towards picturesque evocations of past episodes of national history, particularly medieval history. There was also a marked interest in ballads from the period. The charm of this poem springs, however, less from the historical interest than from Vigny's imaginative method of relating the story to a personal memory inspired by hearing a hunting horn and by the magnificence of the Pyrenean scene. The incident is taken from the medieval epic, *La Chanson de Roland*. **ll. 1-4.** Notice the discreetly skilful accu-mulation of images suggesting desolation and melancholy. **l. 8.** *Paladins*, the peers of Charlemagne's court, of whom Roland was one. **ll. 9-12** provide the contrasting tone to the first two verses. **l. 27.** *Roncevaux*, the pass where the rearguard action was fought in A.D. 778 by Roland to protect Charlemagne's retreat. **l. 29.** With no unnecessary detail, Vigny introduces the dramatic crisis of the story. **l. 32.** *le More*. It is legend that made Roland's opponents Moors; they were, in fact, Basques. **ll. 49-52.** A touch of human and local colour. **l. 56.** Turpin was Archbishop of Rheims. **l. 64.** Notice the clumsy inversion, which combines with the too obvious local colour of the archaism of *destrier* to produce rather an irritating line. **l. 68.** *Obéron*, the King of the Fairies. **ll. 72-76** show Vigny unafraid of rhetoric or of striking an attitude of pathos. **p. 39. La Mort du Loup** (from *Les Destinées*). This is the earliest poem of *Les Destinées*, written in 1838, shortly after the break with Marie Dorval. Contrast the relative restraint of this poem with the attitudinising of *Le Cor*. **l. 5.** *brandes*, heather. **l. 6.** *landes*, heath or moor. **ll. 9, 10.** The enjambment emphasises the action of holding the breath. **l. 16.** *coudes* is a vivid personification. **l. 23.** *loups-cerviers* are lynxes rather than wolves. **l. 34.** *se jouaient* is an archaism for *jouaient*. **l. 40.** *demi-dieux* because both are sons of Mars. **l. 84.** *tout d'abord*, from the first. **ll. 86, 87.** Vigny's stoicism contains no element of social or political revolt. **p. 42. La Colère de Samson** (from *Les Destinées*). In this poem Vigny combines the theme of man's weakness and woman's perfidy. Written in 1839, it was not published in his lifetime, no doubt for reasons of discretion and propriety. His severity towards women is much mitigated in the *Maison du Berger*. Vigny skilfully adapts the Biblical story to make a poem both historical and personal. **l. 4.** A concise, vigorous and ominous setting. **l. 8.** One of several touches of local colour. **l. 28.** *Anubis*, the dog-headed god of the Egyptians. **l. 34.** Ironically, the words of Samson condemning Delilah are soothing to her. **ll. 39-48.** The psychological penetration of these lines is remarkable. **l. 50.** *leurs lacs*, their traps. **l. 55.** Vigny conceives woman as the consoler of man; but it was hardly Marie Dorval's fault if she did not share this conception of women's rôle. **l. 80.** Vigny foretells an interminable and implacable war between the sexes. **l. 136.** Vigny here reveals that his hatred of women springs from hurt vanity; they expose his weaknesses, and this offends his pride. **p. 46. Le Mont des Oliviers** (from *Les Destinées*). Based on a work by the German writer, J. P. Richter, this poem was written between 1840 and 1844, when it was first published. The end, *le Silence*, was added in 1862, and may be considered Vigny's last word on the religious question: man must rely on himself and work out his own destiny. A comparison with Nerval's *Christ aux Oliviers* shows that, apart from differences of approach, Nerval's Christ is slightly more concerned about Himself and Vigny's about the fate of mankind, whom He represents. **l. 8.** The gesture described lends atmosphere. **l. 22.** A reference to the birth of Christ. **ll. 35-46.** There is obvious sympathy for Christianity in these lines, viewed primarily from the moral and social aspects. **ll. 87 et seq.** A review of the problems inherent in a religious belief. **l. 131.** Vigny seems here to believe in the divinity of Christ, but in **l. 144** Jesus is only referred to as *le Fils de l'Homme*. It is His humanity and not His divinity that interests Vigny, and his final attitude is one of respect and gratitude for Christian morality. **p. 51. La Maison du Berger** (from *Les Destinées*). First published in 1844, *La Maison du Berger* represents the fruit of the work and preoccupations of a number of years; it was probably conceived in 1840. In it Vigny expresses his views on women and their rôle, on nature, on modern industrial society, on Parliamentary government, on progress, on morality and on poetry. Notice the seven-line verse, rhyming *ababccb. Lettre à Éva.* Eva is Eve, the eternal woman, no doubt a composite figure of various women whom Vigny had known and, at the same time, Woman in general. **ll. 1-42** express the theme of the artist's isolation and the consolation that can be offered by nature. These lines contain some of Vigny's greatest poetry. Notice the balanced vigour of the period: *Si ton cœur . . . , si ton âme . . . , si ton corps . . .* , and the images in l. 2, ll. 8-11, as well as the music of l. 11. **l. 5.** *plaie immortelle* is the eternal doubt of mankind. **l. 6** shows what great importance Vigny attached to love. **ll. 13, 14.** The poet sees himself as a convict branded by social convention. This and the whole beginning of the poem is almost a manifesto of the sense of isolation of the poet of the period. **ll. 15-21.** Vigny here expresses his own aristocratic reserve. **ll. 29-42.** These lovely lines reveal Vigny's deep love of nature. **l. 47.** *divine faute.* Love is thought of as a weakness; but a God-given one. **ll. 64-133.** This long attack on modern commercial and industrial civilisation symbolised by the railway has, as its specific source, a serious railway accident at Versailles in 1842. The general attack is on materialism and on a blind belief in material progress. Notice how much more laboured, abstract and prosaic this section is than, for example, the appreciation of natural beauty in ll. 29-42. **ll. 92-98.** In this verse, Vigny recognises that, kept in its proper place as a servant of mankind, industrial progress can be beneficial. **l. 93.** *actions*, company shares; a reference to the sending of telegraphic messages. **l. 96.** *caducée*, a herald's wand, especially the one carried by the messenger-god Hermes, also the god of commerce. **l. 103.** *une mère éplorée*. Vigny may be thinking of his own mother's death. **ll. 127 et seq.** Vigny states his conception of the rôle of the poet which is essentially contemplative and philosophical. **ll. 148-168.** Poetry is the quintessence of knowledge, and Vigny attacks those who do not sufficiently respect their dignity as poets; in particular, in ll. 160, 161 he attacks superficial and erotic love poetry. **l. 163.** *Un vieillard*, the mocking, pleasure-loving Anacreon. **l. 170.** Vigny is here thinking of Lamartine, who had given up writing poetry to devote himself to politics; and from this reference to Lamartine, Vigny goes on to pour scorn on demagogic parliamentary government. **l. 194.** *vapeurs aux cent bras*, machinery replacing hand-labour. **l. 214.** Mankind is only now beginning to find means to prevent conflict, *les coups mutuels*. **l. 217.** *Terme,* the great god Terminus, the protector of boundaries, was depicted in the form of a bust set on a boundary stone, and thus unable to move. **l. 228.** Another reference to *la divine faute* of l. 47. In the last section Vigny states his own beliefs as to the relation of woman and nature. **l. 234.** A bold and flattering idea of a woman's rôle. She is to be God's spirit in human form; Vigny is using *enthousiasme* in l. 236 in the original etymological sense. **ll. 239-259** contain Vigny's psychology of woman, and **ll. 260-266** show what he, as a man, wants from her: but we are left uncertain as to the *grand mot* of l. 266. **l. 281.** *Elle*, i.e. nature. Vigny is now going to judge nature severely from the moral point of view; cf. *La Tristesse d'Olympio* of Hugo. **ll. 323 to the end.** Vigny here recovers the vigorous yet plaintive note of the first part of the poem. **l. 335.** cf. *As You Like It*, Rosalind's speech in Act IV, sc. 1. **p. 62. La Bouteille à la Mer** (from *Les Destinées*). This, originally intended to be the final poem of *Les Destinées*, was written in 1846 and 1847, but not published until 1853. In it, by means of a personal modern myth, Vigny expresses his confidence in the future. The poet must work, not for immediate success or popularity, but for posterity. It is a pity that a poem with in itself an interesting message should start as awkwardly and pompously as the first verse. Is this because Vigny is himself not quite convinced of the truth of what he says? And in any case, is not the tone generally too deliberately didactic and moralising to make a good poem? **l. 3.** *le camail*, hood. **l. 5.** *Chatterton*, etc. Three examples of poets who died young. Malfilâtre and Gilbert were eighteenth-century French poets. **l. 37.** *la Terre-de-Feu*, Tierra del Fuego. **l. 49.** *milan.* a kite (the bird). **ll. 52 and 65.** Surely unnecessary and pompous periphrases for champagne? **l. 57.** *mettre en panne*, to heave to. **l. 112.** A reference to Noah's Ark and the dove. **l. 125.** *flamme*, pennant. Vigny is anxious to give a nautical flavour. **l. 132.** *sarigue*, an opossum. **ll. 159, 160.** Vigny considers that the future belongs to science, and that scientists rather than generals will be its heroes; but the statement contains none of that poetry that is found in his utterances on women and nature in *La Maison du Berger* and on suffering and evil in *Le Mont des Oliviers*. His message and expression do not form that indissoluble unity that is the prerequisite of all poetry. Here, his ideas might have been equally well or better expressed in prose.

VICTOR-MARIE HUGO. Of mixed bourgeois and peasant stock, Hugo was the son of an officer of the Imperial Army who rose to be a general. Brought up largely in Paris, with short sojourns in Spain and Italy, Hugo participated actively in the literary ferment of the 'twenties and contributed to the *Muse française*, whose ambition was, after Lamartine's *Méditations*, to introduce a more lyrical and personal note into French literature, with emphasis on foreign models; there was also a marked revival, in the late 'twenties, of interest in the lyrical and technical achievements of French sixteenth-century poets such as Ronsard. Hugo married in 1822 Adèle Foucher, a childhood sweetheart. He was to have five children, of whom the first-born, a son, died in infancy. In the picturesque local colour, dramatic movement, rhythmical and metrical virtuosity and verve of *Les Orientales*, Hugo was launched as the leading poet of the movement, a position consolidated in the theatre by the performance in 1830 of his historical drama, *Hernani* (following on the manifesto of the *drame romantique*, Hugo's Preface to his play, *Cromwell*) and in the novel by *Notre-Dame de Paris*. After 1831, with *Les Feuilles d'Automne*, Hugo strikes a more reflective and emotional note in his poetry, which, sustained in other succeeding volumes, reaches its peak in *Les Contemplations*. His friendship with the actress Juliette Drouet dates from 1833, and was to end only with her death. The 'thirties and 'forties were a period of great success for Hugo, in poetry and in the theatre (until the failure of his last drama, *Les Burgraves*, in 1843). He was made a member of the French Academy in 1841 and a peer of the realm in 1845. During this period he became increasingly preoccupied with political and social reform, and supported the 1848 Revolution. After the *coup d'état* he went into exile and remained, voluntarily, in Jersey and then Guernsey, as a revered symbol of resistance to Napoleon III, until he was able to return in triumph after the fall of the Second Empire. Throughout his exile he continued to produce novels and poetry. The novels written from exile include *Les Misérables*, *Les Travailleurs de la Mer* and *L'Homme qui rit*. His later poetry, after 1870, was increasingly philosophical, religious and political. On his death, he was given a State funeral. Main poetical works: *Odes*, 1822; *Odes et Ballades*, 1826; *Les Orientales*, 1829; *Les Feuilles d'Automne*, 1831; *Les Chants du Crépuscule*, 1835; *Les Voix intérieures*, 1837; *Les Rayons et les Ombres*, 1840; *Les Châtiments*, 1853; *Les Contemplations*, 1856; *La Légende des Siècles*, 1859 (first series), 1877 (second series), 1883 (third series); *Les Chansons des Rues et des Bois*, 1865; *L'Année Terrible*, 1872; *La Pitié suprême*, 1879; *Religions et Religion*, 1880; *Les Quatre Vents de l'Esprit*, 1881; posthumously: *La Fin de Satan, Toute la Lyre, Dieu, l'Océan, La Gerbe*. Bibliography: J.-B. Barrère, *Hugo, l'homme et l'œuvre*; F. Gregh, *L'œuvre de Victor Hugo*. **p. 69. Clair de Lune.** Written in 1827 and 1828 and published in 1829, *Les Orientales*, from which this poem is taken, is the first work in which Hugo's talent for visual poetry and his affection for the exotic and the picturesque find their expression. It is a forerunner of the descriptive poetry of Gautier and Leconte de Lisle. In it, he created a genre which was a revelation to his contemporaries, already interested in the East by reason of the Greek War of Independence as well as through the works of Byron, Chateaubriand and certain poems of Lamartine and Vigny. In it, too, for the first time, Hugo shows to the full his metrical virtuosity and his colourful, brilliant vocabulary. If today this local colour may appear false and facile, it can still appeal to the young imagination. The subject of moonlight is a favourite theme of the period (cf. Lamartine's *L'Infini dans les Cieux*). **l. 2.** *La fenêtre enfin libre.* It is dark and the harem can now show itself at the window. **p. 70. Soleils Couchants.** *Les Orientales* were largely impersonal and picturesque poetry. In the *Feuilles d'Automne* (1831), his next collection, from which *Soleils Couchants* is taken, a personal note, the expression of personal reactions to love, nature, religion and society make their appearance and dominate the next collections of verse: *Les Chants du Crépuscule* (1835), *Les Voix Intérieures* (1837), *Les Rayons et les Ombres* (1840). This note reaches its apogee in *Les Contemplations* (1856). In *Soleils Couchants*, Hugo continues to describe, as in the *Orientales*, but he himself appears in the poem and makes his comments on his description. He was at this stage in his life a great admirer of sunsets, a characteristic for which the impertinent young Musset poked fun at him. **ll. 2, 3.** A typical love of the old. **ll. 11, 12.** A grandiose and imaginative image. **l. 15.** Hugo loved the humble cottage as much as the splendid castle, and particularly the antithesis between the two. **ll. 20-24.** A brilliant image, perhaps a trifle strained through being carried on too long. But notice the extraordinary power and vividness of Hugo's vision and imagination, which, in his best poetry, are always combined. **ll. 37-42.** Another magnificently sustained image. **l. 46.** The essential mystery of nature was a constant theme of Hugo; he never lost his faculty of wonder. **p. 71. Lorsque l'enfant paraît** (from *Les Feuilles d'Automne*). Hugo was a great lover of young children; indeed, throughout his life he retained a freshness of approach to life and an energy and liveliness that had something childlike in it. The pairs of alexandrines alternating with hexasyllabics provide a pleasant variety of tone, with the hexasyllable preventing the alexandrine from being too solemn. **ll. 7, 8.** An example of that rather pompous oratory into which Hugo was not unwont to fall. **l. 25.** A striking extended metaphor. Notice that he is not content with one metaphor, but uses another in the last three lines of the verse. This is another characteristic of Hugo; he is not content to say something well just once. It is true that some of his rhetorical periods are splendid in their sweep; but too much repetition can become tiresome, as can mere enumeration, which he also constantly used. **l. 51.** One may feel that this line is sheer padding, for the purposes of the metrical and rhyme scheme; a not infrequent happening with Hugo, which is one of the causes of the continual juxtaposition of good and bad in his poetry. **p. 73. Puisque j'ai mis ma lèvre** (from *Les Chants du Crépuscule*). Love-poetry of a sort is frequent, but deeply-felt love-poetry is very rare in Hugo. More of an amorist than a lover, he tends to write love-poetry that is usually either badinage or sentimental, and a certain physical tenderness is more common than real affection. He did, however, undoubtedly feel great and lasting passion for the actress, Juliette Drouet, whom he met in 1833, and for whom this poem was written. Notice that, in spite of the somewhat *style noble* of the first line, the poem is of great simplicity. **l. 2.** A certain melancholy attitudinising in this line. For an extremely robust and healthy man, Hugo, influenced no doubt by the melancholy of *René*, of Lamartine and Vigny, tends to be rather too easily elegiac in tone, for inadequate reasons. **l. 10** is a reference, no doubt, to the enforced clandestine nature of his relationship with Juliette. **p. 74. Tristesse d'Olympio** (from *Les Rayons et les Ombres*). This poem, based on memories of happy days spent with Juliette Drouet in the country near Paris, is a major poem of Hugo's, in which he expresses views on nature, love and memory, constant themes of his and of his period (cf. Lamartine, Vigny, Musset). In this poem, in spite of the fact that nature effaces the traces of human love and is indifferent to human feelings, Hugo expresses his confidence in the durability of human memory. There is, in this poem, a virility and even a kind of restrained joyfulness and confidence which is a happy contrast to some of Hugo's unjustifiably mawkish utterances. **l. 4.** *encens*, an example of what might be considered the over-poetic word which contrasts with the simplicity of other sections of the poem. **l. 22.** Notice how the tonic accent falls very strongly and with great effect on *pâle*. **ll. 41, 42.** *face divine, divin miroir.* Hugo was fond of the device of chiasmus, the transposition of adjectives. It is, of course, a variant on another of his favourite devices, antithesis. **l. 49.** The descriptive portion ended, Olympio's lament goes into the solemn alexandrine. **l. 59.** Like many lovers, they had carved their initials on the trunk of a tree. **ll. 67, 68.** A charming detail which reveals a Hugo less solemn and pompous than is often imagined. **ll. 87, 88.** Hugo was constantly preoccupied with the after-life, particularly in his later philosophical and religious poetry. **ll. 101-104** are rhetorical, no doubt: but very effective rhetoric for a solemn moment. **ll. 113, 117, 121.** Notice the sustained period: *Est-ce que.* . . . **l. 130.** *frissonnants*, an apposite and yet original adjective. **p. 80. Souvenir de la Nuit du Quatre** (from *Les Châtiments*). From his exile in Jersey after Napoleon III's *coup d'état*, Hugo launched his bitter and eloquent attack on the new *régime* in the form of *Les Châtiments*, a collection of often violent satirical poems printed in Brussels in 1853. The poems range in form from the song to the epic, and the one here reprinted is an excellent example, not only of Hugo's direct narrative style, but also of his pity for the poor, enhanced, in this case, by the fact that the victim of the incident described is a child. His eloquence is the more effective by being reserved for the last few lines only. December 4th is two days after the *coup d'état* by which Napoleon III attained power. **l. 55.** Ironically, Napoleon's protestations of service to the country are referred to as a mere by-product of his ambition. **l. 56.** Napoleon's palace was at St. Cloud. **p. 82. Réponse à un Acte d'Accusation.** *Les Contemplations*, the collection from which this and the next eight poems are taken, contains, by common consent, the richest and most varied of all Hugo's non-epic poetry. It is largely the result of a great burst of poetical activity in 1854 and 1855, although it contains poems from earlier periods. The book is divided into two main sections, *Autrefois* (1830-1843) and *Aujourd'hui* (1843-1855), the dividing line being the death, by drowning, of Hugo's beloved daughter, Léopoldine, shortly after her marriage. Each section is divided into three books: *Aurore, L'Âme en fleur, Luttes et rêves, Pauca Mea, En marche* and *Au bord de l'infini*. These titles give some idea of the main trend of each book. The first concerns the theme of youth, including the stirrings of the poet's adolescent heart as well as his literary ambitions; the second is mainly concerned with playful and joyful love-poetry; the third deals more with social and humanitarian matters; in the fourth (the first of *Aujourd'hui* and which takes its title from Virgil: *Pauca mea carmina*) the poet tells of his great grief at losing his daughter; the fifth book shows the poet, more resigned and more mature through suffering, meditating on the spectacle of nature; finally, Hugo reaches *le bord de l'infini*, and his meditation (influenced at this period of his life by a strong belief in spiritualism) takes a philosophic and religious turn. No examples have been reprinted of this last sort of poetry; for although interesting for a study of Hugo as a thinker, the poetry is often of inferior quality; also, the poems are mainly very long, and could only be reprinted in mutilated form; and, finally, although Hugo's religious beliefs varied constantly throughout his life from Christianity to pantheism and, at the end, still remained undecided, some of his best expressed beliefs are summed up in *Le Satyre*, which is reprinted later. *Les Contemplations* are particularly remarkable for containing vast visionary glimpses of eternity as well as poems of simple, homely detail. It is not inconceivable that Hugo was deliberately trying to emphasise the earthy and the petty sides of his nature as a defence against being carried away, sometimes almost panic-stricken, into the unbridled visions of his vivid imagination. In *Réponse à un acte d'accusation* (written 1854), from which extracts are reprinted here, Hugo, with tremendous verve and skill, makes an apologia for his reforms as a poet. It is to be noticed that, at this time, in exile, he is writing as a democrat, although at the time when he started accomplishing his poetic achievements, such democratic intentions, if present in embryo, were far less prominent than he claims, for as a young man he was a conservative royalist. However, the nature of his poetic reforms is accurately and vigorously assessed. The original accusation, to which he was replying, was made by A. Duval, of the French Academy, in 1834, accusing him of ruining French dramatic art. Hugo, in his reply, ignores the actual accusation and says nothing of his dramatic achievements (it was, in any case, something of a sore point with him since the failure of his last historical drama, *Les Burgraves*, in 1843). **l. 1.** The extract starts on l. 29 of the original poem. There is something aggressive and confident in the word *Causons*: Very well, then, let's talk! **ll. 2, 3.** The suggestion is that this weak condition is a result of the old-fashioned French educational system. **l. 8.** *grimaud*, an archaism meaning an ignoramus. Hugo shows a great breadth of vocabulary in this poem. **ll. 14, 15.** The names of three heroines of classical tragedies by Racine (*Phèdre* and *Jocaste*) and Voltaire (*Mérope*). *Jocaste* also occurs in other tragedies by Corneille and Voltaire. **l. 18.** *patois*, local speech; *galères*, the convict galleys. **l. 25.** An ironic picture of the Academy as an aged dowager. **l. 26.** *tropes*, figures of speech, an essential part of classical verse. **l. 27.** The alexandrines are described as square because too regularly divided. **l. 38.** *Guichardin*, Guicciardini, the author of a history of Italy, containing many details of the life of Alexander VI, the Borgia Pope. **l. 39.** *Vitellius*, a prodigal and gluttonous Roman Emperor, to whom Tacitus devotes some pages in his *Histories*. **ll. 40, 41.** A reference to the French classical tenet that certain vulgar words (such as "dog") could be used only if ennobled by certain adjectives. **l. 42.** *vache*, being too ordinary a word, was replaced by the noble word *génisse* (a heifer). **ll. 43, 44.** *Margoton*, a country name; *Bérénice*, the name of a heroine of Racine; *La Carmagnole*, a French Revolutionary song. **l. 47.** Don Carlos, in Act II of Hugo's drama, *Hernani*, asks what the time is. **ll. 52, 53.** It was considered improper to give exact figures in classical tragedy; *Mithridate* is a tragedy by Racine, and the allusion is to the date of a siege undertaken by the principal character. **l. 61.** Just as the Tower of Babel was a monument to pride, so was the division of language (symbolised by the alphabet) into *mots nobles* and *mots bas*. **l. 63.** Hugo goes on in the remainder of the poem to show that, his freedom regained, the poet can now treat all subjects, grave, gay, satirical or sentimental, lyrical or epic, political or philosophical, in a way accessible to all citizens and not only to a privileged class. It is, in fact, the claim that any subject and any tone is legitimate in poetry and although Hugo himself did not himself push this claim to the limit, he was an important precursor for those who did. **p. 84. Mes Deux Filles** (from *Aurore*). *Aurore* being devoted to youth, Hugo includes this charming poem on his two daughters. It shows how Hugo can be delicate as well as grandiose in his visual imagination. It is notable that more care is lavished on the setting than on the two girls, i.e. Hugo is, in a way that is not dissimilar from certain poets of the Symbolist period, more interested in suggesting a mood than telling a story or explicitly stating an emotion. **p. 85. Elle était déchaussée** (from *Aurore*). A poem of careless young desire, of great simplicity, in a charming natural setting, which is suggested by a few details. **l. 15.** Notice the charming and surprising juxtaposition of *effarée* and *heureuse*. **p. 85. Viens!—une flûte . . .** (from *L'Âme en Fleur*). In this poem, intended for Juliette Drouet, the love spoken of is lightened by the song-like semi-refrain. It is an excellent example of a rather sophisticated simplicity. Notice the rare seven syllabic line, giving a skipping, jerky effect appropriate to the lightness of the treatment. **p. 86. Demain, dès l'aube . . .** (from *Pauca Mea*). Hugo is making a pilgrimage to his dead daughter's grave. A poem of a simplicity that leaves everything to the imagination of the reader. Grief could not be expressed in greater understatement: but the one or two images are all the more telling (particularly l. 8). Notice the continual association of nature with what he intends to do. **p. 86. À Villequier** (from *Pauca Mea*). It was at Villequier, at the mouth of the Seine, that Hugo's daughter was drowned with her husband. Mainly written during a pilgrimage to his daughter's tomb in September, 1844, a year after the disaster, this poem is the best-known of the poems on this event. His simple expression of grief, his direct and personal approach to God, his final submission to His will, make this poem a masterpiece of pathos. The alternating stanza-forms, which continually vary the rhythm of the poem, are well suited to the doubting, questioning tone and the continual repetition of words reflects the feverish intensity of his emotions. **l. 7.** Nature is the great consoler. **ll. 41-60** were added in 1846, two years after the original version was written. **ll. 63, 64** show a momentary doubt as to God's goodness. **ll. 103, 104** are what is known as a *rime normande*, for the eye only. **ll. 105-112,** also added in 1846, contain the excuse for Hugo's momentary doubting of God's goodness. **p. 92. Paroles sur la Dune** (from *Pauca Mea*). This is one of the saddest of the *Contemplations*. **l. 4.** *deuils.* Hugo's mother, father, brother, first-born and daughter were all dead. **l. 15.** *vautour aquilon,* cf. *pâtre promontoire* in l. 40 of *Pasteurs et Troupeaux*. **l. 20.** A familiar antithesis between nature and mankind. **ll. 35, 36.** Notice the effective chiasmus or inverted repetition of *ne suis-je . . . hélas, hélas . . . ne suis-je . . .* **l. 48.** This poem contains few images, and such a striking one as this is all the more effective by contrast. **l. 49.** *Je pense,* implying concentration, contrasts with the *je songe* of l. 12. **ll. 51, 52.** The final touch is delicate, in deliberate contrast to the gloom of the previous lines. Notice how Hugo is content to state the contrast without pointing any moral or labouring the point. **p. 94. Mugitusque Boum** (from *En Marche*). Hugo was a great admirer of Virgil, from whom the title of this poem is taken. This poem is a pæan to living and loving. **l. 8.** *vis, buisson!* For Hugo, not only plants, vegetables and animals, but even inanimate objects participated in universal life; there was some element of the spiritual in everything in Nature. **ll. 22 et seq.** Notice the irresistible sweep of these lines. **l. 40.** As so often, Hugo ends on a note of questioning and mystery. **p. 96. Pasteurs et Troupeaux** (from *En Marche*). Hugo's love of nature extended from the infinitely great to the infinitely small. In this poem he contrasts two scenes of the Guernsey landscape, the one charming and a trifle wistful, the other fearsome and grandiose. Such antitheses form an essential part of Hugo's vision of the world. **l. 8.** Bullfinch and greenfinch. **l. 9.** *fauvette*, the blackcap; a charming fancy. **l. 11.** *bourrus*, rough, an adjective usually confined to a figurative use for people; but *pierre bourrue* is ragstone. **l. 22.** *chaume*, thatch, used here for cottage. **l. 40.** *pâtre promontoire*, a very bold image, in which two nouns are used together, each serving to describe the other. In his poetry at this time. Hugo used this device frequently. It achieves, through conciseness, great vigour and vividness. **ll. 44-46.** The poem ends almost on a note of horror. l. 46. *moutons*, not only the sheep guarded by the *pâtre promontoire*, but also used in the sense in which we speak of *white horses* on the sea. **p. 97. Booz Endormi** (from *La Légende des Siècles*). Before *Les Contemplations*, and particularly after 1840, Hugo had already written a certain number of short epic poems, notably two inspired by medieval France; but it is mainly between 1857 and 1859 that he gave himself wholeheartedly to the writing of short epics. In April, 1859, he wrote *Le Satyre*, which is the key poem of the whole collection of *La Légende des Siècles*; in August he wrote the Preface, in which he explains to the reader his purpose: "*Exprimer l'humanité dans une espèce d'œuvre cyclique; la peindre successivement et simultanément sous tous ses aspects, histoire, fable, philosophie, religion, science, lesquels se résument en un seul et immense mouvement vers la lumière; faire apparaître dans une sorte de miroir sombre et clair . . . cette grande figure une et multiple, lugubre et rayonnante, fatale et sacrée: l'Homme.*" The *Légende des Siècles* was to be a monument to the advance of consciousness in mankind, embracing the past, the present and the future; and it was to be completed by two other works: one on evil, entitled *La Fin de Satan*, one on the infinite, entitled *Dieu*. These last works, incomplete, were published posthumously in 1886 and 1891 respectively. The first series of *La Légende des Siècles* was published in 1859; a new series, in which certain gaps in the earlier volume were filled, was published in 1877, the new poems being more philosophical and religious than historical. A final volume, more sombre and apocalyptic, appeared in 1883. *Booz Endormi* is taken from the first section of the first series, entitled *D'Ève à Jésus*. The approach to the story is strictly personal, although the events are fairly accurately related. Hugo, unlike Leconte de Lisle, made no attempt at erudite reconstruction in his epics. A few original sources (such as the Bible), a few general popular historical works and a seventeenth-century dictionary provided him with enough detail for his imagination to resuscitate events and scenes of past epochs with great vividness and variety of treatment. In *Booz Endormi*, however, rather than on picturesque reconstruction, the emphasis is laid on creating a mood of solemnity and serenity appropriate to a religious subject. **l. 14** is a famous example of syllepsis. **ll. 37-40.** This dream of Booz is not Biblically accurate; Booz's vision is the tree of Jesse, the genealogical tree of Christ. The idea of the dream is taken from Jacob's vision of a ladder going to Heaven. Notice the change in rhyme scheme in the verse recounting the dream. **l. 40.** *roi*, King David; *un dieu*, Christ. **ll. 42 et seq.** These remarks attributed to Booz are borrowed by Hugo from Gen. xvii. 17, where Abraham is addressing Jehovah, when he is told he will have a son by Sara. **l. 81.** *Jérimadeth* is a name invented by Hugo for the purposes of the rhyme and the music of the line. The whole of the last part of the poem is extremely melodious. The last verses are devoted entirely to the creation of atmosphere and not to telling the story. **p. 100. La Rose de l'Infante** (from *La Légende des Siècles*). This highly imaginative poem, in which a breeze unpetalling a rose symbolises the gale destroying the Spanish Armada, is constructed in five scenes: the Infanta in the park of Aranjuez (ll. 1-66); Philip II in his palace (ll. 67-104); Philip's character and rule (ll. 105-155); the vision of the Armada in Philip's mind's eye (ll. 106-221); the ruin of the rose (ll. 222-248). It was the last poem composed for the first series of the *Légende des Siècles*. Certain details were taken from memoirs and travel books, but the general conception is quite original. **l. 2.** A painting by Velasquez provides the visual starting-point. **l. 8.** *pétri*, moulded. **l. 9.** *gloire*, a radiant halo. **l. 11.** *chevelus*, hairy. **l. 18.** Her skirt is frilled with luxurious lace. **l. 26.** *purpurine*, crimson. **l. 33.** *Marie.* Maria was a daughter of Philip II, but she had died in 1583. Hugo uses poetic licence to provide himself with a *doux nom.* **l. 46** is of admirable and rich succinctness. **l. 44.**

The Duchy of Brabant had its capital at Brussels. **ll. 53-56.**
This authentic detail, borrowed by Hugo from one of his
sources, sums up the absolutism of the Spanish court. **l. 89.**
sonde, the sounding-line. **l. 106.** *Iblis,* the Satan of the Koran.
l. 107. *Escurial,* a palace and monastery near Madrid. **l. 118**
crampon, a grappling-iron; a vigorous simile. **l. 141.** Notice the
onomatopœia. **l. 143.** *Burgos,* the former capital of Castile.
l. 145. *auto-da-fé,* the public burning of heretics. **l. 155.** *Charles,*
Charles V, Phillip II's father. **l. 156.** *pourpoint,* doublet.
l. 159. *soupirail,* air-hole. **l. 172,** *échiquier,* chessboard; *tillac,*
deck. **l. 179.** *gastadour,* from the Spanish, meaning chief
boatswain. **l. 180.** *Escaut,* Scheldt; *Adour,* a Pyrenean river.
l. 181. *mestres-de-camp,* the captains; *connétables,* generals. **l. 182.**
ourques, naval vessels. **l. 188.** *pavois,* bulwarks. **l. 189.** *moços,*
cabin-boys. **l. 192.** *branle-bas,* clearing the decks for action.
l. 199. *rictus,* a snarling smile. **l. 202.** *gerbe de foudres,* like
Jove, Philip has a sheaf of thunderbolts. **l. 216.** These two
Caliphs have not been identified and are probably imaginary.
ll. 225-232. The whole rhythm of this passage echoes the
movement and speed of the breeze. **ll. 236, 237.** The rhythm
of the two *trimètres* reflects the Infanta's surprise. **p. 108. Le
Satyre** (from the section of *La Légende des Siècles* devoted to
the sixteenth century and entitled *Renaissance, Paganisme*). The
myth which Hugo relates is his invention. The satyr represents
the spirit of man opposed to the tyranny of the gods, whom
he finally succeeds in dominating. The poem is divided into
four parts, of which the last three are reprinted here. The
first part, entitled, symbolically, *Le Bleu,* describes the gods
gathered together on Mount Olympus, before whom the satyr
is brought by Hercules because he has surprised Psyche bath-
ing. The contrast between the satyr and the haughty gods is
made very amusingly, and the satyr, at first overwhelmed,
quickly regains his wit and invites Venus to come away with
him. The gods are so amused at his impudence that Jupiter
says that he will let him go, but first he must sing something
for them. The satyr borrows Mercury's flute and begins. *Le
Noir* represents elemental prehuman nature, and the satyr
sings in praise of the forces of nature, starting from elemental

chaos. **l. 28.** *Dodone*, Dodona, the seat of the oracle of Zeus in Epirus. *Citheron*, Cithaeron, a mountain range between Attica and Boeotia on which a legendary King of Thebes, Pentheus, met his death at the hands of the frenzied female votaries of the god Dionysus for having spied on their mystic rites. **l. 29.** *Hémus, sur l'Érymanthe*, Erymanthus, a mountain in Arcadia, where lived a boar which had to be caught alive by Hercules as one of his labours. **l. 30.** *Hymète*, Hymettus, a mountain to the east of Athens. **l. 31.** Tellus was a Roman divinity of the earth, associated with fertility rites which took place every April 15th in Rome. **l. 80.** The satyr's (and, through him, humanity's) liberation is beginning. **l. 137.** *la sibylle*, the name given to a prophetess. **l. 139.** *la thessalienne*. Thessaly was famous for its magicians. **l. 140.** A superstitious rite. **l. 141.** *Orphée*. Orpheus used to enchant animals by his song, but here, according to the satyr, the opposite is occurring, so great is the power of the animal spirits of nature. **l. 143.** *Marsyas*, a satyr famous for his flute-playing, who challenged Apollo to a contest and was defeated and skinned alive as a punishment. Vulcan, representing envy, is trying to remind Apollo of this incident in order to make him angry with the satyr. **l. 185.** *Antée*. Vulcan now tries to incite Hercules against the satyr by comparing the satyr to the giant Antheus, the killing of whom had been one of the labours of Hercules. **l. 190.** *sa faute*. It was Hugo's belief that matter itself was evil, and therefore everything created, although partly composed of spirit, was also at the same time evil. Existence was, in itself, a fault, but a necessary one, and the basis of future regeneration lay in the progress of consciousness, which would eventually eliminate evil. **l. 192.** *Atlantide*. Atlantis, a fabulous continent which is here considered as a sort of equivalent of the Garden of Eden. **ll. 197, 198.** *Prométhée*. The hero Prometheus stole the gift of fire from the gods. **ll. 206, 207.** Cadmus, founder of Thebes, sowed dragon's teeth from which armed warriors sprang up, who fought amongst themselves until only five were left, who helped Cadmus build the citadel. **l. 214.** *Dracon*, Draco, an Athenian legislator whose laws were considered particularly severe. *Busiris*, a legendary and blood-thirsty King of Egypt,

killed by Hercules. **l. 268.** *les Borées*, the north winds. **l. 295.**
Matter considered again as an inevitable evil from which can
spring good. **ll. 313-315.** A prophetic utterance in view of the
splitting of the atom. But his conclusions in ll. 316-324 are
rather optimistic. Hugo was referring to the invention of the
steam-engine, and in ll. 328-334 refers to its adaptation for
railway locomotion. **ll. 314-346.** An anticipation of the aero-
plane. **l. 370.** *Le réel*, a vague word for something that Hugo
never clearly envisaged, but only hoped for. He seems to
mean mind freed from matter. **l. 373.** Hugo was a spiritualist
at this period of his life. **l. 378.** The sphinx was a winged
monster with the face of a woman and the body of a dog
which preyed on Thebes until Œdipus was able to answer
its riddle and free Thebes from its power. **l. 379.** *Erèbe*, Erebus,
primeval Darkness, sprung from Chaos. **l. 380.** *dont on voit
le fond*, i.e. they are limited whereas the real God, the Spirit,
is limitless and all pervading. **l. 387.** *Avernes*, Avernus, the
underworld. **l. 393.** This God-Mind is conceived of by Hugo
as unknowable. The mystery of life will always be impenetrable.
l. 406. *Delphe*, Delphi, the seat of the sanctuary to Apollo
in Greece; *Pise*, Pisa, a town of the province of Elis, close
to Olympia, where the Olympic games were held. Hugo is
saying that everything, including the gods, will pass away:
only the infinite will always exist. In fact, as so often with
Hugo, this thought is a commonplace, but it is Hugo's reaction
to it and his grandiosely imaginative expression which interest
the reader of poetry. **l. 410.** *Polyphème*, Polyphemus, a Cyclops,
the one-eyed giant of the Odyssey. **l. 411.** *Typhon*, Typhoeus,
a monster with a hundred serpents' heads and eyes of fire who
tried to reach Olympus and was destroyed by Zeus. **l. 413.**
Titan. The Titans were the giant children of the primeval
couple Uranos (Heaven) and Ge (Earth) and brothers to the
Cyclops. *Athos*, a mountain in Greece. **l. 417.** *orient*, the *water*
of a pearl, its brilliance. In the remainder of the poem, Hugo
conceives a prodigious and fantastic symbol of Pan as the ultimate spirit of the whole universe. It is a complete and im-
mensely vigorous expression of pantheism, made in such
convincing language that one is tempted to believe that,

amidst all Hugo's various religious and philosophical hesitations, pantheism was perhaps his favourite, at least in his confident moods; but when suffering and depressed, he tends to seek refuge in Christianity. The last lines remind us of one of Hugo's own definitions of his vision: "*Croire des choses qui ont des contours, c'est très doux. Je crois des choses qui n'ont pas de contours. Cela me fatigue.*" This uncertainty explains the sort of panic horror that so often seems to seize Hugo when faced by the creations of his exuberant imagination.

ALFRED DE MUSSET was a Parisian born and bred. His first volume of verse, *Contes d'Espagne et d'Italie*, is full of local colour and bold *enjambement* recalling *Les Orientales*; but, as the *enfant terrible* of the Romantics, Musset had a sense of fun and wit which prevented him from taking himself or the pontificating Hugo too seriously. His passion for George Sand and their final parting reveal, however, a very different Musset in *Les Nuits*. After 1831 he wrote a number of *comédies et proverbes*; in 1832, *Un Spectacle dans un fauteuil* (comprising *La Coupe et les Lèvres, Les Marrons du Feu, A quoi rêvent les Jeunes Filles*); *Les Caprices de Marianne* (1833); *Lorenzaccio* (1834: a romantic historical drama greatly influenced by Shakespeare); *Fantasio, Un caprice, On ne badine pas avec l'amour, Il faut qu'une porte soit ouverte ou fermée*. In these plays, Musset expresses his dual cult of purity and sin without too much of the effusive rhetoric which has been criticised in *Les Nuits* and, written in prose, their simplicity does not incur the reproach of careless versification. Musset's charm and finesse, objectified in his characters, appear less indiscreet, and his distress and melancholy thus less self-pitying than in some of his verse. He gives also freer play to his intellectual qualities of shrewd analysis and curiosity. Some of his plays were represented towards the end of his life, but their success did not console him for his sense of a wasted life. Drink and excess killed him at the age of forty-seven. Main poetical works: *Contes d'Espagne et d'Italie* (1829); *Namouna, conte oriental* (in *Un Spectacle dans un fauteuil*) (1832); *Premières Poésies* (1852, containing the above-mentioned works and other poems); *Poésies Nouvelles* (1852, containing many poems already published separately, e.g. *Les Nuits, Souvenir*, etc.) *Bibliography:* M. Allem, *Musset*; J. Cassou, *Les Nuits de Musset*; P. Van Tieghem, *Musset, l'homme et l'œuvre.* **p. 123. Dédicace.** After the failure on the stage of his one-act prose comedy, *La Nuit Vénitienne*, in 1831, Musset turned to writing plays to be read. The first three plays, under the title, *Spectacle dans un fauteuil*, were published in 1832, and the extracts here reprinted are taken from the *Dédicace* to one of these, a poetic drama, *La Coupe et les Lèvres* ("'Twixt cup and lip"). The poet is addressing his friend, Alfred Tattet. This *Dédicace* reveals Musset's lively wit, and considerable intelligence, his ability to take himself not too seriously; it reveals, too, the facility of his style. It is this facility and wit which make Musset, in his earliest and some of his later poetry, such a good story-teller in verse. As opposed to Hugo's and Leconte de Lisle's more dramatic and epic styles, he told a digressive, discursive, often satirical, tale with humour and gentle malice. There is a strong influence of the Byron of *Don Juan*, but these tales (*Mardoche, Namouna, Une Bonne Fortune, Simone*) are too long to reprint here. **l. 3.** *une main* is twenty-five sheets of paper. **l. 14.** Musset was essentially an inspirational poet, in his lyrical works. **l. 24.** *Vulcain*, because he was so ugly, was thrown out of Olympus by his mother, Juno. **l. 25.** The physical *malaise* is, says Musset, relatively harmless compared with all the doubts that assail him concerning the worth of what he has created. **l. 35.** Musset's opinion of critics was not high. **l. 49.** *un homme de bien*, a gentleman. **l. 66.** *moellon*, a block of stone. **ll. 68-75.** These names, except *Mahomet* and *Vichnou*, are invented by Musset. Vishnu is the second of three principal Hindu deities. **l. 80.** *le bordeaux*, claret. **ll. 90, 91.** There is a hint here of the attitude of art for art's sake; cf. notes on Gautier. **ll. 94, 95.** An attack on certain Romantic attitudes. *Nacelle* is a sort of boat; no doubt Musset is thinking of Lamartine on the lake with Mme Charles. **l. 97.** *Agendas* makes a nice anti-climax. **p. 127. La Nuit de Mai** (May, 1835). Written after the break-up of his friendship with George Sand, the *Nuits* are generally considered, for their passion, vigour, penetration and delicacy, Musset's poetic *chef-d'œuvre*, if one is prepared to accept their rhetoric and the Romantic conception of love as a devouring and exclusive passion. Notice how Musset's split nature finds expression in the dialogue form, which lends variety and dramatic interest to what could have been a mere shapeless sentimental outpouring. **ll. 24-33.** The broken rhythm and certain alliterations (e.g. in *t*) render the agitation of the poet. The musical quality of the *Nuit de Mai* is high throughout. **ll. 74-79.** These Greek place-names are from Homer. **ll. 86 et seq.** It is significant that, in this moment of high inspiration, the Muse suggests mainly themes that can be described as Romantic. **l. 93.** Tarquin, who raped Lucretia. **ll. 97-101.** The description is vigorously succinct. **l. 144.** Inspiration and suffering are both God-given and closely related. **ll. 154-181.** The "pelican" passage is one of the most famous of all French Romantic analogies. **p. 133. La Nuit d'Août** (August, 1836). This poem was written by Musset in one night of frenzied inspiration. It is a poetic liquidation and judgment of his relations with George Sand, although he was to return to the subject in a more serene but far less joyous mood in the poem *Souvenir*. **l. 2.** The sun has entered the summer solstice. **l. 82.** *C'est ton cœur* ... This is a basic Romantic assumption. **l. 92.** *les bois d'Auteuil*, where Musset as a young man used to walk and compose poetry. **p. 138. La Nuit d'Octobre.** Written in October, 1837, this poem is the continuation and conclusion of *La Nuit de Mai*. In it Musset recalls George Sand's treachery on the occasion of their joint trip to Venice in the winter of 1833-1834. When Musset fell ill, George became enamoured of the Italian doctor, Pagello, called in to treat him; but it must be remembered, in her defence, that Musset's own inconstancy and instability may have induced her conduct. **ll. 47, 48.** cf. *Souvenir*, p. 148. **ll. 162 et seq.** The reference here would seem not to George, but to an earlier love; the violence of the diatribe suggests, however, that Musset was thinking of George Sand as well. **l. 242.** In 1837, Musset was in love with the beautiful Aimée d'Alton. **p. 148. Souvenir** (1841). Reminded of George Sand on the occasion of a visit to the Forest of Fontainebleau in 1840 (*v.* the first stanzas of *Souvenir*), as well as by glimpsing her in a Paris theatre shortly afterwards, Musset was inspired to write this poem, which should be compared with *Le Lac* and *La Tristesse d'Olympio*. The stanza-form is mainly that of *Le Lac*. The tone is confident and serene; all bitterness has vanished. **ll. 57, 58** are a paraphrase of a passage from Dante's *Inferno*, Canto V, ll. 121-123. **ll. 77-80.** *Françoise*, Francesca da Rimini. The reference is to ll. 133-138 of Canto V of the *Inferno*, where Francesca tells how her lover, Paolo, first kissed her. **l. 92.** Notice the spelling of *pié* to make a *rime pour l'œil*. **ll. 113-116** are a paraphrase of a passage of a story by Diderot entitled *Jacques le Fataliste*. **l. 140.** Musset, like many of his contemporaries, was an enthusiastic reader of Shakespeare. **l. 144.** *mort chéri*, the love that was dead. **l. 166.** *riant adieu* refers back to l. 151. It was the last time he had seen her.

GÉRARD DE NERVAL. Son of a doctor of Napoleon's armies, Nerval, whose real name was Labrunie, but who found de Nerval more sonorous and splendid, was brought up as a child in the district of the Valois, whose countryside, local life and folk-song always appealed greatly to him (*v.* his short autobiographical story, *Sylvie*, a masterpiece of evocation of landscape and adolescent love). As a child he met Adrienne (*v.* the notes on *El Desdichado*). Her memory was to haunt him all his life, and he saw a reincarnation of her in Jenny Colon, an actress, the great love of his life, who, however, married someone else and died in 1841. Gérard, who was much loved by all for his kindness, gentleness and charming fancy, was a friend of Hugo and Gautier, and took an active part in the literary movement of the 'thirties and 'forties, as a playwright, journalist and translator of German poetry and prose (ballads, Hoffmann's fantastic tales, Heine's poetry and Goethe's *Faust*). His dramatic work was romantic drama, written either by himself or in collaboration (e.g. with Dumas *père*). He had a reputation for fancifulness: on one occasion he was seen promenading a lobster at the end of a ribbon in the *Palais Royal* gardens in Paris. He was a great traveller in Italy, Germany and other countries; and he revealed great charm and humour in his *Voyage en Orient*, an account of a trip to the Near East. Nerval suffered from several attacks of madness, for which he had to be interned, and his last years were full of physical and mental distress (see his story, *Aurélia*). In January, 1855, he was found hanged on a lamp-post, presumably by his own hand. Main poetical works: *Les Odelettes* (in *Petits Châteaux de Bohème*, 1852); *Les Chimères*, 1853. *Bibliography:* A. Béguin, *Gérard de Nerval*; A. Marie, *Gérard de Nerval*; J. Moulin, *Les Chimères de Gérard de Nerval*; S. A. Rhodes, *Gérard de Nerval*. **p. 156. El Desdichado** (from *Les Chimères*). Originally entitled *Le Destin*, this sonnet, written in 1853, is an attempt by Nerval to struggle with Fate and, by coming to grips with his personality, to discover, by an evocation of significant moments of his past, who and what he is. The Spanish title, meaning the *disinherited*, was the motto adopted by the hero of Scott's novel, *Ivanhoe*, when disinherited. **l. 1.** The melancholy and even despairing tone is struck from the beginning, but with simplicity and without rhetoric. *Ténébreux*, a most suggestive word, meaning here an inhabitant of darkness. *Veuf*, because all his lovers have left him or died. **l. 2.** *le prince d'Aquitaine*. Nerval liked to trace his descent back to nobility from Périgord, in the former province of Aquitaine and, as a believer in metempsychosis, was fond of such identifications. *À la tour abolie*, perhaps a reference to the *Desdichado* who had been deprived of his castle. **l. 3.** *ma seule étoile*. The actress Jenny Colon had died in 1842, and his early love Adrienne had long since been dead. *Mon luth constellé*, etc. Instead of being brilliantly adorned with stars, his lute carries on it a black sun. There is a reference here to an actual experience of Nerval, who had once seen the sun as black. Nerval is saying that for him eternal darkness is beginning. **l. 4.** *la Mélancolie*, not only melancholy in the abstract, but a reference to a famous picture of *Melancholia* by the medieval German painter Dürer, which Nerval knew. **l. 5.** *consolé*. Nerval is now going back into the past and trying to find moments when he was not an *inconsolé*. **l. 6.** *le Pausilippe*. Nerval is here referring to an incident (probably imagined) recounted in one of his short stories called *Octavie*, that was supposed to have taken place during one of his trips to Italy. He had met a young English girl and arranged to meet her the following day. He then spent the night in the house of a gipsy girl who was embroidering church vestments, and who suddenly reminded him of Jenny Colon. In the morning he went to Posilippo, a high cliff close to Naples and, in his despair, was thinking of committing suicide when the thought of his rendezvous with the English girl prevented him. Notice how the extraordinary compression and allusiveness of this line creates a sense of expectation and mystery. l. 7. *La fleur*, etc. In a manuscript of this poem, Nerval had written against this line *ancolie* (columbine), a symbol of sadness in the language of flowers. l. 8. *et la treille*, etc. Nerval's rendezvous with the English girl was in a vine-arbour. On one of the manuscripts of the poem, Nerval indicated that he was thinking of the garden of the Vatican. Remembered and imaginary events often combined in his mind. l. 9. Nerval now establishes further surprising identifications of himself, or at least tries to establish them. First with the god of love and of the sun, Phoebus Apollo, and at the same time with two heroes from his own country. *Lusignan* was a famous family, founded, according to legend, by a fairy. *Biron* was a friend and supporter of Henri IV; his name occurs in a Valois folk-song to which Nerval refers in one of his stories. Both families are associated with the Valois, and Nerval is wondering in this verse whether he has any affiliation with them. l. 10. Nerval relates in his short story, *Sylvie*, that his first and only meeting with Adrienne took place when he was taking part, with some young girls, in country dancing and singing folk-songs, in the park of a château dating from the time of Henry IV (hence perhaps the reference to Biron). Suddenly he found himself dancing opposite the tall and lovely Adrienne in the middle of the circle of dancers. They were told to kiss and, as they did so, Nerval pressed her hand. From that time she represented for Nerval the perfect woman, at once wife and mother: *mirage de la gloire et de la beauté*. l. 10 refers then to Adrienne's kiss, which is still burning on his forehead. *Reine* because she was queen of the dance; and also, he learned, belonged to a family related to the Valois Kings of France. l. 11. By a typically abrupt transition, Nerval

returns to his Italian experience. There is a grotto at Posilippo.
l. 12. *l'Achéron*, one of the rivers of the Underworld. The allusion seems to be to his fits of madness and recovery from them; *v.* also l. 13. **l. 13.** In yet another identification, Nerval becomes Orpheus in search of his Eurydice in the Underworld of classical antiquity. The allusion is discreet, suggestive and irrational, in a way which the *Symbolistes* were going constantly to use. **l. 14.** It has been suggested that *la sainte* is Adrienne, who became a nun; whilst the *fée* might be a reference to Sylvie. In the story of that name, Sylvie represents the simple, happy young country girl, in contrast to the mysterious Adrienne, who was of noble lineage and who died, as a nun, while still young. In the margin of a manuscript of this poem, Nerval wrote *Mélusine* beside this line. There is a legend that this fairy, the ancestress of the family of Lusignan, had the power to turn into a serpent, and was one day discovered in this guise in the castle of Lusignan. Since that time she had haunted the castle, and when misfortune is about to befall the family gives warning by eerie cries. It will be seen that, as so often in Nerval, there is continual hesitation between several possible associations and meanings; it is one of the chief sources of the richness of his poetry. Notice, too, how the contrast in sound between *soupirs* and *cris* and *sainte* and *fée*, combined with the alliteration in *s*, adds to the effect of the line. Nerval's poetry owes much of its quality to the peculiarly subtle relationship of sounds and rhythms; this music is perhaps particularly notable in the next sonnet. **p. 157. Artémis** (from *Les Chimères*). Artemis is the personification, in Greek myth, of the uncanny, secret aspects of nature; she is the virgin huntress, withdrawn and pure; the analogy with Adrienne is plain. **l. 1.** *la Treizième.* In a manuscript of this poem, there has been written against this line, *l'heure pivotale.* The thirteenth hour is the hour which can continue the old series or else begin a new one; it is both a beginning and an end, it can look towards the past or the future; in fact, it is a figuration of eternity, as Nerval says in l. 2. Notice how the poem starts with the ambiguity of not knowing whether the thirteenth is the thirteenth hour or the thirteenth woman. Remember also that thirteen is a magic number.

l. 3. He is seeking still for his lost Adrienne and all her successive reincarnations; and still seeking himself in l. 4. Notice in the first six lines how the continual repetition of the *è* sound underlines the idea of eternal recurrence. **l. 5.** *Aimez qui . . .*, i.e. love the one who . . . *la bière*, the bier. Notice the obsessive repetition of *aimer*. l. 5 may be a reference to his mother and, indeed, all of Nerval's loves are in a sense an attempt to find a substitute for his mother, who had died when he was very young. **l. 6.** Although Adrienne and Jenny are dead, their spirits still love Gérard, he says, and he still loves them. **l. 7.** Another ambiguity: we discover that Gérard is really in love with Death: *O délice! ô tourment!* Death is a delight because he will at last be able to be reunited with Adrienne; but also a torment because of the uncertainty of what exists after death; or he may be saying that it is a torment to have to wait so long before he can see his lover again. **l. 8.** *Rose trémière*, the hollyhock, is the flower carried by the mysterious Aurélia in Nerval's short story of that name and who is another reincarnation of Adrienne-Jenny Colon. **ll. 9-14.** In the sestet of the sonnet, Nerval, following the transition introduced by the idea of death, moves from love of women to religion, which were inextricably connected in his mind. The women he has loved become assimilated, in a confused and hallucinatory fashion, with saints. Hence the title, *Artémis*, considered both as a representative of femininity and a goddess. **l. 9.** The *sainte napolitaine* is probably *Ste Rosalie*, a portrait of whom stood in the room of the young gipsy sorceress whom he visited in Naples (see notes on *El Desdichado*). This portrait was crowned with roses. *Mains pleines de feux* can be taken figuratively or it could refer to the gipsy whom he identifies with Ste Rosalie, and who was using gold thread to embroider the church vestments. Notice the repetition in this line of the sounds *ain* and *aine*. **l. 10.** *fleur de sainte Gudule.* The allusion is obscure, but the association is perhaps with the Church of Ste Gudule in Brussels, in which town Nerval last saw Jenny Colon; the reference may be to a rose-window in that church. **l. 11.** All these saints are fused into one, and Nerval asks the fatal question which had so long tormented him: Have you found salvation through your Christian belief?

(Cf. *Le Christ aux Oliviers*.) **l. 12.** The *roses blanches* could be Christianity and *nos dieux* the gods of Egyptian and Greek paganism, whose rites and mysteries so continually obsessed Nerval; Christianity attacks paganism. **l. 13.** The *fantômes blancs* are perhaps the angels. The *ciel qui brûle* could be a reference to religious persecution and fanaticism. **l. 14.** *la sainte de l'abîme* must be the strange goddess, Artémis, the symbol of the mysteries of pagan belief. For Christians she would be *la sainte de l'abîme*, an evil inhabitant of Hell. **p. 157. Delfica** (from *Les Chimères*). The first of the *Chimères*, this sonnet affirms Nerval's interest in paganism in less tormented tones than the last sonnet. The title is a reference to the Apollonian oracle at Delphi, the most important of the ancient Greek oracles. This oracle is said to have foretold that the reign of Jesus would be followed by the triumph of Apollo. **l. 1.** *Dafné*, Daphne, a nymph loved by Apollo. She is identified also in l. 5 with an English girl Nerval pretended to have known in Naples (*v.* notes on *El Desdichado*). **ll. 2, 3.** This list of northern and Mediterranean trees suggests a symbolic significance. The laurel was sacred to Apollo, the olive to Minerva, the myrtle to Aphrodite. The sycamore is said to be the tree beneath which the Holy Family once took refuge. The willow has Old Testament associations. **l. 4.** *cette chanson d'amour* seems, in this context, to be the song that unites the religions of antiquity and Christianity into one harmony. Nerval cherished the hope that the best of Christianity could be combined with the best of paganism to form one synthetic religion. **ll. 5-8.** Nerval is perhaps referring to a visit to the Temple of Isis in Pompeii in the company of Octavia, the young Englishwoman, to whom he explained the Isis cults and ceremonies. Isis is the mother of Artemis, the mother of nature, the mistress of the elements and the source of all time, who contains in herself all the other gods and goddesses; she is the mother and spouse of all things. Nerval sees in his love of women an approach to the ideal goddess, Isis. This poem was originally (although wrongly) dated *Tivoli 1843* and the *péristyle immense* may be a reference to the so called Temple of the Sibyl at Tivoli, near Rome. **l. 6.** In the course of the visit to Pompeii, Octavia, the English girl whom Nerval was showing round, bit into a lemon. **l. 7.** Nerval often telescopes in his poetry and his prose incidents that were widely separated in time or even entirely imaginary. He is here mingling two quite separate memories. The oracle of the Cumaean sibyl was delivered from a grotto, and there may be an association of ideas between this and l. 12. **l. 8.** *Où du dragon*, etc. Perhaps an allusion to the legend of Cadmus (see note on *Le Satyre*, ll. 206-207). The *dragon vaincu* may symbolise paganism which has been overthrown. There may also be a reference to the Delphic oracle in Greece, where Apollo is said to have killed a dragon preventing access to his sanctuary at Delphi and then caused the prophetic power of the dragon to be transferred to his own oracle. **l. 12.** *la sybille*, etc. Cumae, a town near Naples, was the seat of a famous oracle in Roman times. **l. 13.** Constantine's arch is, in fact, in Rome; but the allusion is to Constantine's edict of A.D. 313 making Christianity the official religion of the Roman Empire. **l. 14.** *le sévère Portique*, presumably Constantine's arch; the allusion seems to mean that the time is not ripe for the overthrow of the austere religion of Christianity. **p. 158. Le Christ aux Oliviers** (from *Les Chimères*). First published in 1844, this series of five sonnets is based, as was Vigny's poem on the same subject, on a text by the German writer, Jean-Paul Richter. It is to be noticed how much less dense, succinct and allusive these sonnets are than those of more personal inspiration. A good deal is translated directly from the German. **l. 28.** The spiral at the bottom of which is Hell. **l. 30.** Cf. Mallarmé's conception of the world of appearances as being the creation and plaything of chance and doomed to final destruction. **ll. 35, 36.** Between the pagan world which is ending and the new Christian era. **l. 40.** *cet ange*, the Devil, the fallen angel. **l. 42.** This line is the only indication that Christ has concern for the fate of humanity; otherwise, contrary to Vigny's Christ, He is mainly concerned with His own personal fate. **l. 43.** *l'éternelle victime*. Christ is considered as only one of a series of reincarnations of God sacrificed for the sake of humanity; *v.* ll. 58-60. **l. 46.** Humanity is indifferent to Christ; the only person who may pay attention to Him, Jesus thinks, is Judas. **ll. 49, 50.** Notice that Judas is considered by Christ as a friend who will put an end to His torment, and he is admired by Him because he at least has the courage of his villainy. **ll. 58-60.** One constant element in all religions that interested Nerval was the sacrifice of an incarnate God. Icarus, in Greek legend, made himself wings and flew, but, going too near the sun, the wax attaching the feathers to him melted and he fell into the sea and was drowned. The action is considered here symbolically by Nerval: Icarus is man, aspiring to be god, who is punished by Apollo, the sun-god, for his temerity. Similarly, Phaethon was the son of Helios, the sun, who tried on one occasion to drive his father's fiery chariot in the sky and, failing to control it, was struck down by a thunderbolt of Zeus. Atys or Attis was loved by Cybele, an Asiatic goddess, the Great Mother, who, when he wished to marry, caused him to die. She then repented, and at her request Zeus made his spirit go into a pine-tree and violets sprang from his blood. Atys is *meurtri* because, made mad by Cybele, he mutilated himself. The myth symbolises the cycle of plant life. **l. 64.** With the triumph of Christianity, the gods of Olympus are threatened. **l. 65.** *Jupiter Ammon.* Ammon was an Egyptian god, identified by the Greeks with Zeus (Jupiter). He had a famous oracle in Libya. **l. 70.** Nerval here expresses belief in God, who, however, like Vigny's, does not reveal Himself. **p. 161. Vers Dorés** (from *Les Chimères*). The epigraph to this sonnet, first published in 1845, is a translation of a saying from Pythagoras, whose doctrines, particularly that of transmigration of souls, much attracted Nerval. Nerval expresses here beliefs similar to those of Hugo in *Le Satyre*, and there are similarities between this sonnet and *Correspondances* of Baudelaire. Nerval wrote in *Aurélia*: *Tout vit, tout agit, tout se correspond.* **l. 1** is a criticism of excessive rationalism. **l. 4.** Man has not yet made sufficient effort to probe the secret of the universe. **l. 7.** Even so-called inanimate matter has life and is related with other things. **l. 8** is a salutary corrective to man's pride in his intelligence. Nerval offers in himself a fascinating amalgam of interest and sympathy for many of the aspirations of eighteenth-century rationalism, combined with a deep religious sense and attraction towards magic and the occult.

THÉOPHILE GAUTIER came as a child from his native Tarbes in the Pyrenees to Paris and first intended to be a painter; but, frequenting Hugo and his circle, he turned to literature. Wearing a flamboyant red waistcoat as a challenge to the upholders of tradition, he was an active supporter of Hugo at the famous first night of *Hernani*, but he did not follow his elders into humanitarianism and politics. His preface to his novel *Mademoiselle de Maupin* was a statement of moral nihilism and a manifesto of art for art's sake. He made his living as a journalist, particularly as a literary and art critic, and travelled considerably in Italy and Spain, on which he wrote travel books. He also wrote a number of other novels. Main poetical works: *Poésies*, 1830; *Albertus ou l'Âme et le Péché*, 1833; *La Comédie de la Mort*, 1838; *España*, 1845; *Émaux et Camées*, 1852 (last edition revised by Gautier, 1872). *Bibliography*: R. Jasinski, *Les Années romantiques de Théophile Gautier*; *España de Théophile Gautier* (critical edition); J. Pommier, *Émaux et Camées* (critical edition, with Introduction by J. Pommier). **p. 162. Paysage** (from *Poésies*, 1830-1832). This early poem shows that even when young Gautier was able to see and render concisely and objectively the significant detail of a scene. Notice how "unromantic" is this particular scene; but this austerity is rare in his early works. Contrast this *Paysage* with Verlaine's winter landscape: *Dans l'interminable Ennui de la plaine*. **p. 163. Soleil couchant** (from *Poésies*, 1830-1832). Compare this poem with Hugo's *Soleils couchants*. Gautier's is more minutely sketched, less broadly imaginative, less personal and less dramatic, but not unsubtle in creating a general impression with small details. Gautier was fond of Paris scenes in his poetry. l. 7 is a most banal line. **p. 164. Stances** (from *España*). Gautier was haunted by the idea of death, and in this poem, in which repetition is the echo of death's inexorability, he expresses his obsession in a graphic and dramatic form. Unfortunately, it is largely the form alone which is original, for the idea of the poem is contained in one of the German poet Heine's *Traumbilder*, where, indeed, it is expressed with greater mystery, subtlety and imaginative appeal. Gautier was a friend of Heine's from 1833 onwards. **p. 165. À Zurbaran** (from

España). The gloom of certain aspects of the Spanish character appealed to a similar strain in Gautier. In this poem, however, it was not from reality but from a painting (for Gautier, painting and sculpture were often more important than life) that the poet received his inspiration, and, in spite of his own nihilistic pessimism, it is against and not for life-denying austerity that Gautier writes this poem. The *terza rima* of this poem (three-line stanzas rhyming *aba, bcb, cdc,* etc.) was one of Gautier's favourite forms. **l. 37.** *Lesueur,* a French painter of religious subjects who lived from 1616 to 1655. *Zurbaran,* a Spanish painter of great power and realism, lived from 1598 to 1662. **ll. 43-46** and **62-63.** Notice how Gautier writes as a trained, professional art critic. **p. 168. Affinités secrètes** (from *Émaux et Camées,* the 1852 and later editions). First published in 1849, this poem bears the sub-title, *Madrigal Panthéiste.* The "secret affinities" between marble and flesh, pearls and teeth, roses and lips, doves and lovers, offer, on a more superficial, intellectual plane, analogies with Baudelaire's *correspondances* and show that Gautier's ideal of beauty is more complex and suggestive than might be thought. He once wrote: *l'art pour l'art n'est pas la forme pour la forme mais la forme pour l'idée,* i.e. the essence embodied in a form. **l. 6** is a reference to the fact that Aphrodite (Venus) was born from the waves. Gautier, rather preciously, says that the waves are wet with tears because Venus has left them. **l. 9.** *Généralife,* the Moorish garden and palace at Granada in Spain. **l. 11.** *Boabdil,* the last Moorish King of Granada from 1487 to 1492. **l. 61.** Notice the effectiveness of the discreet and mysterious personal allusion coming at the very end of the poem. **p. 170. Lacenaire** (from *Émaux et Camées,* the 1852 and later editions). First published in 1851, *Lacenaire* is the second of two *études de mains* (notice the use of the painter's vocabulary). The first was a study of a plaster cast of a lovely female hand, which Gautier imagines to have been that of Cleopatra or Aspasia, the famous and beautiful friend of Pericles. He first describes the hand and reconstructs its owner's sumptuous, voluptuous and adventurous life. He then places beside it the contrasting hand of Lacenaire, a well-known thief and murderer of the time, who was also a poet. Gautier's skill in turning an insignificant subject into an interesting poem is illustrated in this poem. By Gautier's transposition, the ugly and trivial is turned into a work of art: first by treating the hand as a museum piece, as something at one remove from life. It is a general tendency of Gautier's approach to poetry to reduce all life to a sort of museum for private contemplation or for the contemplation of a few *cognoscenti*. Hence the smallness of his scenes: genre scenes, a small corner of a landscape or a street-scene, a little brook, a cottage, a daisy, a cloud, perhaps a frog or a lark or a blackbird; the obelisk of the Place de la Concorde in Paris, an ambassador's ball, a garret, a blind man at a corner. In this poem, a second method of transposition is generalisation: Lacenaire's hand is seen as a sort of symbol of many vices and, as such, undergoes a sort of idealisation which tempers the horrid nature of the hand and its original owner. This generalisation is increased by the historical comparisons, and the nastiness of the subject is thus removed into the past, increasing the museum-piece effect. **ll. 8, 9.** Notice the careful choice of the significant, plastic detail, concisely expressed. **l. 25.** *Caprées.* Caprée is the old name for Capri, where Suetonius alleges orgies to have taken place, with which the Roman Emperor Tiberius was associated. **l. 26.** *tripots et des lupanars,* gambling hells and houses of ill fame. **l. 28.** This line shows that Gautier was capable, though rarely, of a sudden, imaginative comparison. **l. 34.** *la varlope,* a jack-plane. **l. 37.** This praise of honest manual labour comes strangely from the pen of the physically indolent Gautier; although this fact need not, of course, affect the poetic value of the line. **p. 172. Bûchers et Tombeaux** (from *Émaux et Camées,* the 1858 and later editions). This praise of classical antiquity as opposed to the Middle Ages forms part of the general trend of Gautier's art for art's sake (cf. Leconte de Lisle's attitude towards Greece and the Middle Ages). It is to be noted that this yearning after an idealised Greece that never really existed, a yearning found in Leconte de Lisle as well as in Gautier, is, fundamentally, not different in kind from any sort of nostalgic yearning for any past epoch, be it for the age of troubadours, the age of the Vikings or the age of Pompadour and du Barry. This poem, although each verse is economical in its statement, seems rather repetitive; there are rather too many variations on the same idea, too much plastic ornamentation. **l. 3.** *sensible* means here perceptible to the senses. **l. 13.** A reference to the Greek habit of cremation. **l. 23.** *aegipans*, satyrs. **l. 25.** *génie*, a sprite. **l. 34.** *camard*, snub-nosed. A popular nickname for death was *la camarde*. **l. 42.** *Trimalcion*, a character from Petronius' novel, *Satyricon*. **l. 43.** *Une larve*, a hideous ghost. **ll. 49-52.** Notice the sprung rhythm of this verse, which is the most dramatic of the poem. **l. 54.** *paraphe*, an initialled signature. **l. 61.** *danse macabre* or dance of death, a frequent theme for medieval artists. **l. 73.** *priée*, invited. **l. 82.** *rebec*, a sort of medieval violin. **l. 86.** *tonnelet*, an archaic word for a sort of skirt of metal sheets attached, in Roman uniform, to the cuirass. **l. 92.** *Pompadour*, decorated in the style of the period of Madame de Pompadour, a favourite of Louis XV. **l. 98.** *paros*, marble from the island of Paros, much used in classical times. **p. 176. Carmen** (from *Émaux et Camées*, the 1863 and later editions). First published in 1861, this poem is an example of Gautier's concise and concrete art at its best. The use of *enjambement* throughout is notable. **l. 9.** *ambre fauve*, an excellent example of Gautier's colour sensibility. **l. 17.** *moricaude*, very swarthy, like a Moor. **l. 20.** *rend la flamme*, revives. **p. 177. Tristesse en Mer** (from *Émaux et Camées*, the 1852 and later editions). This earlier poem, first published in 1852, contains reminiscences of Heine's *Nordsee* poems. There is, in this poem, a personal melancholy note, though plastically and factually expressed. The art takes precedence over the feeling, and we are convinced that the poet will not, in fact, commit suicide, for he is too much concerned with making a poem out of his suicidal feelings. Notice how, in this poem, Gautier rejects exotic picturesqueness and, as in many of the *Émaux et Camées*, takes a modern subject (cf. Baudelaire's views on this matter). **p. 179. L'Art** (from *Émaux et Camées*, the 1858 and later editions). This poem, first published in 1857, contains Gautier's artistic credo. It is one of the few poems in *Émaux et Camées* not written in octosyllabic quatrains. Each verse or, occasionally, pair of verses, expresses one particular quality of art: verse 1 stresses the importance of effort, of *la difficulté vaincue*, verse 2 emphasises simple conciseness, verse 3 exactness and personal use of metre, verse 4 concentration, verse 5 the value of variety, verse 6 the importance of grace and charm as well as power, verse 7 subtlety, verse 8 durability, verse 9 points out the importance of colour as well as of a certain strangeness, verse 10 admits a certain Christian inspiration, seen in its plastic aspects; in verse 11 art is shown as a defence against mortality and the individual is placed higher than society; in verse 12 even the smallest and most trivial things are shown to have an often unsuspected value—this would include modern subjects; in verse 13 literature is considered not only the highest form of art, but as more durable than religions; and in the last verse the point is made that art must be personal and imaginative, but expressed in concrete form. **l. 8.** *cothurne*, the special thick-soled footwear of actors in Greek tragedy. **l. 18.** *carrare*, marble from the Tuscan town of Carrara. **l. 21.** *Syracuse*, a town of Greek origin in Sicily, particularly famous for its coins. **l. 29.** *aquarelle*, watercolour. **l. 36.** *blasons*, of heraldry. **l. 37.** *nimbe trilobe*, a frame divided into three sections; *nimbe* is a halo.

LECONTE DE LISLE. Born in the tropical Île de la Réunion, Leconte de Lisle lived in Brittany from 1821 to 1828, and the rugged landscape of Brittany may have been in his mind in some of his descriptions of landscape. He lived in the Île de la Réunion from 1828 to 1831, when he returned to France. Ostensibly a law student at the University of Rennes, he was more interested, first in literature and, in the middle and late 'forties, in politics. An ardent republican and free-thinker, he endeavoured, unsuccessfully, to propagate his views in Brittany during the 1848 Revolution. After the Revolution he lived by his pen in Paris, and from 1864 demeaned himself to accept a pension from the Imperial Government which he so much despised. He made translations from the Greek, and a tragedy from his pen, *Les Erynnies*, was produced in 1873. After the fall of Napoleon III, he was given a post as librarian to the Senate. He was a leading spirit in the *Parnasse contemporain* of 1866, and in his later years won recognition as undisputed head of the so-called Parnassian school. He became a member of the French Academy in 1887. Main poetical works: *Poèmes antiques* (1852); *Poésies* (in later editions called *Poèmes*) *barbares* (1862); *Poèmes tragiques* (1884); *Derniers Poèmes* (posthumous). *Bibliography:* E. Estève, *Leconte de Lisle, l'homme et l'œuvre*; A. Fairlie, *Leconte de Lisle's Poems on the Barbarian Races*; P. Flottes, *Leconte de Lisle*. **p. 182. Vénus de Milo** (from *Poèmes antiques*). This poem gives an excellent idea of Leconte de Lisle's heroic conception of Greece. It is an idealised conception of Greek civilisation as completely harmonious and balanced. **l. 9.** *Kythérée*. Leconte de Lisle was very particular in trying to spell Greek names in French as accurately as possible. **l. 14.** *Astarté*, a Phœnician goddess. **l. 33.** *Thétis*, a nereid or sea-goddess, used here for the sea. **p. 183. Midi** (from *Poèmes antiques*). **ll. 1-20** give a vigorous and closely observed picture of a hot summer noon; but imagination is also present, e.g. l. 10 and l. 20. **l. 23.** Cf. Vigny's attitude towards nature in *La Maison du Berger*. **ll. 28-32.** Leconte de Lisle returns again and again to the delight of becoming absorbed in a mystical trance with the universe, in order to attain complete union with nature and complete forgetfulness of self, the Nirvana of Buddhism. From the first, de Lisle was much interested by Indian religion in various forms, and devoted many poems to it. Indeed, Indian civilisation seems to have been rated by him as high as the Greek. This search for Nirvana springs from his hatred of modern life. **l. 31** recalls Vigny's attitude towards city life. **p. 185. L'Albatros** (from *Poèmes tragiques*). In this poem on the albatross, notice that no less than twelve of the twenty lines of the poem are devoted to setting the scene. Contrast with Baudelaire's concise reduction of the theme to a moral question. But Leconte de Lisle is perhaps more effective when he is content merely to contrast the raging sea and the imperturbable bird, and lets the contrast speak for itself without pointing the moral. **ll. 1-12.** Notice the considerable onomatopœia, achieved not only by the sound, but by the rhythm of the verse. **l. 11.** *cachalots*, sperm-whales. **p. 185. Le Rêve du Jaguar** (from *Poèmes barbares*). Leconte de Lisle was fascinated by wild beasts, just as he was attracted by the violence of primitive peoples. In this poem, however, the attraction is primarily æsthetic: he admires the muscular beauty of the jaguar as much as its strength. The tropical landscape which he evokes so vividly by selected detail is one with which he had been familiar as a young man in the Île de la Réunion, in the Indian Ocean. His familiarity with wild beasts came, more prosaically, from watching them in the Paris Zoo; and, of course, he relies on his imaginative powers, which come out well in ll. 24-26. The whole poem is colourfully visual, although other senses (e.g. of touch in l. 11) are also involved. **p. 186. Le Sommeil du Condor** (from *Poèmes barbares*). Leconte de Lisle is here exercising his descriptive talent on mountain scenery; he was fond of desolate, icy landscapes. **l. 1.** *Cordillères*, the Andes. **l. 4.** *familières* is hardly the *mot propre*; it seems brought in rather for the rhyme. **l. 8.** It is a striking idea to think of all this scene as reflected in the eyes of the condor and the conception of night as a vast rising sea is grandiose. **l. 21.** *croix australe*, the Southern Cross. **ll. 25-28.** A typically grandiose final picture. **p. 187. La Vérandah** (from *Poèmes barbares*). There are many poems in the *Poèmes barbares* which are, in no possible sense of the word, barbarous, just as in the *Poèmes tragiques* not all the poems show a feeling of tragedy. This extremely melodious poem, first published in the *Parnasse contemporain* of 1866, shows quite a different side of Leconte de Lisle, as a languorous, indolent sensualist. Notice the rhyme scheme and the inverted refrain, which gives this poem an incantatory effect. The whole atmosphere is of serene and gentle delight. **l. 15.** *ambre*, the amber mouthpiece. **p. 188. Le Frais Matin Dorait** (from *Poèmes tragiques*). Tropical scenes continually recur in Leconte de Lisle's poetry, memories from his days of boyhood and young manhood. Here, to show that he is not always impersonal or impassive, he recalls his first love, who died when he was a young man in the Île de la Réunion. **l. 2.** *gérofliers* (or, more usually, *giroflier*), clove trees. Notice how it recurs as a *leitmotif*—indeed, almost as a symbol of tropical beauty—throughout the poem. **l. 7.** *letchi*, a tropical fruit-tree. **l. 17.** *Vierge*. Death is depicted here as something gentle. **p. 189. Les Elfes** (from *Poèmes barbares*). This is an example of Leconte de Lisle when he is not pursuing any specific philosophical or historical purpose; indeed, this poem is *barbare* only in the broadest sense of primitive, without being in any way violent or bloodthirsty. *Les Elfes* is based on a Scandinavian legend of which many different versions exist. Leconte de Lisle has contented himself with brushing in the background with detail lacking in the more purely narrative style of the original, in order to make the scene more vivid for a reader unaccustomed to such ballads. In so doing, it is a moot point whether he does not, in fact, spoil the artless effect of the original. Particularly in ballads, it may be felt that the actions and speech of the characters speak louder than descriptions and that the background is better left to the reader's imagination. None the less, Leconte de Lisle's version remains relatively simple and light in touch. **p. 191. Le Cœur de Hialmar** (from *Poèmes barbares*). Another Scandinavian tale, **for** which Leconte de Lisle found again his main source in a book entitled *Chants populaires du Nord*, translations of popular songs from Iceland, Denmark, Sweden, Norway, the Faroes and Finland, published with an introduction by Marmier in 1842. Leconte de Lisle has combined other sources into a vivid and picturesque artistic whole. This poem reveals his love of the bloodthirsty, his emphasis on physical violence, his admiration for heroic resistance to death, with the implied contrast between spontaneous force and grandeur and modern pettiness, weakness and decadence. *Le Cœur de Hialmar*, in its economy, its simplicity, its appeal to the senses (particularly the sense of sight) and its selective detail, is one of Leconte de Lisle's most impressive *poèmes barbares*, where, in contrast to some of his longer poems, he does not overpower the reader with excessive erudition. **p. 193. Épiphanie** (from *Poèmes tragiques*). The title is from the Greek *epiphaneia*, meaning an apparition. The mystery and elusiveness of this poem, which suggests so much more than it says, reveal a Leconte de Lisle who has some relationship with Symbolism. **l. 17** could be paralleled in many a *Symboliste* of the period. **p. 194. Le Vent Froid de la Nuit** (from *Poèmes barbares*). Originally published in 1855, this poem shows de

Lisle's preoccupation with the grisly and sombre. He looks on death as a release, but the poem should be compared with Baudelaire's *Le Voyage*, in which death is viewed in a somewhat similar way. *Le Vent Froid* lacks the circumstantial conviction of *Le Voyage*. Affinities with Vigny can also be found. **p. 195. La Dernière Vision** (from *Poèmes barbares*). Published in the *Parnasse contemporain*, this poem is one of several showing de Lisle's despairing vision of the end of the world. The dry, direct, intellectual tone, with little imagery or detail, suits the emptiness and desolation of the picture. Notice that though this poem is charged with emotion, it is a generalised, impersonal horror, lacking both the complaining note of similar poems by Laforgue and the imaginative apocalyptic horror of some of Hugo's visions. **l. ii.** *sinistre anathème*, the curse of having to live. **ll. 41-44.** Once more, this nothingness is conceived as bringing final peace.

CHARLES BAUDELAIRE. Educated in Paris, Baudelaire as a child suffered deeply on the remarriage of his widowed mother, whom he idolised. Extravagant and rather rackety living as a young man in Paris resulted in his being placed under legal control for the spending of the remainder of his inheritance, which he supplemented by art criticism, journalism and translation, notably from the works of the American poet E. A. Poe (*Histoires extraordinaires*) and de Quincey; Baudelaire himself had experience of drug-taking, and some of the vividness and special emphasis of certain of his poems may spring from this practice or from memories of drugged states. Baudelaire was very fond of the visual arts, and pictures and statues are not infrequent starting-points for his poetry. His art criticism is thoughtful and stimulating. As for many others of his generation, the failure of the 1848 Revolution was a great shock to him. The publication of *Les Fleurs du Mal* in 1857 involved him in a law-suit for obscenity, and a number of the poems were condemned to be removed from the later, enlarged edition, which appeared in 1861. His excellent prose-poems were published posthumously. He died, crippled with debt, in 1867, from a disease contracted during his early

Paris years. Main poetic works: *Les Fleurs du Mal*, 1857, en-larged and revised 1861. *Bibliography:* A. Ferran, *L'esthétique de Baudelaire*; M. Gilman, *Baudelaire the Critic*; P. Mansell Jones, *Baudelaire*; D. Parmée, *Selected Critical Studies of Baude-laire*, with an introductory essay by D. Parmée; J. Prévost, *Baudelaire, essai sur l'inspiration et la création poétiques*; M. Ruff, *Baudelaire, l'homme et l'œuvre*; E. M. Starkie, *Baudelaire*. **p. 197. Au Lecteur.** This is the introductory poem stating the pur-pose of the *Fleurs du Mal*. The theme is the evil of man. **l. 9.** *Trismégiste*, three times great. Satan is the controlling power over mankind; a belief very similar to that of certain heretical Christian sects, such as the Manichees. **l. 14.** The fatally attrac-tive nature of evil is a central belief of Baudelaire. **ll. 15, 16.** The anguish in these and in ll. 21-24 is very great. **l. 21.** *hel-minthes*, intestinal worms, a provocatively bold and suggestive image. **l. 29.** *les lices*, a hunting term meaning hound bitches. **l. 37.** *Ennui* is much more than ordinary boredom; it is a ravag-ing tiredness of life making all action seem unprofitable and useless. The *Fleurs du Mal* will consider various ways of com-bating this *ennui*. **l. 40.** A salutary warning to the reader not to be complacent: we are all mortal and all evil. **p. 198. Béné-diction.** An account of the poet's vocation and fate and par-ticularly of his isolation. Baudelaire once wrote of feeling, from his childhood, a *sentiment de destinée eternellement solitaire* (cf. Vigny's *Moïse*). *Bénédiction* is the first poem of the first section of *Les Fleurs du Mal*, entitled *Spleen et Idéal*, a vivid phrase to express the dualism which Baudelaire finds running through life between mind and matter, good and evil. *Spleen* is the physical counterpart of *ennui*, both its cause and its effect. It should be noted, however, that this is not exactly the traditional clear-cut distinction between good and evil, mind and matter. As we see in the sonnet *Correspondances*, nothing is either completely mind or completely matter; in the same way, evil contains a certain beauty. Baudelaire once wrote that he found within him-self a double and simultaneous urge towards higher and lower things and felt both an ecstasy and a horror towards life. Notice the careful composition of *Bénédiction* in two parts, each sub-divided into two. **ll. 21-28.** A charming picture of the young poet. At this stage of childhood Baudelaire seems very close to the belief that God may be seen in natural beauty although later he grew to hate nature, particularly human nature. He once wrote of women: *la femme est naturelle, c'est-à-dire abominable*. His own personal ideal of man became that of the dandy, who, by an effort of will, strives to be as artificial as he can, to subjugate all natural instincts and to be as different as possible from the mediocrity of the ordinary man (cf. Gautier's rejection of utilitarianism). The last four stanzas, however, suggest that God's real contribution to genius is to make him suffer. **ll. 37-52** reveal one side of Baudelaire's conception of woman. He sees them as ferocious, vain and selfish. He once wrote this horrifying sentence: *La volupté unique de l'amour gît dans la certitude de faire le mal.* **ll. 65, 66.** Pain is something elevating, beyond the normal conception of heaven and hell; cf. the expression *je ne peux pas y mordre*, it is beyond my reach. **ll. 67, 68.** Poetry is a sort of crown of glory, formed of all time and space. **l. 69.** *Palmyre*, an ancient city of Asia Minor. **ll. 73-76.** A summing up of many of Baudelaire's main themes: an aspiration towards light, a longing for primitive innocence (with the corollary of a feeling of horror for many aspects of modern life, particularly industrial, urban life), the idea of mortality as but a pale reflection of eternal spirit. **p. 201. L'Albatros.** An early poem; originally only twelve lines long, ll. 13-16 were added later. It may be thought that they point the moral too obviously. The imagery is rather banal, e.g. *roi de l'azur, prince des nuées*. **p. 202. Correspondances.** A poem which stands at the beginning of the poetic movement known as *Symbolisme*. Baudelaire establishes in it two main *correspondances* or relationships. First, everything on earth is the symbol of some spiritual reality; nothing is completely material, everything contains some spirit. Secondly, inasmuch as everything is representative, in its way, of the spiritual essence of the universe, all things are related to each other: scents, colours, sounds—all possess equivalents. This theory is known as synæsthesia, whereby, for example, a colour can suggest a sound or a scent a colour. Baudelaire was himself most sensitive to perfumes (cf. ll. 12-14), perhaps because the sense of smell is the most evocative to the memory. **l. 2.** *confuses*, an important word, because it makes it plain that this relationship between spirit and matter is a mysterious one. Art based on *correspondances* will thus be an art of ambiguity and suggestion, not of straightforward statement. **l. 4.** *familiers* because man himself as part of nature is part mind, part matter, and thus has affinities with all the rest of creation. **l. 6.** *unité* is another key-word. This unity is that of all-pervading spirit; cf. l. 12, where the perceptions of the senses are considered capable of infinite extension. **p. 203. Hymne à la Beauté.** Baudelaire conceives of beauty as something essentially ambiguous, containing elements of the infernal and the divine. **l. 1.** Notice the effective direct and vigorous *entrée en matière*. **ll. 11, 12.** Beauty is conceived as a despotic and amoral force. **l. 15.** *breloques*, lucky charms or trinkets. **l. 17.** *éphémère*, may-fly. **l. 22.** Notice the surprising juxtaposition of adjectives. **ll. 23-29.** Baudelaire here reveals that he is seeking relief from *spleen* and *ennui* in beauty. The urgent, exclamatory and anguished tone is a hall-mark of much of Baudelaire's poetry. **p. 204. Parfum Exotique.** A poem about Jeanne Duval, known as *la Vénus noire* to distinguish Baudelaire's friendship with her from another, primarily more spiritual friendship with Madame Sabatier, nicknamed *la Vénus blanche*. Baudelaire's long relationship with the graceful and swarthy Jeanne, who was of mixed blood, gave him many moments of pleasure, passion and tenderness as well as of hatred, boredom and disgust. In her declining years he showed her great kindness and understanding. In *Parfum Exotique* it is noticeable that she merely provides the poet with a starting-point, a *correspondance* for an escape to an imaginary exotic land. As a young man, Baudelaire had been sent for his health's sake on a voyage to the Indian Ocean, of which, as here, memories are found in several of his poems. **ll. 7, 8.** The ideal of an Edenic paradise. **l. 11.** *fatigués*, a most evocative word. **ll. 12-14.** No less than four senses mingle: scent, hearing, sight and touch. **p. 204. Le Balcon** is another poem inspired by Jeanne Duval, showing the credit side of his relationship with her. It is poetry of serene memories of peace and love. The emphasis, far from being on the physical, is laid on the impalpable, almost spiritual, pleasures—the pleasures of evenings spent beside the fire, the gentle breath of the loved one in the dark, the late sun of warm evenings. **l. 1.** *mère des souvenirs*, a significant title. Baudelaire feared the rawness of the present; he was happier living in the past or the future, when he could idealise reality in his imagination. Notice the lilting effect of the refrains in each verse. **l. 7.** *au balcon*. The balcony of Baudelaire's flat in the Île St Louis in Paris. **l. 18.** Even in such moments of peaceful happiness, Baudelaire cannot forget that love of women can be as much a pain as a pleasure and that women are deceitful creatures. **l. 19.** *fraternelles*. He feels also a brotherly love for his mistress. **l. 27.** *gouffre*. Baudelaire was obsessed with the idea of oblivion, not only the oblivion of death, but the feeling of horror that in life he might suddenly fall into such a gulf. This is a common occurrence in nightmares, and some of Baudelaire's obsessions have a nightmarish quality. **l. 30.** Again an appeal to three different faculties—the mind, the nose, the touch. **p. 205. Harmonie du Soir.** Notice the construction of this poem, where the second and fourth lines of each verse become the first and third lines of the following verse, a form similar to a Malayan form called the *pantoum*, already used by Gautier. This poem is an excellent example of *correspondances* (sounds, scents and sights intermingle) and also of symbolism, where, with no precise logical development, no story, no didacticism, an emotion or mood is suggested, developed and varied by a series of associated images; nothing is abstract, but there is no clear-cut situation. **ll. 1, 2, 4.** Notice the alliteration in *v*. The tonic accents are very varied. **l. 5.** Notice the intimate association between the animate and inanimate, the heart and the violin. **ll. 5, 8.** *encensoir*, a censer, and *reposoir*, a mobile altar, enhance the solemnity of the poem with their religious associations. **l. 16.** The final consolation is the memory of an unnamed *toi*. Only in this last line does the poet appear personally in the poem. **p. 206. L'Invitation au Voyage.** A poem of escape, not of desperate escape, but relaxed and gentle. Notice the *impair* metre of five- and seven-syllable lines. The country concerned would seem, from various details and also from a prose-poem by Baudelaire of the same name, to be Holland. **l. 11.** Baudelaire was most sensitive to the expressiveness of eyes. **ll. 13, 14.** These lines reveal the tormented poet's real longing. **p. 208. L'Irréparable.** A series of variations on a constant theme of Baudelaire's, remorse. Notice the variety of imagery, the variation of speed springing from the mixture of alexandrines and octosyllabics, the implacable urgency suggested by the repetition of the first line of each verse. **p. 210. Causerie.** Autumn is a favourite season in Baudelaire's poetry, and here again he sets the fashion for his successors. Notice that the first line is not merely a comparison: the woman concerned actually becomes for the poet *un beau ciel d'automne.* The abrupt beginning is typical of Baudelaire. **l. 11.** After his despair at his apathy, the smell of perfume suddenly revives him; he awakes to beauty, the beauty of his companion, but realises that it will eventually cause him sorrow. All the same, this beauty cannot be resisted; it is the *dur fléau des âmes (fléau,* a flail). **p. 210. Chant d'Automne.** Another autumnal poem composed of a series of associated images. **l. 6.** The *enjambement* is very effective. **l. 7.** *enfer polaire,* a striking and original combination of words. **l. 21.** Once more a desire for a maternal or sisterly affection. **l. 25.** After a short interlude of serenity, Baudelaire is suddenly reminded of death. **p. 211. La Musique.** Baudelaire was fond of music and one of the earliest French admirers of Wagner. Notice the original metre of alternating alexandrines and five syllable lines. The poem is in the form of an irregular sonnet. **ll. 5, 6, 9, 10.** Baudelaire actually identifies himself with a ship which becomes not a mere object of comparison but something real. **ll. 11, 12, 13.** The *enjambement* sweeps impetuously on, with a pause at the most impressive moment—*sur l'immense gouffre.* **p. 212. Le Tonneau de la Haine.** This poem shows excellently the difference between symbol and allegory, the symbol being essentially suggestive, whereas the allegory, as in this poem, is explicit and rationally comprehensible. **l. 1.** The *Danaïdes* in classical myth were condemned perpetually to fill, in Hades, a bottomless cask with water **l. 11.** *Hydre de Lerne.* One of the labours of Hercules was to kill the many-headed snake of the marshes of Lerna. Each time one of its heads was cut off, others grew in its place. **p. 213. La Cloche Fêlée.** With *Harmonie du Soir*, this is one of the best examples of the symbolic poem: there is no moral drawn, nothing clearly explicit, and the images are used to create a mood, not express an abstract idea; they suggest and deepen and diversify the emotion, they do not clarify a situation or illustrate a story; in fact, on the level of logic, they are unsatisfactory, because a cracked bell could hardly give forth the sound of a *râle épais*. Once more, it is the implications that are evocative and important. **p. 213. Le Cygne.** Contrast the subtle and careful construction of this poem with the obviousness of the early *Albatros*. Notice how he introduces allusions to contemporary events into the poem. **l. 1.** The oblique allusion to Andromache is a spur to the reader's imagination. Only slowly does it become apparent that the swan has made him think of Andromache because both are exiles. **l. 4.** *Simoïs*, the name of a Trojan river. After the death of her husband, Hector, in the Trojan War, Andromache was married to Pyrrhus, son of Achilles, and taken into bondage. In her exile, to remind herself of her home-land, she gave the name of Simoïs to a river in Thessaly, the home of her second husband. **l. 6.** The Carrousel of the Louvre Palace in Paris was the scene of considerable demolition and rebuilding in the course of the nineteenth century. **ll. 9-12.** A description of the old quarter before the demolitions. **l. 25.** Ovid states in one of his poems that man, contrary to animals, has the power to look upwards at the skies. **ll. 37-40.** The Racinian simplicity (and associated idea of nobility) of these lines contrasts most effectively with the modern picturesque detail of ll. 9-12 or ll. 41, 42. **l. 47.** An excellent image of resignation and despair. **l. 52.** As frequently in Baudelaire's poetry, he ends his poem in a way that leaves infinite possibilities of continuing for oneself the poet's *rêverie*. **p. 215. Les Aveugles.** One whole section of *Les Fleurs du Mal* is called *Tableaux Parisiens*, in which Baudelaire considers aspects (usually disagreeable and even repulsive) of the contemporary Paris scene. Here again, in fact, he finds a *correspondance* with his own tormented personality. The construction of this poem is particularly noteworthy: in the first verse, we see the blind men, described in general terms, and all the more horrible because the description leaves room for conjecture; in the second verse, their particular infirmity is considered and commented on; in the first tercet, Baudelaire opens up, typically, a wide horizon to infinity, increasing his effect by contrast with the rowdy, stupid, pleasure-loving city; and, finally, in the last two lines, he appears himself and leaves us on a dreadful question-mark. **l. 2.** *mannequins*, tailor's dummies. **l. 13.** The dramatic command, *vois!* compels the reader's participation. **p. 216. Recueille-ment.** In an atmosphere of peace, Baudelaire, despairing of ridding himself of his ever-present suffering, tries to tame and soften it by the memory of past years, whose sorrow is tempered by time, and by the hope of a peaceful night, the forerunner of eternal oblivion (as is suggested by the use of the word *linceul*, a shroud). **ll. 9-13.** The imprecision and complexity of the imagery enhances the solemnity and mystery. **l. 10.** *balcons du ciel* are perhaps clouds. **l. 12.** *arche*, the arch, perhaps of a bridge (Baudelaire's flat overlooked the Seine); but there may be also the suggestion of the beggars seeking an uneasy night's rest under the arches along the quayside in Paris. **p. 217. Le Voyage.** The final poem of *Les Fleurs du Mal*, where all attempts to escape are summed up and rejected, and where the poet, exhausted by the torments of living, comes to regard death, if not as a final deliverance, at least as something new, which may perhaps relieve his incurable *taedium vitae*. The careful structure of the poem reveals Baudelaire's composition at its supreme best. It is interesting to compare this poem with Rimbaud's *Bateau Ivre*, for which it could have provided the starting-point. **l. 6.** Perhaps a reminiscence of his own journey to the Indian Ocean. **l. 10.** *l'horreur*, etc. A vivid phrase for suggesting an unhappy childhood. **l. 12.** Circe, the enchantress, who changed the companions of Odysseus into swine. **ll. 21, 22.** Notice the complete contrast in imagery. **l. 33.** *Icarie*, a reference to a novel *Voyage en Icarie* of Cabet (1842), describing a sort of Utopia. **l. 47.** *Capoue*, Capua, a town in S. Italy, where Hannibal halted in winter quarters in B.C. 215, and which has become the symbol of pleasure and debauch. **l. 70.** *engrais*, manure, an extremely bold word to use in poetry of such gravity. **l. 107.** Baudelaire himself took refuge in drug-taking, which he describes as a *paradis artificiel*. Here, he seems to consider such drug-takers as at least admirable by reason of their originality. *Opium* can, of course, be taken in the widest possible sense of any intoxication, including that of poetry. **ll. 113, 114.** Baudelaire is not afraid of breaking up his alexandrine into the most colloquial expressions. **l. 117.** A deliberately contrasting comparison. **l. 119.** *rétiaire*. A gladiator of the Roman circus who was furnished with a net to entangle his adversary. Baudelaire was fond of the occasional use of rare words, which can create a great effect of contrast. **l. 129.** *Le Lotus*, a reference to the *Odyssey*. Odysseus landed on the island of people who drugged themselves by eating the lotus. **l. 134.** *Pylades*, the faithful friend of Orestes and husband of Electra, Orestes' sister. Here he symbolises all friendship. He is calling from eternity, telling the poet to join him; and Electra, symbolising the loved one, is doing the same.

STÉPHANE MALLARMÉ. Brought up in the provinces, Mallarmé married a German governess in 1863 and became a teacher of English, working successively in Tournon (1863-1866), Besançon, Avignon and, from 1871, Paris. He always detested teaching and retired in 1893. His famous *salon* in the rue de Rome, where Mallarmé brilliantly expounded his views on life and art, became from the 'eighties the meeting place for the young poets of the day and the focus and rallying point of *Symbolisme*. Poems of his appeared in the first *Parnasse contemporain*, but his work was not considered suitable for later volumes. He became *Prince of Poets* on Verlaine's death. In his retirement, he undertook a lecture tour in England. Main poetical works: *Après-midi d'un Faune*, 1876; *Poésies*, 1887. Completer editions of his poetry were only published posthumously. *Bibliography:* C. Chassé, *Les Clefs de Mallarmé*; W. G. Davies, *Les Tombeaux de Mallarmé*; W. Fowlie, *Mallarmé*; J. Gengoux, *Le Symbolisme de Mallarmé*; H. Mondor, *Vie de Mallarmé*; K. Wais, *Mallarmé*. **p. 223.**

Apparition. This early poem strikes a personal, sentimental note not found later. Already, however, we see the dissatisfaction with reality, the disappointment when the realisation of one's dreams fails to fulfil the promise of the dream. **ll. 2, 3.** Effects of light and sound intermingled. **l. 4.** Notice the boldness of qualifying a sob as white. **l. 7.** A *correspondance*: sadness thought of as having a scent. **l. 13.** Notice the use of a substantive instead of an adjective to strengthen and generalise the effect. **l. 16.** *étoiles parfumées.* Again a *correspondance.* The whole mood of the poem suggests Baudelaire in a minor key. **p. 224. Renouveau.** Another early poem, expressing a favourite idea of Mallarmé, his preference for the stillness, deadness, whiteness and purity of winter as contrasted with the surge and movement of life in spring and summer. Living distracts him from pure contemplation; and yet the sonnet shows that, in spite of himself, he has difficulty in resisting the charms of spring. **l. 3.** *morne* is contrasted with the pureness of thought. **l. 4.** Mallarmé was haunted by the idea of being powerless to write poetry; indeed, one might say, paradoxically, that some of his best poems are expressions of his dread of being unable to express himself adequately. **l. 5.** A very bold and personal image. **ll. 6, 7.** Notice the internal rhyme in *er* in l. 6 and its repeat in l. 7. **ll. 6, 7, 8.** Notice the alliteration in *v*. All these forms of repetition (very common in Baudelaire and which both he and Mallarmé could find in Poe) serve to provide a complex, unifying, musical framework for the poem. They are too numerous for all to be mentioned. **l. 12.** He endeavours to abstract himself from his surroundings and awaits inspiration, not from the beauties surrounding him, but, like Baudelaire, from his inner emptiness and suffering, his *ennui*. **l. 13.** *Azur* represents the idea of infinity. Notice the originality of making a concrete noun and an abstract noun depend on the same preposition *sur*. **p. 224. Brise Marine.** A poem of escape. **l. 7.** Mallarmé in his lonely night vigils is terrified at the potentiality of a blank sheet of paper: will he be able to write on it something that will satisfy him? **l. 8.** His wife and daughter. **l. 11.** *Un Ennui* means here a *person* who is bored. This person, although already disappointed by so many hopes that have failed, still believes in the efficacy of breaking away to a completely new life (*l'adieu suprême des mouchoirs* is the action symbolising departure). **ll. 13-15.** The thought of the sea often leads Mallarmé to think of shipwreck, which may be thought of as representing both the idea of release into eternity—shipwreck representing death, which will provide a final relief from all the hardships of mortal life—and also the idea of failure, of the final triumph of the blind forces of material nature. In this poem, Mallarmé seems to view the shipwreck as part of the adventure of escape, an inevitable hazard which may prevent him from reaching his longed-for destination. **l. 16** restores his hope as he listens to the songs of the sailors, singing no doubt of the thrills and delights of travel. The first and last lines of this poem have become proverbial. **p. 225. Sonnet.** This poem was written in 1877 to commemorate the death of someone's wife. Mallarmé imagines that the dead woman herself is addressing the widower. **l. 2.** A typical Mallarméan circumlocution, somewhat affected, to say that the widower cannot go out over the threshold, no doubt because of the wintry weather which also prevents him from placing any flowers on what is his wife's tomb and will one day be the tomb of them both. **l. 4.** Again it is typical of Mallarmé's preoccupation with absence to think of a *manque* as being something positive: the tomb is covered by a lack of flowers, i.e. there are, in fact, no flowers on it. **ll. 5-8.** The husband does not want to go to bed until he has evoked the spectre of his wife in the firelight. **ll. 9-11.** Rather preciously, Mallarmé points out that if too many flowers weigh down the tombstone, the dead woman will not be able to lift it. **ll. 12-14.** So that the soul of the woman anxious to return may do so, there is no better way than for her to borrow a little of her husband's breath as he murmurs her name. In other words, his memory of her is the best way to ensure that she does not die completely. **p. 226. Toast funèbre** was written as part of a series of poems by various poets to commemorate Gautier's death in 1872. A final revised edition was published in 1887. For an exhaustive discussion of this poem, see *Les Tombeaux de Mallarmé*, by Gardner Davies. **l. 1.** Mallarmé sees in Gautier the destined

emblem of the happiness which all poets seek. **ll. 2-4.** Mallarmé
states that he does not believe that Gautier can ever reappear
to human eyes; *le magique espoir du corridor* refers to the hope
that, magically, a dead person might reappear as a ghost;
le corridor would be the passage between life and death rather
than the actual corridor along which a ghost would enter the
room. *J'offre ma coupe*, etc. Mallarmé is holding a wine-glass
on which is depicted a writhing golden monster, but he refuses
to drink a toast to Gautier's possible reappearance, for this
would be a mad greeting (*salut de la démence*). *blême*, literally
pale or livid, often with a suggestion of wildness or horror.
l. 6. *lieu de porphyre*, a periphrase for Gautier's tomb. **ll. 7, 8.**
The action described was a practice in ancient Greek and
Roman times. **l. 9.** *l'on ignore mal*, a litotes meaning: we well
know. **ll. 12-15.** Mallarmé qualifies the statement he has just
made by supposing that Gautier's poetic fame, which is thought
of as a flame, will gleam forth through the window of his tomb
and shine up to the sun, which is proud to recognise in the
poet's work a splendour equal to its own. **l. 13.** *l'heure commune*,
etc. This expression suggests the double idea of the death of
the poet, when he is reduced to ashes and the death of the sun,
the sunset. **l. 16.** *Magnifique, total et solitaire*. These words apply
to Gautier; but Mallarmé points out that by contrast, other,
inferior mortals are afraid, through their false pride in their own
importance, to face the ordeal of death, which alone can give
genius its full stature and make the poet magnificent, complete but lonely. The section from l. 16 to l. 31 consists of an
account of the inadequacy of ordinary mortals, referred to
successively as *cette foule hagarde, quelqu'un de ces passants, hôte de
son linceul vague* and *cet Homme aboli de jadis*. **l. 17.** *s'exhaler* is
used in the sense of "to admit oneself to be". **ll. 19, 20.** These
ordinary mortals, for whom Mallarmé has contempt, are
merely so much dense matter, lacking any spark of idealism,
of light; and when they die, they will be merely empty ghosts
(unlike Gautier, who has left his work behind him). **ll. 20, 21.**
Mallarmé spurns the idea of crying at the funeral of such a
mediocre person. *lucide*, a transferred epithet; it is Mallarmé
himself who is too clear-sighted to cry. *Mais le blason*, etc., is

an absolute construction: when the funeral trappings have been draped, etc. *blason*, a coat of arms on the funeral drapery. *vains* may suggest the futility of having a splendid funeral for such a worthless person. **l. 22.** *qui ne l'alarme*, which does not move him. The omission of *pas* in the negative is a peculiarity of Mallarmé. **l. 24.** *vague*, shapeless. **l. 25.** *vierge héros*, etc. This dead man now waits for fame to come to him: but ll. 26-31 describe his fate. *héros* is presumably ironical; *vierge*, because a new life is beginning. **l. 26.** *vaste gouffre* refers to *cet Homme aboli de jadis*. He is thought of as a mere empty space hurled into the nebulous void—empty because he, unlike Gautier, has not found words to create the universe by turning it into beauty. *irascible vent*, etc. Again, a lack is thought of as something positive: the words unsaid form an angry wind. **ll. 28-30.** Eternity asks the question (*hurle ce songe*—*songe* presumably because the dead man is so obviously inadequate to answer it): You, who have recent memories of earth, what is it? But the man, his voice already fading away into the final silence of death, replies that he does not know, and his voice is tossed about by space like a plaything. **l. 32.** *Le Maître*. Mallarmé is now going to tell us how different a genius is from the ordinary mortal, and characterise Gautier's poetic achievement, particularly the acuteness and penetration of his visual faculty. We recall Gautier's own definition of himself as a man for whom the external world exists. **l. 33.** *l'inquiète merveille de l'éden* is the tumultuous world of chance before the poet has reduced it to order (*apaisé*) in his poetry. **ll. 34, 35.** *le frisson final* is nature's final struggle to resist the poet's effort to find expression for it. The poet, through his mysterious gift of language, succeeds in re-creating, in words, the Lily and the Rose, which are given capitals to show that Mallarmé is thinking of all lilies and roses, the *idea* of these flowers rather than any specific ones. We recall Mallarmé's own famous utterance: *Je dis: une fleur! et hors de l'oubli où ma voix relègue aucun* (in the sense of "any") *contour en tant que quelque chose d'autre que les calices sus* (i.e. any flowers other than the ones he is talking of) *musicalement se lève, idée même et suave, l'absente de tous bouquets:* the ideal flower created by the poet is too lovely ever

to be found in any real bouquet. **ll. 37, 38.** The *croyance sombr*
is the belief in inevitable death and decay; but genius is exempt
from decay because it is immaterial and immortal. **ll. 39 et
seq.** The logical order of this sentence is: *Moi, soucieux de votre
désir, je veux voir par l'air* (i.e. dans l'air) *une agitation solennelle
de paroles survivre, pour l'honneur de ce tranquille désastre, à* (celui)
*qui s'évanouit hier dans le devoir idéal que nous font les jardins de
cet astre. . . .* This *devoir idéal* is the duty that the poet has to
convert the real gardens of this earth (*cet astre*) into ideal ones.
Mallarmé is saying that he wants Gautier's poetry (the *agitation solennelle de paroles*) to survive its author who has just died;
tranquille désastre is a periphrase for this death. **l. 44.** The
pourpre ivre and *grand calice clair* refer to the Rose and the Lily
of l. 35, which have been turned into poetry by Gautier.
ll. 45-47. Gautier's clear gaze will itself make the selection of
those words which describe or rather evoke these unfading
flowers (unfading because ideal), choosing them from among
all the passing aspects of life—*l'heure et le rayon du jour*, all that
exists in time and space. **l. 48.** *vrais bosquets etc.* Real groves
(cf. the *jardins de cet astre* of l. 41) can only exist properly
(i.e. ideally) in the *agitation solennelle de paroles* of l. 43. **l. 50.** *rêve*,
which is usually employed by Mallarmé favourably in the sense
of creative poetic meditation, seems here to be used pejoratively.
The duty of the poet is to prevent any undigested, chance
elements of life from entering into the realm of pure beauty. **l. 51.**
le matin, etc., is the morning after his death, when his immortality
is really beginning. **ll. 54-56.** The poet's work will bring fame to
his name, and anything that might harm that fame, such as
silence or oblivion (*la massive nuit*), will be left behind in the tomb
which stands in the avenue as a tribute to his greatness. **p. 227.**
Victorieusement fui . . . (1885). **l. 1** symbolises the sunset
as a lovely suicide on the part of the sun as it goes down
triumphantly in a splendour of fire (*tison* is a fire-brand), blood-
red (*écume* is foam or spray), golden and amid stormy clouds.
l. 3, 4. The sun himself speaks these lines and looks on the
stormy, blood-red clouds of l. 2 as hangings in a funeral cham-
ber, which is another allusion to the *suicide beau* of l. 1. The
sun himself knows that he is not really dead and laughs at the

thought that these funeral hangings are going to decorate an empty tomb. The tomb is described as *royal* because the sun regards himself as a king. **ll. 5-7.** It is now Mallarmé's favourite time of midnight. No shred of light lingers in the refreshing shadow (*l'ombre qui nous fête:* typically, Mallarmé applies to shadow a verb, *fêter*, which, with its festive suggestion, would normally be considered more appropriately applied to light); all that can be seen is the proud, golden glow (*trésor présomptueux*) of a head of hair. **l. 8.** The hair does not flash like a torch, but glows calmly and tranquilly. Notice the use of the rare and abstract *nonchaloir* (cf. the English "nonchalant"). **l. 9.** The poet discovers that this head of hair belongs to someone he knows and to whom he speaks: "Yes; it is your hair, always a delight to see!" Notice how, by thus addressing his friend directly, Mallarmé gives the reader the feeling of actually sharing the poet's discovery of the source of the glow, of being present with the poet himself and sharing his impressions. **l. 10.** This hair is the only thing that has retained some of the sunset-glow of the sky; *puéril triomphe* is the childish glow of triumph of the sky when it thought it was causing the death of the sun in the first quatrain. The normal prose syntax would be: *Oui, la tienne qui seule retient un peu de puéril triomphe du ciel en t'en coiffant avec clarté*; *en* means *d'un peu de puéril triomphe*; the glow of sunset is thought of as having provided the poet's friend with a head-dress of light. **ll. 11-14.** The hair is compared to a gleaming helmet, such as a young empress might lay on her pillow; and her face is, as it were, roses decorating the helmet and hanging down from it. By allusiveness and elaboration, Mallarmé has turned a commonplace comparison into a vivid and unexpected vision. **p. 228. Le Tombeau d'Edgar Poe.** First published in 1876 (final version, 1887), this sonnet was written as a tribute to the American poet, Poe, at the time of the unveiling of his stone monument at Baltimore. **ll. 1-4.** Death has revealed the essential Poe, who, like a warrior with a bare sword, arouses his contemporaries, who are now horrified not to have recognised the note of death already present in his poetry. **ll. 5-8.** These contemporaries are compared to a hydra-headed monster starting up at the sound of the angel-poet giving a new and purer meaning to the words of everyday life. *Oyant*, from the archaic verb *ouïr*, to hear. *Donner un sens plus pur*, etc. If *pur* is taken in the sense of unprosaic, non-utilitarian, these words apply equally to Mallarmé's own use of language. Charles Chassé, in his *Les Clefs de Mallarmé*, takes this line literally and maintains that Mallarmé consistently tries to use words in their original, etymological meaning, which he sought mainly in the famous French dictionary of Littré, published in the 'sixties of the nineteenth century. M. Chassé has achieved some interesting results with his theory, but has not carried the bulk of academic opinion with him, perhaps because he applies it rather indiscriminately. Notice in l. 6 the contemptuous use of the word *tribu*. There is always, in Mallarmé, the desire to protect the sanctum of poetry from the common herd. His conception of literature was essentially aristocratic. **ll. 7, 8.** Poe was a heavy drinker, and Mallarmé states that his enemies claimed that his genius lay in this habit. *Le flot sans honneur . . . ,* a striking periphrase for some dark alcoholic liquid. **l. 9.** In an English translation of this sonnet by Mallarmé, *grief* is rendered as *struggle*; this may be explained by reference to the etymology of *grief* from the Latin *gravis*, heavy and, by extension, difficult, painful. There exists a difficult and painful discord between earth and sky (*nue*, literally a cloud), between mind and body, between the crowd and the poet, which will always be enemies. Once more we see an aristocratic conception of literature which is not always distinguishable from intellectual snobbery. **ll. 10-14.** As so often, it is here important to re-establish a more normal syntax: *Si notre idée ne sculpte pas avec (ce grief) un bas-relief dont la tombe éblouissante de Poe s'orne que du moins ce granit, calme bloc chu ici-bas d'un désastre obscur montre à jamais sa borne aux noirs vols du blasphème épars dans le futur.* Mallarmé is saying: "Let me try, by my poetic imagination, to create, in words, by using this conception of struggle between poet and public, a *bas-relief* worthy of adorning Poe's tombstone, but if I cannot, then let this tombstone itself, erected in honour of the poet once vilified, show the limits beyond which blasphemy must not go in the future." Poe's tombstone was, in fact, made of basalt, not granite, but in the expression *calme bloc ici-bas chu d'un désastre obscur*, Mallarmé pretends to consider it as a meteorite fallen from heaven and now at rest, and, as such, a fitting symbol of Poe himself, who flashed like a meteor across the literary life of America and is now calm in death. **p. 229. Toute l'âme résumée** (published in 1895). This octosyllabic sonnet is a sort of *art poétique*, although this is not clear until the end. Typically, Mallarmé wants us to guess what he is aiming at without stating it clearly. **ll. 1-6** show the essence of a cigar (its smoke) first being drawn back (*résumé*: M. Chassé points out the etymological sense of the Latin *resumere*, to take back), and then leaving the cigar in successive, intermingling smoke-rings. Notice the emphasis on *savamment*, on the skill of the smoker. **ll. 7-8.** The cigar will only give off its smoke-rings properly, will only be successfully smoked, if the ash is removed from the end of the burning cigar. Its "fiery kiss" is a most effective periphrase for this burning end. This may be considered a symbol of the trans-formation of reality and the rejection of its too material ele-ments which must take place before art can exist. **ll. 9-14,** rather unusually for Mallarmé, make plain the analogy. When poetic themes come to your lips, first exclude excessive realism. **l. 10.** *vole-t-il*, replacing *s'il vole*, a frequent turn with Mallarmé. **ll. 13, 14** contain advice similar to Verlaine's *Art Poétique*: too precise a meaning will prevent your writing from being suffi-ciently allusive. **p. 229. O si chère de loin** (dating from 1895). This sonnet was written for Méry Laurent, a woman with whom Mallarmé had a long and tender relationship, and who had a great many friends amongst the poets and painters of the period. **ll. 3, 4.** She makes him think of a scent rarer than any that can possibly exist (cf. the English colloquialism: so stupid that it's not true), and the perfume comes from a flower in a vase so ideal as to be invisible. **l. 7.** Her smile is as lovely as it has ever been, like a rose in a never-ending summer. **l. 9.** Mallarmé suffered from insomnia, and the night was a period of meditation for him. **ll. 10-14.** He looks on Méry as a sister—but when he kisses her hair he realises that she is a lover as well. Mallarmé loved hair and it appears frequently in his poetry as a symbol of living beauty, physical without being too material, alive without fleshliness. Notice the restfulness of this late poem, in which Mallarmé seems to have achieved harmony between mind and body.

PAUL VERLAINE. Born of middle-class parents, Verlaine was educated in Paris and published poems in the first *Parnasse contemporain* in 1866. Married in 1870, his career as a municipal official was disrupted by the war and suspicion of implication in the Commune. His marriage, already precarious through his heavy drinking and brutality, finally broke up when he met Rimbaud, with whom he ran away. They lived for a time in London. In 1873, Verlaine, in a moment of drunkenness, shot and wounded Rimbaud with a revolver. During the ensuing prison sentence, Verlaine underwent conversion to Catholicism. After leaving prison, he taught in various parts of England till 1877. His last years, spent mainly in Paris, were full of poverty, disease and alcoholic habits. Although in the late 'eighties and 'nineties he achieved recognition and fame as a poet and gave lecture tours in England and Belgium, his best work was long since done. In his last years, he spent many months in public hospitals. Main poetical works: *Poèmes saturniens*, 1867; *Les Fêtes Galantes*, 1870; *La Bonne Chanson*, 1872; *Romances sans Paroles*, 1873; *Sagesse*, 1881; *Jadis et Naguère*, 1885; *Amour*, 1888; *Parallèlement*, 1889; *Dédicaces*, 1890; *Bonheur* and *Chansons pour elle*, 1891; *Liturgies Intimes*, 1892; *Élégies*, 1893; *Odes en son Honneur*, 1893; *Dans les Limbes*, 1894; *Chair* and *Invectives*, 1896. *Bibliography:* P. Martino, *Verlaine*; H. Mondor, *L'amitié de Verlaine et de Mallarmé*; F. Porché, *Verlaine tel qu'il fut.* **p. 231. Nevermore** (from the section *Melancholia* in *Poèmes saturniens*). Verlaine tells us that three-quarters of the *Poèmes saturniens*, published in 1867, were written while he was still at school, which explains why many of them are derivative, particularly those of historical, didactic or largely descriptive nature. Hugo and Leconte de Lisle were largely responsible for these; but there is also a strongly Baudelairean note, interpreted through Verlaine's own temperament. One or two of these *Poèmes saturniens*, however, show us already the essential Verlaine, and in particular his melancholy wistfulness, gentle regret and vague longing. He is also already beginning his prosodic experiments which were to lead him to liberate French verse from the excessive strictness of the Parnassian school (although it must be remembered that he himself published poems in the first *Parnasse contemporain* of 1866). His search for musical effects is also beginning. In *Nevermore* (the title of which recalls the refrain to E. A. Poe's *The Raven*), the first quatrain is entirely in one feminine rhyme, which is a considerable boldness. The tercets are irregular in rhyme-scheme. **ll. 1-4.** Notice the impressionistic detail used to create an atmosphere. **l. 7.** *émouvant*, a rather banal adjective; so is *angélique* in l. 9. **l. 13.** *bruit*, from *bruire*, to rustle. **p. 232. Mon Rêve familier** (also from *Melancholia*). Another, more orthodox, sonnet, in which, however, the tormented and stranger qualities of Verlaine's genius are more apparent. **ll. 2, 3, 4.** Notice the continual repetition of words, forming a sort of irregular refrain of assonances and alliteration. **ll. 6, 7, 8.** Notice again the repetition of *elle seule*. **l. 13** is a bold *enjambement*. **l. 14.** Notice the weakening of the cæsura. The alexandrine is divided into 8/4, and the tonic accent falls on the seventh syllable. The weakening of the cæsura is one of Verlaine's constant aims. **p. 232. Soleils couchants** (from the section *Paysages tristes* of the *Poèmes saturniens*). A forerunner of later landscapes of Verlaine, this poem (which may be contrasted with poems by other poets on the same subject) is written in *impair* five-syllable verse. The frequent use of such *impair* verse was one of Verlaine's major contributions to modern French versification. **p. 233. Promenade sentimentale** (another *Paysage triste*). This poem is remarkable for the haunting nature of its musicality, achieved by subtle and varied repetition and alliteration. Notice the continual *enjambement* which prolongs and knits together the melodic line. The metre is the rare decasyllable, mainly cut in the middle, forming two *impairs hémistiches* of five syllables (although ll. 9 and 13 are divided 3/7). **l. 2.** *nénuphars*, water-lilies. **l. 9.** *sarcelles*, teal. **p. 234. Chanson d'Automne** (another *Paysage triste*). Another equally musical piece. The metre here is mixed four- and three-syllabic verse. The originality of the metre and the obsessive repetitions disguise the triteness of the theme. The half-light of winter or autumn is a favourite in Verlaine's poems. **ll. 2, 3.** Notice the vagueness and suggestiveness of the expression: *des violons de l'automne.* **p. 234. Clair de Lune** (from *Fêtes galantes*). Verlaine's second collection of verse consists of a personal and original evocation of that side of eighteenth-century life represented by the *fête galante*, with its atmosphere of gallantry, tenderness, languor and melancholy, as expressed particularly in the painting of Watteau and Fragonard; a nostalgic evocation of a period of civilised *douceur de vivre* in which the rustic charm of the scene serves as a foil to the artificiality and sophistication of manners and dress. Possibly Verlaine had in mind the famous poem from Book I of Hugo's *Les Contemplations, la Fête chez Thérèse,* in which Hugo describes such a party where the guests are dressed up as characters from Italian comedy:

> *La chose fut exquise et fort bien ordonnée.*
> *C'était au mois d'avril, et dans une journée*
> *Si douce, qu'on eût dit qu'amour l'eût faite exprès.*
> *Thérèse la duchesse à qui je donnerais,*
> *Si j'étais roi, Paris, si j'étais Dieu, le monde,*
> *Quand elle ne serait que Thérèse la blonde;*
> *Cette belle Thérèse, aux yeux de diamant,*
> *Nous avait conviés dans son jardin charmant.*

Hugo then describes the entertainment: a comedy, with music, played in an open-air theatre, surrounded by trees from which the birds join in with the orchestra, while the audience sits on the soft green turf. And finally:

> *La nuit vint; tout se tut; les flambeaux s'éteignirent;*
> *Dans les bois assombris les sources se plaignirent;*
> *Le rossignol, caché dans son nid ténébreux,*
> *Chanta comme un poète et comme un amoureux.*
> *Chacun se dispersa sous les profonds feuillages;*
> *Les folles en riant entraînèrent les sages;*
> *L'amante s'en alla dans l'ombre avec l'amant;*
> *Et, troublés comme on l'est en songe, vaguement,*

NOTES

Ils sentaient par degrés se mêler à leur âme,
A leurs discours secrets, à leurs regards de flamme,
A leur cœur, à leurs sens, à leur molle raison,
Le clair de lune bleu qui baignait l'horizon.

It will be seen that Verlaine's *Fêtes galantes* are more suggestive and melancholy, less descriptive and, above all, contain no story or recital of events. *Clair de Lune* forms an interesting contrast with Hugo's *Clair de Lune* from the *Orientales*. **l. 1.** A very Baudelairean beginning (cf. *mon âme est un cimetière abhorré par la lune* from the *Fleurs du Mal*). **l. 2.** *masques*, a masked person, someone taking part in a masquerade; *bergamasques*, a sort of country dance or music for such a dance, from the Italian town Bergamo. **p. 235. À Clymène** (from *Fêtes galantes*). This poem is a playful exercise in *correspondances*, obviously influenced by Baudelaire. Her voice is thought of as a vision, her pallor as a perfume, and, most interesting of all, perhaps, inasmuch as it involves the association of a moral quality and a physical one, her innocence (*candeur*) is also considered as having a scent. **l. 17.** *almes*, a word coined from the Latin *almus*, graceful, agreeable. **p. 236. Colloque sentimental** (from *Fêtes galantes*). A much simpler but haunting poem, which acts as a conclusion to the *Fêtes galantes*. It well illustrates the eerie side of Verlaine's temperament. **p. 237. Il pleure . . .** (from the section *Ariettes oubliées* of the *Romances sans paroles*, a collection of poems written at the time of Verlaine's friendship with Rimbaud). While the exact extent of the mutual influence of Verlaine and Rimbaud remains a matter of some conjecture, there is a noticeably more direct, simple and personal note in many of the poems of *Romances sans paroles*, especially in those of a song-like character. The collection is also notable as containing the first examples in Verlaine of poems in nine- and eleven-syllable verse. *Il pleure dans mon cœur* has as its epigraph a line of a lost poem of Rimbaud: *Il pleut doucement sur la ville*. **p. 237. O triste . . .** (from *Ariettes oubliées*). A reminiscence of Verlaine's wife. **l. 15.** i.e. present in the memory. **p. 238. Dans l'interminable . . .** (from *Ariettes oubliées*). **p. 239. Walcourt** (from the section of

335

Romances sans paroles entitled *Paysages belges*). A memory of an incident during Verlaine's wanderings with Rimbaud; cf. Rimbaud's *Ma Bohème*, written before meeting Verlaine. **l. 7.** An ironic use of a learned adjective applied to a lowly subject. **l. 15.** *aubaines*, strokes of good luck. **p. 240. Green** (from the section of *Romances sans paroles* entitled *Aquarelles*). **l. 11.** *tempête* refers to the stormy nature of the love binding them. **p. 240. Mon Dieu m'a dit . . .** (from *Sagesse*). *Sagesse* contains many poems written by Verlaine while in prison for having shot and wounded Rimbaud, including a number of religious poems, ecstatic or serene, written after his conversion. *Mon Dieu m'a dit* is the first of a series of sonnets, of somewhat uneven quality, and is perhaps the poem in which his attempt to render his simple faith, based on penitence, hope and love, finds its best expression. **p. 241. Le ciel est . . .** (from *Sagesse*). A poem of tranquillity and resignation written in prison in Brussels. **ll. 5, 7.** Notice the pathetic emphasis on *seeing*, so important to a prisoner shut in between four bare walls. In this, as in other of the poems of *Sagesse*, there is emotion often lacking in many earlier and later poems. **p. 242. Je ne sais . . .** (from *Sagesse*). A poem entirely in *vers impairs* of five, nine, eleven and thirteen syllables. The rhyme-scheme and verse-form are also most original. It is a perfect example of Verlaine's evocative art; yet, suggestive as it is, it is perhaps still too explicit to be considered a *Symboliste* poem; contrast it with, e.g. some poems of Mallarmé. Even at his vaguest, Verlaine remains more logical and rational than a true *Symboliste*, and he himself showed his disapproval of the general movement by referring to them, contemptuously, as *Cymbalistes*, and added that he did not understand what the expression meant. Too earthy for a *Symboliste*, Verlaine should perhaps be considered as more closely related to the *décadents*, for which expression see the Introduction on Jules Laforgue. **p. 243. C'est la fête . . .** (from *Sagesse*). This is the last poem of *Sagesse*, dated 1877. **l. 6.** Notice how this alexandrine is broken at the fifth and eighth syllables. **l. 9.** *tout halète*. The hiatus adds to the impression of panting. **l. 11.** *imperturbablement*. Verlaine had a great affection for such long adverbs.

l. 12. *sures*, tart, unripe. **l. 15.** *l'honnête verre.* Verlaine was, however, unable to restrict himself to one glass. **p. 244. Art poétique** (from *Jadis et Naguère*). First printed in 1882, this poem, written in the rare nine-syllabic metre, with the cæsura after the fourth syllable, was written, on request, in 1874. Its precepts were to have a considerable influence on the younger generation of poets. Verlaine himself wrote of this poem, in 1889: *Puis n'allez pas prendre au pied de la letter l' 'Art poétique'* . . . *qui n'est qu'une chanson, après tout, JE N'AURAI PAS FAIT DE THÉORIE!*; and he added: *C'est peut-être naïf, ce que je dis là, mais la naïveté me paraît être un des plus chers attributs du poète, dont il doit se prévaloir à défaut d'autres.* In this statement Verlaine was defending himself from too literal an interpretation of the poem, which is to be considered rather as a few technical hints and an expression of some of his own personal practices than as an official artistic creed. In particular, Verlaine was opposed to too great a freedom in rhyming, and notably to *vers libres.* His attack on rhyme in the *Art poétique* was, in fact, an attack on the excessively rich rhyme of some *Parnassiens*, not an attack on rhyme as such (he stated himself that he preferred rare rhyme to rich rhyme). He was not prepared to abolish rhyme or even to reduce it to assonance. **l. 1.** Examples of musicality abound in Verlaine. **l. 6.** *méprise.* By avoiding too great a clarity the poet can achieve suggestiveness and mystery. By *méprise* he means deliberate avoidance of the *mot propre.* **l. 13.** *La Nuance.* In 1889, Verlaine wrote: *la sincérité et, à ses fins, l'impression du moment, suivie à la lettre, sont ma règle préférée aujourd'hui. Je dis préférée, car rien d'absolu: tout, vraiment, est, doit être nuance.* **l. 17.** *la Pointe assassine*, biting satire. This is a precept which Verlaine himself did not follow; the title of one of his collections of verse is *Invectives.* **l. 20.** *ail de basse cuisine*, too much garlic in the cooking giving too strong a flavour. **l. 21.** *l'éloquence*, no doubt a reference to Hugo and certain other poets of his generation. **l. 30.** *chose envolée*, soaring, winged. **l. 31.** *d'une âme*, dependent on *chose.* **l. 34.** *crispé*, sharp. **l. 36.** *littérature*, used ironically and pejoratively for too eloquent and pompous writing; the prosaic as opposed to the poetic. **p. 245. Mains** (from *Parallèlement*). The title of

337

Parallèlement was chosen by Verlaine to show that, parallel with the more serious and respectable side of his personality, there coexisted a libertine and untamed second self. The one wrote *Sagesse* and *Amour*, the other *Parallèlement* and *Odes en son Honneur*, which last are largely erotic poems. The poet is looking at his own hands (contrast Gautier's poem on Lacenaire's hand). Notice how, progressively, Verlaine becomes obsessed by his hands, until in the end he does not know whether he is dreaming or awake, nor, indeed, even whether they are his own hands or not. l. **11.** *auriculaire*, the little finger. l. **16.** *vainqueur*, because it is inevitable. The owner of the hands can do nothing about it. l. **24.** *rinceau*, ornamental foliage or scroll; a term of architecture. l. **31.** *Rêches*, rough, harsh. l. **32.** *pensers*, an old-fashioned spelling, by which Verlaine avoids rhyming a feminine and a masculine ending; an indication that he was far from careless in his rhyming. l. **35.** The hands seem almost independent of their owner.

JULES LAFORGUE. Born of French parentage in Uruguay, Jules came to Tarbes in 1866, where he was educated. In 1875 he went with his family to Paris, where he studied voraciously and was much interested in the modern movement in painting—Sisley, Pissarro, Renoir, Monet, Manet, Degas. Living somewhat precariously (though not, as he claimed, in poverty) from secretarial duties, he was fortunate in 1881, after a period which seems to have been full of great intellectual and moral strain, in being appointed, through the good offices of Paul Bourget, the novelist, as reader to the German Empress, a well-paid post which he held for five years, residing mainly in Berlin, but also travelling all over Germany. He continued to write poetry and prose (*Les Moralités légendaires*, 1887) and to keep in touch, by correspondence and during leaves, with his literary friends in Paris. Something of a dandy, Laforgue was at heart a shy person, particularly with women, whom he tended to distrust, before he met in Berlin an English governess whom he married in 1887 and was greatly happy for a few months, in spite of financial and health difficulties. He died of consumption in

1887, his wife dying shortly afterwards of the same complaint. Main poetical works: *Complaintes*, 1885; *L'Imitation de Notre-Dame la Lune*, 1886; posthumously, *Le Sanglot de la Terre* and *Derniers Vers. Bibliography:* L. Guichard, *Jules Laforgue et ses Poésies;* W. Ramsey, *Jules Laforgue and the Ironic Inheritance;* F. Ruchon, *Jules Laforgue, sa vie, son œuvre.* **p. 248. Méditation grisâtre** (from the early *Le Sanglot de la Terre*). An excellent example of Laforgue's cosmic anguish concerned with the idea of unending time and his despairing recognition of it. Notice the favourite adjective *blême* in this, as well as in *Pierrots*. The versification is regular in this sonnet, the tone occasionally rhetorical and with a strong flavour of Baudelaire. **p. 248. Le Soir de Carnaval** (from *Le Sanglot de la Terre*). The jerky rhythm and *enjambement* of the first stanza well suggest the feverish carnival atmosphere. **l. 1.** *le chahut* was a rowdy dance, the precursor of the can-can. The reference to gas-lighting shows Laforgue's wish to be modern in his poetry. **ll. 3, 4.** The coldness and sterility of the moon fascinated Laforgue. In one poem he refers to the Pierrots as *blancs enfants de chœur de la lune;* it might almost be described as his favourite landscape. **p. 249. Complainte de Lord Pierrot** (from *Les Complaintes*). The title of nobility given to a clown is amusing. Notice the use of a popular song refrain in the first eight lines; *v.* also l. 51 and cf. Verlaine's *Romances sans paroles.* The popular song received considerable attention in this period. Indeed, the title of *Complaintes* (lament) which Laforgue gives this collection was originally a term referring to a medieval popular song on a tragic or religious theme. In this poem note the contrast between the joking, jigging song-rhythm and the often serious and even lyrical alexandrines of ll. 31, 32. The variety of metre and stanza is extreme. Notice also the dramatic variety introduced by having a dialogue between the poet and Pierrot (an internal dialogue because the poet is, at the same time, Pierrot): Laforgue is talking to himself. Laforgue is much interested in trying to express conflicting attitudes in the same poem, by using refrains and varying metres and tones and even by introducing various characters into a poem. **l. 12.** The clown is compared to a bottle of medicine, to be shaken before using.

l. 15. *le Régent* was the name given to a famous large diamond.
l. 17. Laforgue is expressing here his distaste for the comfortable *bourgeois*. **l. 19.** Typically, a classical allusion to the *Corybantes*, the dancers who accompanied the cult of Cybele in Greece and Rome, is placed in a most modern context. Notice the quick changes in allusion in this twelve-line passage—not only to the *Corybantes*, but to the legend of Leda and Zeus—as well as to the well-known *Après moi le déluge* of Louis XV. **l. 25.** *enlevons*, etc. *Enlever* is used in the sense in which the French say *enlever un morceau de musique*, to play a piece of music brilliantly. **ll. 31, 32.** Suddenly and poignantly one finds an expression of Laforgue's basic idealism with regard to women and his longing for an all-sacrificing love. This idealism appears again in l. 44. However, the exaggeration of the ll. 33, 34, shows that, even here, Laforgue is being ironical and laughing at himself. **ll. 52, 53.** A typical anti-climax. l. 53. *ont la roupie*, their noses are running. **l. 56.** An original and humorous comparison, which leaves considerable play for the imagination in its interpretation. **l. 59.** Note the pun on *pierres* and *Pierrots*.
p. 252. Pierrots (from *L'Imitation de Notre-Dame la Lune*). To represent his changed attitude, from metaphysical anguish to ironical detachment (a detachment which indeed, save for short periods, he never really achieved), Laforgue often uses the person of Pierrot the clown. He once wrote: "*Je devrais être clown, j'ai raté ma destinée.*" He wants to be the Pierrot who tries to be indifferent to everything, who realises that everything is basically a matter of chance, whose *beau rôle*, in fact, is *de hausser à tout les épaules*; although this attitude is often clearly a cloak and a protection for the Pierrot's fundamental *naïveté*, lack of practicality and even tenderness. All the same, in *L'Imitation de Notre-Dame la Lune*, Laforgue achieves a technical mastery and ironic detachment not often found in the earlier *Complaintes*. Notice the modernism of vocabulary; the boldness of syntax, e.g. *en allé* used as a noun in the sense of "remoteness".
l. 2. *Idem*, i.e. *raide*; a humorous use of a commercial term in poetry. **l. 4.** *hydrocéphale*, suffering from water on the brain. A typical use of a learned word to create an effect of surprise. **l. 8.** A bold and original comparison. **l. 9-11.** *bonde*, a bung;

désopilé, literally unobstructed. The reference is to the idiom *se désopiler la rate*, meaning to amuse oneself, to laugh and joke. *Désopilé* contrasts with *glacialement*; the Pierrot's humour is cold and forced, not jovial. **l. 12.** *le souris*, a familiar word for a gentle smile. *La Joconde*, the famous painting in the Louvre of the mysteriously smiling Mona Lisa, by Leonardo da Vinci. **ll. 17-20.** Laforgue is emphasising, as in ll. 9-11, the wide range of interest and tolerance of the Pierrot. The magical suggestion of the Egyptian beetle-brooch is amusingly counteracted by the buttonhole of dandelions. **l. 21.** *azur* is used as in Baudelaire and Mallarmé to mean the Ideal. **ll. 27-28.** Life must be lived like a Shrove-Tuesday carnival. **p. 253. Dimanches** (from *Derniers Vers*). Laforgue loathed Sunday for the dullness and loneliness he associated with it. Also, because it is a day of family foregathering and religious celebration, he felt excluded from it. This is very much a poem of loneliness and longing, which he hides behind banter; although, generally speaking, in the *Derniers Vers* Laforgue shows an increasing desire to come to terms with reality and is less purely destructive in his irony. At the same time, his self-analysis was never acuter than in the *Derniers Vers*; indeed, the essence of his poetry is always analytical rather than lyrical, and is expressed more in rhythm than in melody. Notice the extraordinary variety of metre, rhyme-scheme and verse-forms. **l. 4.** Galathea was the statue created by the sculptor Pygmalion with which he falls in love, and which comes to life and loves him. The comparison is complex, but the general situation is clear: he would have liked to admit his love of this "fiancée" but was too uncertain of himself to do so; and so she has left him. **l. 12.** The anniversary, no doubt, of the night his lover left him. Notice the line of sixteen syllables, which is perhaps less bold than at first might appear, since it divides easily into two octosyllables. **l. 16.** Laforgue is saying: "I should have allowed myself to give way to my enthusiasm for her, rather than analyse myself and my feelings." **l. 20.** An absolute construction. **l. 26.** The malicious suggestion is that for some people the delicious cakes (*brioches*) which will be eaten after Mass are as important as the service itself. **l. 30.** *reblanchi*, literally, laundered. There is the suggestion of a comparison with a piece of washing. **l. 35.** *natal*, literally native, meaning inborn, forming part of one's essential self; *me recommence*, an ethic dative. **l. 36.** *ânonner*, to stumble, blunder through (a speech, etc.). The use reflexively is very bold. The sense of these lines seems that Laforgue is sorry for this girl as she strums and sings, haltingly, sentimental dance-hall ditties and thinks of men—any man, because she would like a sweetheart, although she hardly admits it even to herself (*cœur qui s'ignore*). This smug innocence and sentimentality infuriated Laforgue (ll. 39-42). **l. 43.** *dire son fait a quelqu'un*, to speak frankly to someone, to tell them where they get off. Laforgue wants love to be the complete expression of the whole personality, although in ll. 47, 48 there is repulsion in his reference to the physical side of love. **ll. 48-50.** He cannot help remembering that our body is condemned to decay eventually (*incurables*), and that we have no power to stop ourselves from ageing. Our body is compared to a solitary monomaniac, living only for himself; but perhaps one can at least *s'entrevoir*—just glimpse each other before we finally rot in the tomb. **ll. 52-57.** What he wants is a harmony of sensual and sentimental love; as he says, it is mad for a man and a woman to pretend to feel only brotherly love for each other. **ll. 58, 59.** He realises she is not ready for such a love, and warns her sarcastically not to let herself go. She must not infringe social conventions by falling in love without the prospect of marriage. **l. 63.** *l'ellébore*, a plant which was supposed in ancient times to cure madness; and in view of Laforgue's ironical mood, he may also have intended us to remember that hellebore is a purgative. **p. 255. L'Hiver qui vient** (from *Dernier Vers*). This poem shows complete liberation from any fixed principles of metre, rhyme and verse-forms; it is entirely in *vers libres*. **l. 1.** *blocus*, a (naval) blockade. Winter will blockade his feelings; by an association with the idea of blockade, he adds *Messageries du Levant*, meaning literally a shipping company plying to the East. There is a suggestion of an escape to the sun-drenched East which will never take place. **ll. 5, 6.** Even the chimneys are not friendly, domestic ones, but factory chimneys. Notice how the final idea, important as it is to the sense of the sentence, is slipped in at the end apparently as an afterthought, to create a surprise and a shock. **l. 8.** Laforgue addresses the reader directly and makes the poem thus much more personal for us. **ll. 14, 15.** Notice how, after the alexandrine of l. 14, the *impair* eleven-syllable of l. 15 brings out the meaning of the line. **l. 16.** An amusingly mock-heroic way of saying that the powerful summer sun, which has been producing such golden riches, has been buried. *Pactoles* is used in French as we would say "a gold-mine". The Pactolus was a river of Asia Minor, said to flow over golden sand. **l. 21.** A vigorous and deliberately repellent image. **ll. 24-26.** The horns are sounding. Come again! Come to yourself again! Notice in ll. 19-23 how, as the sun is described, the lines diminish in length, as if to match the declining power of the sun. **l. 28.** The subject of the verb is *cors*. **l. 36.** A reference to Don Quixote and the sheep. **l. 38.** Notice the unusual position of the adjective. **l. 39.** *bercails*, sheep-folds or, figuratively, the fold of the Church. This word is not used in the plural in French but Laforgue ignores this. **l. 40.** *il en a fait de belles*, made a fine to-do. **ll. 51-53.** *masses*, sledge-hammers. The personification of telegraphic wires, considered as suffering from *spleen*, is amusing. Contrast this ironic attitude with the intensity of Baudelaire's conception of spleen. Notice how the repetitions (e.g. of *c'est*), the alliterations (e.g. in *r*) and the assonances (e.g. in *ou*) all help to knit the *free verse* together and give it rhythm. Such devices may be studied throughout this poem. Laforgue was at that time (1886) strongly influenced by the free verse of the North American poet Walt Whitman (1819-1892). **ll. 64, 65.** An excellent example of Laforgue's method of association of words and ideas which often leads him to punning: *vendanges* make him think of the *paniers*, the baskets in which the grapes are gathered (both words also form part of an old folk-song refrain); *panier* means not only basket, but the hoop of a hoop-petticoat; this in turn makes him think of a painter of the period when hoop-petticoats were worn; and this painter, Watteau, used to paint scenes of picnics and country parties, which makes him think of country-dances (*bourrées*) under the chestnut trees. **l. 74.** Notice the colloquial omission of the *ne*. **l. 76.** *vespéral* is an amusingly grand adjective to use of *statistiques sanitaires*. Notice the pre-occupation with illness. **ll. 79-84.** Notice the monotonous and oppressive effect of the continued repetition.

ARTHUR RIMBAUD. Born and brought up in Charleville by an austere and ambitious mother, Rimbaud, a brilliant pupil, began to write poetry at a very early age. A voracious reader, his interests included such strange subjects as alchemy and magic. He revolted against his environment and upbringing and, unsettled also by the 1870 War and its sequel of the *Commune*, he ran away to Paris to meet Verlaine. In the prose poems of *La Saison en Enfer* (1874), written during and just after his life with Verlaine, he sets down a transposed account of his experiences and literary aspirations and condemns them. After the shooting incident with Verlaine in Brussels, Rimbaud, although for a year or two still continuing to write a certain amount of prose poetry (some of the *Illuminations*, published in 1886), began a wandering life which took him to Germany, Italy, Holland, Batavia, Austria, Denmark, Sweden, Cyprus, Egypt, Aden, and from 1880 onwards he lived mainly in Abyssinia, where he became a trader, including gun-running among his activities. A tumour on his knee, causing him great suffering, forced him to return home. His leg was amputated, but he died in hospital in Marseilles a few months later. Main poetical works: *La Saison en Enfer* (prose poems), 1874; *Les Illuminations* (prose poems), 1886. The collected verse works are posthumous. *Bibliography:* R. Étiemble et Y. Gauclère, *Rimbaud*; C. A. Hackett, *Le Lyrisme de Rimbaud*; *Rimbaud L'Enfant*; R. de Renéville, *Rimbaud le Voyant*; E. M. Starkie, *Rimbaud*. **p. 259. Sensation** (March, 1870). This early poem, written at the age of seventeen, already shows Rimbaud's tremendous conscious-ness of sensations; in this case of colour (always most important for Rimbaud) and touch. **l. 7.** An adumbration of later escap-ades. **p. 259. Roman** (written September, 1870). A charming and humorous account of adolescent love. Notice how the continual exclamations give the right ironic note of enthusiasm. **l. 17.** An original neologism: *Robinsonner*, from *Robinson Crusoe*.

l. 20. The detail of dress—the stiff collar—becomes a symbol when qualified by the adjective *effrayant*. **l. 24.** The poet is so taken aback with surprise that he stops singing. *cavatine*, a melodious simple song, from the Italian *cavatina*. **l. 25.** Rimbaud is laughing at the short duration of this sort of adolescent infatuation. **ll. 29, 30.** The suggestion seems to be that the poet loses interest as soon as his idol begins to show interest. **p. 261. Ma Bohème.** A poem of an escapade, enthusiastic and good-humoured. **l. 2.** An amusing way of saying that he hadn't got an overcoat. **l. 5.** A deliberate anti-climax after l. 4. **l. 8.** An interesting and imaginative conception of the "music of the spheres" is turned into a homely *frou-frou* (the rustle of a silk skirt). **ll. 12-14.** The humorous picture does not destroy the fervour, nor the vigour of the image in ll. 10, 11. **p. 261. Les Poètes de Sept Ans** (written in 1871). A poem of obviously autobiographical nature; although some of the physical details of the hero of the poem are said to apply rather to Arthur's brother, Frédéric, the unhappy relationship with his mother is certainly that of Arthur. The sensitiveness to sensations, particularly of colour, is remarkable throughout this poem. **l. 6.** Rimbaud was, in fact, a most intelligent and model pupil in his early years at school. **l. 12.** A most vigorous colloquialism. Rimbaud's language at this period was extraordinarily varied. Contrast *râlait* with the neologism *s'illunait* in l. 18, meaning to be lit by the moon. **ll. 15, 16.** One may suspect in these lines something of a desire to be outspoken, as well as to be completely honest. Whatever the motive, it is a completely new note in modern French poetry. **l. 20.** Already he is deliberately shutting himself off from reality and creating his own hallucinations. *Darne* is a dialect word from the Ardennes, meaning giddy. **l. 21.** *galeux*, a very bold use of a word meaning itchy, scurfy. **ll. 23-26.** The vividness and uncompromising frankness is typical of the truculent side of Rimbaud's character. One can imagine the horror of his mother at such unrespectable associations. **ll. 28, 29.** Rimbaud's pity is shocked at his mother's lack of understanding. **ll. 31-35.** A most important statement, which shows us how bookish his knowledge of the world was (as one would expect from someone too young to have any wide experience outside his fantastic imagination). **l. 38.** *qu'elle avait sauté.* The *que* replaces *quand.* **l. 48.** Again his sympathy for the working classes. **ll. 52-54.** Notice the melodious tone and the change of vocabulary compared with the immediately preceding lines; notice particularly the generality of the vocabulary, enhanced by the scientific word, *pubescence* (=downiness). **l. 60.** *Sidérals* should be, more correctly, *sidéraux.* The whole line is mysterious and fraught with a sense of grandeur and strangeness. **l. 61.** Rimbaud frequently uses exclamatory nouns, in isolation, without verbs, for concentrated effect. Notice how, by bringing the four nouns together, one referring to a physical state (*vertige*), two implying either physical or emotional events (*écroulements, déroutes*) and one to an emotional state (*pitié*), the reader's mind, swayed backwards and forwards, receives a variety of different stimuli. **ll. 63, 64.** The unbleached linen-cloth makes him think of sails. **p. 263. Qu'est-ce pour nous** (written 1872). One of Rimbaud's later poems, and the poem in which his revolt against society is most radical, extending to the whole of civilisation. Only the Negro, untouched by so-called civilisation, finds favour in his eyes (see l. 21). **ll. 1-5.** *qu'est-ce pour nous . . .* What do we mind if these things take place? Not at all. **ll. 13 and 16.** *les tourbillons de feu furieux.* Rimbaud in his *Lettres du voyant* says: "*donc le poète est vraiment voleur de feu*", i.e. a modern Prometheus. **l. 15.** *romanesques amis.* A suggestion here that his revolt is one of feeling and mind, unlikely to achieve realisation in action, and in l. 25 he realises that in fact he cannot rid himself of the world he hates. It has been destroyed in his vision but it always returns. **l. 16.** Rimbaud is here expressing his disdain for the ordinary routine of uncreative work. **ll. 23, 24.** *fondre sur*: to pounce on. Just as he is feeling a greater and greater sense of fraternal solidarity with the *noirs inconnus*, the earth pounces to destroy them all. **p. 264. Bateau Ivre** (written 1871). Rimbaud identifies the poet with a drunken boat and recounts all the strange sights it sees on its imaginary voyage. He had never seen the sea when he wrote the poem; but many suggestions have been made of possible literary sources of his visions, including illustrated books about the sea. A particular source may have been the *Voyages of Captain Cook*, a number of incidents of which find their parallel in *Bateau Ivre*. Another source may well be Jules Verne's *Twenty Thousand Leagues under the Sea*. In particular, it is interesting to speculate that if, from the fifth verse onwards, the *Bateau Ivre* seems to show similarities with a submarine, this may be a reminiscence of Jules Verne's submarine, the *Nautilus*. But Rimbaud has imposed his own vision on the whole poem and infused his own vigour into it. It is an excellent example of his early experiments in *voyance*, of expressing an imaginative inner world. **l. 1.** In view of the use of the adjective *impassibles*, so often used of Parnassian poets whose work Rimbaud knew and admired, particularly Leconte de Lisle's and Gautier's, it has been suggested that Rimbaud is here describing how he is breaking free from Parnassianism. This is not impossible and, indeed, there are often several layers of interpretation possible with Rimbaud's as with Baudelaire's or Mallarmé's work. On the whole, however, it is dangerous to try to read too explicit and rational a meaning into Rimbaud's later work; he was using visions for visions' sake and using words emotionally and suggestively. A better understanding of him is achieved by giving oneself over to his vividness and vigour of expression, by trying to relive his imaginative experience irrationally, than by trying always to interpret his images logically. **ll. 3, 4.** A typical image for a boy interested in Red Indians. **l. 16.** *falots*, lanterns which were visible when he was in sight of land. **l. 19.** *taches de vins bleus et des vomissures*. Symbolic of the unpleasant reality which he is escaping from. **l. 22.** The stars are reflected in the sea. **l. 25.** The use of abstract nouns in the plural gives greater breadth and generality of meaning; cf. this line and l. 28 (*rousseurs*) with what he says of *bleu* and *rouge* in the *Voyelles* sonnet. **l. 30.** *ressacs*, surf or undertow. **l. 34.** *figements*, from *figer*, to make still and motionless. **l. 35** is a description that is very similar to Captain Cook's account of the appearance of the natives of Hawaii. **l. 36.** The sea's waves are compared to the slats of a window shutter. Notice how the generality of *horreurs*

mystiques in l. 33 contrasts forcibly with the strictly visual image
of *volets*, although they are personified by the use of the emotional and suggestive *frissons*. **l. 40.** *phosphores chanteurs* is an
expression of synæsthesia. **ll. 41, 42.** *vacheries*, literally cow-sheds,
used perhaps here as a herd of cows to which the sea-swell is
compared. The image of the sea as cattle is continued in l. 44,
where *forcer le mufle* (*mufle*, snout) could mean "keep under
control". **l. 43.** In *Captain Cook's Voyages* there is a reference
to the Maria Islands, off New South Wales, where the N.E.
winds were described as extremely violent. For another explanation see E. Starkie's *Rimbaud*, pp. 143, 144. **l. 48.** *glauques
troupeaux*, herds of sea-beasts of some sort. **l. 50.** A description
of the Sargasso Sea. **l. 52.** Perhaps a memory of Poe's *Descent
into the Maelstrom*. **l. 54.** *échouages*, strands where a boat is
beached. **l. 56.** Notice the adjective of colour applied to a
scent; cf. *Voyelles* and Baudelaire's *Correspondances*. **l. 59.** *dérade*,
formed by Rimbaud from the verb *dérader*, meaning to be
driven from an anchorage out to sea. *Bateau Ivre* is full of such
nautical terms. **l. 68.** *noyés*, a reminiscence of l. 24, referring, perhaps, to other members of the crew of the *Bateau Ivre* who have
failed to survive these miraculous and adventurous experiences.
l. 69. *cheveux des anses*, perhaps the branches of trees. In his *Voyages*,
Captain Cook describes how, on one occasion, the yard-arms
of his ship were caught in the impenetrable branches of trees
in a bay (*l'anse*) on the western coast of New Zealand. **l. 70.**
The *Bateau Ivre* is soaring into the empyrean. **l. 73.** *monté*, in
the sense of manning a ship; these purple mists are the only
crew. **l. 79.** *trique*, a cudgel. He personifies July as beating the
skies and forcing them to precipitate their funnel-shaped cloud-
bursts. **l. 83.** He is almost at the summit of his experience,
reaching the infinite stillness of eternity, symbolised by the
blue sky (*fileur*, from *filer*, meaning to shoot along; *étoile filante*
is a shooting star). But he suddenly comes to earth with a
bump in l. 84. He cannot forget the reality of life in Europe,
and gives up his attempted escape into the world of the imagination in favour of a return to a world of memory—the memory
of his childhood (l. 95). **l. 98.** *enlever leur sillage*, etc., sail in the
wake of. **l. 99.** *flammes*, pennants. This description of what seems

a naval review could have been inspired by a similar description by Captain Cook of a review at which he was present in Batavia in 1770. **l. 100.** The reference is to the lights of the prison-hulks on which convicts were imprisoned, and particularly, no doubt, the convicted members of the *Commune* of 1871 who were punished in this way. *Nager* is used in a technical sense, meaning to row. **p. 268. Voyelles** (cf. Baudelaire's *Correspondances*). In this poem, Rimbaud establishes *correspondances* between the sounds of the vowels and colours, as well as with other sensations of hearing, seeing and smelling. It has been suggested that his conscious or unconscious point of departure was an ABC book of the period, in which the colours of the vowels are those allotted to them in the sonnet, except for the letter E, which is yellow. In a later prose work Rimbaud wrote sarcastically of his mad attempt to invent the colour of the vowels. Verlaine said, long after the poem was written, that Rimbaud "couldn't have cared less whether A was red or green, that he saw it like that, and that was all". This is perhaps the simplest explanation, and it has the advantage of allowing the reader to concentrate more on the quality and nature of the images used and the sound of the words used to express them. Another consideration is that Rimbaud, who was interested in alchemy and refers to it in the sonnet itself, uses the colours in the order in which they appear, according to some alchemical works, in the course of the transmutation of base metal into gold. However, in view of Rimbaud's limited knowledge of the subject, any interpretation based too exclusively on alchemy would be dangerous. It has also been suggested (by J. B. Barrère in the *Revue d'Histoire Littéraire de la France* of January-March, 1956) that it is not so much the colours as the mysterious properties of the vowels themselves that were Rimbaud's main preoccupation and, following this train of thought, it has been suggested that it was in going through the vowels in a dictionary that Rimbaud may have been led to discover certain *correspondances* of colour between words beginning with the same vowel, e.g. that *a* is black because of words such as *abîme, abyssal, antre* (hence the *golfes d'ombre* of l. 5). Though this theory, in this form, is conjectural, it is not unlikely that, having fixed on certain colours for certain vowels, Rimbaud discovered his examples by thumbing a dictionary, e.g. the *strideurs étranges* of *o* could have been suggested by such words as *orchestre*, *orgue* and *orphéon* (a male-voice choir). In all this speculation, one thing is certain: this sonnet owes much of its spell-binding power to its brilliant semi-incoherence and vivid fancy. **l. 2.** There is a suggestion here of interest in the origins of the vowels, in their shapes no doubt as well as in their sounds, that brings Rimbaud strangely near to some of Mallarmé's preoccupations. Rimbaud wrote himself that a weak-willed person starting to meditate on the letter A could quickly become mad: he was most conscious of the mystery of human speech and writing. **ll. 3, 4.** This description might fit *l'Abeille*, representing the A in the ABC mentioned above. **l. 6.** One reading of l. 6 has *rais blancs*, but this is attributable to the handwriting of Verlaine, who copied out this particular version of this poem. **ll. 7, 8.** The association of ideas is here much plainer. **l. 14.** The analogy with *omega*, the last letter of the Greek alphabet, would explain why Rimbaud alters the alphabetical order of the vowels. This last line is as rationally obscure as it is emotionally suggestive. The capital *S* of *Ses* suggests the idea of God, and *O*, as a circle, is an obvious symbol of completeness and perfection. **p. 269. L'Eternité.** In *Une Saison en Enfer* (1874), in which another version of *L'Éternité* is to be found and in which Rimbaud gives an account of his experiments in *voyance* and bids farewell to them, he refers to these simple songs as showing that *la vieillerie poétique*—traditional old-fashioned poetic forms and concep tions—still played a large part in his work, which is a confession that he had failed in his attempt to create a new language which he wanted to *résumer tout, parfums, sens, couleurs*. The simplicity (though not the strange and grandiose mystery) of such song-like poems is paralleled in Verlaine's *Romances sans Paroles* written at the same period; also the obvious musical effect, the way in which, more than in any other of Rimbaud's verse poems, the sense tends to be subordinate to the sound, so that the main impression is of a rhythm and a tune with the meaning of secondary importance, which, at the most, can be guessed and not known. In *Une Saison en Enfer* Rimbaud describes this experience of eternity thus: *je vécus, étincelle d'or de la lumière nature*; but adds, from his then state of disillusionment: *De joie, je prenais une expression bouffonne et égarée au possible.* **ll. 3, 4.** Cf. ll. 70, 74 of *Bateau Ivre*, where Rimbaud seems to have the feeling of eternity suspended between sun and sea. **l. 5.** *l'âme sentinelle*, the soul considered as a guardian, presumably a guardian of his essential spirit. **ll. 7, 8.** Here eternity is the marriage of night and day. **l. 12.** *selon*, in the original sense of "along". Cf. l. 83 of *Bateau Ivre*. **l. 14.** Eternity is now felt as the marriage of extreme, flaring heat and the cool smoothness of satin. **l. 15.** Only the feeling of Eternity is absolute, and it is the duty of the poet to reach it and express it. **ll. 16-20.** Rimbaud seems here to come back to his theory of *voyance*, in which, to attain knowledge of *l'inconnu*, to become *le suprême savant*, the poet has to go through desperate (*sans espérance*) torture; **l. 18,** *nul orietur:* i.e. the Catholic formula of prayer, *orietur* (from *oreri*, to pray) is of no avail. Orthodox religion cannot help him to reach the feeling of eternity. **p. 270. Ô saisons, Ô châteaux.** Notice the song-like incantatory refrain. For an alchemico-magical interpretation of this poem, *v*. Starkie, *Rimbaud*, pp. 205-207. The main theme of the poem is the danger of happiness, which prevents the poet from fulfilling his task of becoming, through *le dérèglement de tous les sens* and *ineffable torture*, a *suprême savant*. In *Une Saison en Enfer*, Rimbaud writes: "I saw that all beings are fated to be happy". Rimbaud realises that, in spite of his efforts, he, too, could never rid himself of the natural urge to be happy. **l. 1.** Any meaning attaching to this line must remain conjectural. Miss Starkie considers *saisons* is used in an alchemical sense to describe the various stages of the alchemical process, and *châteaux* represents an inner sanctuary of "total and perfect bliss". One may also consider it as a completely private exclamation with meaning only for Rimbaud, which attracted him for its music. If these words are merely put in as a jingle to provide a refrain (as, e.g. in folk-songs), then they may have no meaningful relationship to the rest of the poem. **l. 2.** Rimbaud is going to say that his weakness was lack of courage to resist the temptation of seeking happiness instead of knowledge. **ll. 4, 5.** Rimbaud is saying that even in his magical studies as a *voyant*, he was, even if unconsciously, seeking only his own satisfaction, whereas a true seer works not for his own good but that of humanity. **ll. 6, 7.** The allusion may be to the cock crowing for St Peter and reminding him of Christ. Rimbaud was never able to reject completely his Christian upbringing. These lines could also refer to the fact that Rimbaud used to spend his nights experimenting in *voyance*; and the cock crowing at dawn tells him that the time for his, perhaps unsuccessful, experimenting has come to an end; everyday reality is beginning again. *Gaulois*, which suggests a certain side of the French character (a *gauloiserie* is an improper story), would be a term of abuse for Rimbaud, who disliked the erotic emphasis of this side of the French character. **l. 8.** *le bonheur* has taken away his ambition for a higher spiritual experience. **l. 10.** *charme* has the sense of magic charm, spell. **p. 271. Mémoire** (1872). This poem shows how, during his period of *voyance*, Rimbaud mingled reality and imagination. **l. 1.** He is beside a river, but instead of describing it, he starts meditating on whiteness, and his imagination leads him away first to two fairly ordinary comparisons (although charged with emotion, particularly the children's tears) and then to a much more extensive comparison which occupies two lines. None of these comparisons seems logically connected. **l. 2.** *L'assaut*, the bodies are vying with each other in whiteness. **l. 3.** *oriflammes*, a most evocative word. On starting for war, early French kings received from the Abbot of St Denis this sacred banner of red silk on a lance. **l. 4.** *pucelle*, a memory of stories of the Maid of Orleans, Jeanne d'Arc. **l. 5.** He is pursuing his vision of whiteness (angels disporting themselves) when he realises he must return to the reality of the river, the banks of which he sees as heavy, black, fresh, grassy arms. The river is probably the Meuse, which flows by Rimbaud's birthplace Charleville, near the Belgian frontier in the Ardennes. **l. 6.** *Elle* refers to the river water which falls, perhaps over a weir, and then is curtained or hidden by the shade of a hill and a tunnel. **l. 7.** The sky is compared to a bed-canopy. **l. 10.** The bed of the river (*les couches*) is considered as being furnished in pale gold by the yellow river. The poet now launches into an account of what is reflected in the river as it flows along. The river has already in l. 9 been compared to a pane of glass. **ll. 11, 12.** A striking comparison which leaves us uncertain whether it is the little girls' dresses which look like willows or vice-versa. Rimbaud, in his memory, cannot distinguish one from the other, for they both look the same to his mind's eye. **l. 13.** *louis*, a gold piece. **l. 14.** *le souci d'eau*, the marsh marigold. The yellow flower suggests to Rimbaud an association with the marriage-vow, perhaps because, in the language of flowers, yellow means jealousy and deceit; and the *Épouse* could be Rimbaud's mother, whose husband had run away from her; but it might also refer to married women in general. **l. 15.** Noon has arrived unexpectedly. *De son terne miroir*, the marigold is dull compared with the sun, and is thus jealous of it. **l. 16.** *la Sphère rose et chère* is a periphrase, deliberately "poetic", for the sun. Notice in these last eight lines the emphasis on colour. **l. 17.** Another scene, logically unconnected with what has preceded, which the river sees as it continues on its course. **l. 18.** *où neigent*, etc. The white threads of the needle-work are seen as falling snow. **l. 19.** The *Madame* of this verse might be the harsh Mme Rimbaud, too proud to notice the flowers she is treading underfoot. Notice the use of the technical botanical word for flower-cluster. **l. 21.** *Lui*, the sun setting over the hill. **l. 23.** *Elle*, the river chasing after the sun, personified as a man; but again there may be an allusion to Rimbaud's father's having run away from his wife. As often, the image exists on more than one level. **l. 24.** *froide et noire* because the sun has gone down. The next eight lines express the various, disconnected emotions of the personified river. **l. 25.** Cf. l. 6. **l. 27.** The heat of August gives birth, in the deserted shipyards, to decay. **l. 28.** The river is sad because it has come to the end of its flow. Everything, after being so golden and lively earlier on, is now still and grey. **l. 33.** The poet at last appears himself in the poem, in a despairing mood which is no doubt induced by the grey despondency of the last few lines. **l. 34.** The poet is the helpless toy of the water. These last lines of the poem recall for Rimbaud childhood memories of how he would go down to lie in a boat moored at a quayside close to his school. **ll. 35, 36.** We cannot know exactly what these flowers represent for Rimbaud, but it is plain that they represent something unattainable. *amie à l'eau*, etc., the blue flower matches the colour of the water. **l. 37.** *poudre*, dust. **l. 38.** The reeds are no longer pink from the sun. **l. 40.** The customary sinister ending to Rimbaud's visionary experiences.